和田春樹
Wada Haruki

回想 市民運動の時代と歴史家

1967–1980

作品社

はじめに

ベトナム戦争はいつはじまったと言いにくい戦争である。しかし、ベトナム戦争に反対する運動は、世界で、米国でも、日本でも一九六五年にはじまったことは明らかである。日本では鶴見俊輔、小田実氏らが「ベトナムに平和を!市民・文化団体連合会」をつくり、最初の定例デモを行ったのが、一九六五年四月二四日のことだった。一九六七年一一月一三日、この人々は米空母イントレピッド号水兵四人の反戦脱走を援助したことを発表して、運動のあたらしい地平に進み出た。こののち、この運動は「ベ平連Beheiren」の運動として、全国に、さらに全世界に知られるようになった。

はじまったのは市民運動の時代である。市民が戦争と闘い、国家の誤った政策に抵抗する時代である。一九六八年にはベ平連を名乗るグループも、そう名乗らない市民のグループも全国津々浦々にわきおこった。ついには、私のような人間でさえも、自分の家の屋根の上の空にベトナム戦争で傷ついた兵士を運ぶ米軍ヘリコプターが飛来するのを黙ってみている状態に我慢できなくなって、ベ平連運動に、反戦反米軍の市民運動に踏み出すことになったのである。私のグループは、ベトナム戦争に反対し、朝霞米軍病院の撤去をもとめる「大泉市民の集い」と名乗った。

そのとき、私は三〇歳になって、ロシア史を研究する歴史家として、東京大学社会科学研究所の助教授という職を得たばかりであった。五〇年前の世界戦争に抗して起こるロシア革命の第一幕に関する論文、「二月革命」を書いて、世に問うたときであった。だから、市民運動の時代に自分も市民運動をやることになって、その経験の中から歴史家としての仕事にさらに精進していくことになったのである。

他方で私は人間として、市民としてつきあたった問題の解決を求める市民運動の舞台にひとたび立つと、そこから降りることができなくなった。ベトナム戦争が終わりそうになった時点で、金大中（キムデジュン）拉致事件が起こり、韓国民主化闘争に連帯し、日本と韓国・朝鮮の関係を変える運動をはじめることになった。七〇年代末に機会をあたえられてソ連に長期滞在して歴史文書館で研究するようになると、ソ連の国家体制に抵抗する「異論派」の中に友を得るようになり、精神的に応援することになった。

一九六八年以後に私は歴史家として、一九七〇年に妻との共著『血の日曜日』（中公新書）、一九七三年に最初の大著『ニコライ・ラッセル——国境を越えるナロードニキ』上下（中央公論社）、一九七五年に著書『マルクス・エンゲルスと革命ロシア』（勁草書房）、一九七九年に論文集『農民革命の世界——エセーニンとマフノ』（東京大学出版会）、ソ連帰国後に論文「ソ連における反ファシズムの論理」を発表した。これらの作品はまさに「市民運動の時代」の研究成果であったと言っていいだろう。

本書はそういう私の生活を一九六七年から一九八〇年まで書いたものである。私は以前に『ある戦後精神の形成——１９３８－１９６５』（岩波書店、二〇一六年）を書いている。また少し変わった本だが、『私の見たペレストロイカ』（岩波新書、一九八七年）と『回想と検証——アジア女性基金と慰安婦問題』（明石書店、二〇一六年）も出している。最後の本に年号の副題をつければ、１９９０－２０１５年ということになるだろう。とすれば、本書はこれまでの三冊の私の回想的著作では語られていない１９６６－１９８７年までの私の生活の前半部分を語ったものということになる。後半の１９８０－１９８７年の部分について語るべきことはあるが、すでに八五歳の私にこの部分を書く時間がのこされているかどうかはうたがわしい。

本書を書くについては、大泉市民の集い30年の会編『大泉市民の集いニュース復刻版』(一九九八年七月四日刊行)と『写真記録・市民がベトナム戦争と闘った――大泉・朝霞1968-1975』(二〇一〇年)に負うところが大きい。あらためてこの資料の刊行に力を尽くした田村晴久、ほとんどすべての写真を撮影してくれた巨島聡の両氏に感謝したい。それ以外では、ベ平連の出版物『資料・「ベ平連」運動』上・中・下巻(河出書房新社、一九七四年)と『ベ平連ニュース縮刷版・脱走兵通信・ジャテック通信』(一九七四年)関谷滋・坂元良江編『となりに脱走兵がいた時代』(思想の科学社、一九九八年)も大いに参考にさせてもらった。これらの本を使わせてくれた佐伯昌平氏にも感謝する。また東京大学新聞研究所東大紛争文書研究会編『東大紛争の記録』(日本評論社、一九七九年)からも引用させてもらった。日韓連帯運動については、青地晨・和田春樹編『日韓連帯の思想と行動』(現代評論社、一九七七年)が唯一の資料集である。

本書を書き上げたのは、二〇一〇年代の半ばであった。あまりに膨大な分量になってしまい、出版社をさがすことが難しかった。最後に作品社が刊行してくれることになり、感謝している。難しい刊行のために力をつくしてくれた内田眞人氏にお礼を言いたい。氏が高橋武智氏に関する興味深いあとがきを添えてくれたことに感激している。病いを得た内田氏のあとをうけて本書を出版してくれた増子信一氏にも感謝する。

二〇二三年秋

著者

回想　市民運動の時代と歴史家　１９６７－１９８０　目次

第3章　歴史家になる

第4章　日韓連帯運動の六年

第5章　文明としてのソ連

回想　市民運動の時代と歴史家　１９６７－１９８０

第1章

一九六七年の私

［上］第一次世界大戦：塹壕のロシア軍兵士
［下］ベトナム戦争：朝霞米軍病院に運び込まれる米軍傷病兵

ロシア革命五〇周年記念の年に

私は一九六四年一一月に宮川あき子と結婚し、東大の前の横丁の奥の貸間で暮らしはじめた。翌年、静岡県清水の高校教師であった父が停年退職して、東京に出てきて、家を建てることになった。父捷夫は勤務している高校の教師用住宅に住んでいたので、退職すれば、そこは出なければならなかった。行き先を考えれば、一人息子である私と一緒に暮らすという案が出てくるのは自然であった。東京には父の二人の弟も住んでいた。練馬区の関町に住んでいる下の弟、パイロット万年筆勤務の三千雄叔父が世話をしてくれて、練馬区の大泉学園町の一角に土地が見つかった。一九六五年三月に父が退職して、家を建てはじめ、六月には完成した。私と妻はさっそく練馬区大泉学園町にできた父の家の二階に引っ越した。

妻は早稲田大学の露文科の大学院博士課程で学んでいた。私は大学卒業とともに勤めはじめた東京大学社会科学研究所助手の任期六年が切れるところであったが、幸運にも一九六六年三月同じ研究所の講師として採用されることになった。すでに妻は出産を控えていたので、私の就職が決まったことはありがたいことであった。

そのころの私はロシア革命の研究に没頭していた。ロシアでは第一次世界戦争のさなか、一九一七年に二月革命が起こり、帝政が崩壊し、次いで一〇月革命が発生し、レーニンのボリシェヴィキ政権が誕生し、翌年には社会主義をめざすことになる。一九六七年はロシア革命五〇周年の記念の年であった。私の属していたロシア史研究会では、この一九六七年に、革命五〇周年記念の論文集を刊行するというプロジェクトを進めていた。前年の一九六六年は研究会創立一〇年になるので、そのことも念頭に置かれていた。このプロジェクトを主導したのは菊地昌典氏で、もっとも強く支持したのは私であった。菊地氏は一九三〇年生まれ、私より八歳年上の兄貴格で、会務の責任者であり、一方で私は機関誌『ロシア史研究』の編集責任者であったから、二人でロシア史研究会を盛り立てようとしていたと言っていいだろう。そして、この一九六六年に国会図書館立法考査局海外事情課に勤めていた菊地氏は、新設された東大駒場の教養学科ロシア分科の助教授に採用され、私は東大本郷の社会科学研究所の講師に採用されたので、二人は大学でも協力関係にあり、大いに張り切っていたのである。

ロシア史研究会の中では、一九一七年の革命については、一九五九年に私が二月革命の際の首都の革命党派と大衆の関係について発表したことが皮切りで、私より三年若い長谷川毅君が一九六四年二月に二月革命についての卒業論文を報告し、私より一年上だが大学では一学年下になり、さらに駒場のストで一年停学処分を受けた長尾久君が一九六五年三月に四月テーゼをめぐる問題についての修士論文を報告するという具合に、三本のレベルの高い研究が出ていた。長谷川君は東大駒場の国際関係論大学院修士課程に入ったところで衛藤瀋吉先生の薦めで、アメリカ・シアトルのワシントン大学へ留学した。そこで一九六九年に二月革命についての博士学位論文を出し、そのままアメリカにとどまって、アメリカ国籍を取得してしまうのである。長尾君はその後、一〇月革命についての日本の第一級の研究者になっていく。こういう水準があればこそ、ロシア革命の共同研究論文集も可能になるわけである。一九一七年革命の先駆となった一九〇五年革命については、ペテルブルク・ソヴィエトの誕生について研究している信州大学の広瀬健夫氏や、一九〇六年の国会開設について研究している駒場の大学院生の原暉之君もいたので、心強かったと言っていい。

ロシア革命論文集を出そうという最初の提案は、一九六五年六月になされた。「近い将来日本人の研究者の手による『ロシア革命の研究』を公刊すること」が目標として掲げられた。七月末、倉持俊一氏の御殿場の別荘で、合宿を行ない、盛り込むべき内容、執筆者の検討を開始した。その合宿は楽しいものであった。研究会の会長で東大駒場の教授・江口朴郎先生も顔を見せられた。執筆者が確定したのは、一九六六年三月のことで、江口先生が刊行の言葉を、私が二月革命、長尾氏が一〇月革命を書いて、菊地氏が農民革命とコミンテルン・ブレスト講和を執筆する。これを中核部分として、革命の前史にも人をそろえ、革命後のこともある程度書いてもらうということになった。倉持氏はロシア革命がどのように論じられてきたかというテーマを取られ、これが序論になると考えられた。中世史の田中陽児さんは、ロシア社会の特殊性について論じることになった。私の妻の和田あき子は「ソ連における文化革命」について書くことを引き受けた。

中央公論社と話をつけ、出版を決めたのは菊地氏であった。草稿を持ち寄る合宿研究会を二回行ない、一九六七年二月には原稿を締め切り、一一月に出版を期すという計画が菊地氏の手でまとめあげられた。

『世界の名著 レーニン』と娘の誕生

ところで、この企画が立てられるちょうど同じ時期に、私たちは中央公論社の別の企画で苦心していた。一九六五年の早い時期に中央公論社から編集者が私を訪ねてきて、おごそかに社の秘密の企画で『世界の名著』全六六巻を出す、その第一回配本から第四回配本までに、ニーチェ、孔子・孟子、プラトン、レーニンを選んだ、ついてはレーニンの巻の編集の相談に乗ってくれと申し込まれた。私は承知して、解説の執筆は江口朴郎先生に頼むのがいい、翻訳は『帝国主義』を私がやり、『国家と革命』は菊地氏に引き受けてもらう。あとの数点は日南田静真・西嶋有厚などロシア史研究会のメンバーがやれるだろうと話した。翻訳は新訳で、何よりも読みやすい訳にしてほしい、挿絵も入れてほしいという注文だった。『帝国主義』は私の研究所の教授・宇高基輔先生が岩波文庫で翻訳を出されており、それを超えるようなものにすることは難しい課題だった。たいへん苦労して、私の翻訳は何とかできあがった。

宇高訳と私の訳を対比してみよう。「まえがき」の冒頭部分である。

宇高訳：「ここに私が読者に提供する小冊子は、一九一六年の春にチューリヒで書かれたものである。仕事をしたかの地の事情から、当然にも私は、フランスとイギリスの文献のある程度の不足に、またロシアの文献のきわめていちじるしい不足に、なやまされなければならなかった。しかしそれでも、私は、帝国主義にかんする英文の主要な労作、すなわちJ・A・ホブスンの著書を、注意をはらって利用した。この労作は、私の確信するところによれば、そのような注意にあたいするものである」。

和田訳：「これからご覧いただくパンフレットは、一九一六年の春、チューリヒで書いたものである。仕事をしたその地の事情から、フランス語と英語の文献がある程度不足し、ロシア語の文献がひどく不足したが、これは当然のことで、いたしかたなかった。しかしそれでも、帝国主義について書かれた英文の主要な労作であるJ・A・ホブスンの著書は、念入りに利用させてもらった。この労作は、それだけの注目をはらうのに値するものと、私は確信している」。

次は、第二章「銀行とその新しい役割」の中の一節である。

宇高訳：「その結果は、一方では、銀行資本と産業資本とのますます大きな融合、あるいはエヌ・イ・ブハーリンがうまく表現したように、その癒着であり、他方では、真に『普遍的性格』をもった施設への銀行の成長転化である」。

和田訳：「このようにして、一方では、銀行資本と産業資本の融合が、あるいは、エヌ・イ・ブハーリンのうまい表現によれば癒着が、ますます進展し、他方では、銀行は真に『総合的な性格』をもつ機関へと成長転化してゆく」。

読みやすい訳文にするというところは、何とか成功したと言えるかもしれない。もとより編集者の助力も大きかった。

さて訳文はできあがり、挿絵も選んだが、問題は江口先生の解説がなかなか上がってこないことであった。

一九六六年二月『世界の名著』の刊行がはじまった。第一回配本のニーチェが出て、三月には孔子・孟子、四月にはプラトンが出た。さあ来月はレーニンだというわけだった。このとき江口先生はお茶の水の旅館にカンヅメになって、苦吟しておられた。私と菊地さんが入れ替わり立ち替わり、先生の宿を訪問して、助け船を出した。こういうことを書いたらどうかとアイデアを出したのである。

実はそのころ妻は臨月を迎えていて、岐阜の実家に戻っていた。私は土曜日ごとに岐阜に通っていた。開通したばかりの新幹線で名古屋まで行って、在来線に乗り換えて、三時間ほどで着いたから、苦にはならなかった。

一九六六年四月一六日は土曜日で、私はいつものように岐阜に向かった。その日も江口先生の解説ができあがらないので、私は苛立っていた。妻に会って、酒を飲みながら、だいぶ江口先生をこき下ろしたらしい。妻は次第に陣痛がはじまっていたようだが、私は気づかなかった。妻はのちに、自分がお腹が痛いと言っているのに、あなたは江口先生のことばかり言っていたと私を非難した。明け方に私は妻に起こされて、産婆さんのところへ妻を連れていった。そこは昔田舎で妻の父が開業していたときに看護婦をしていた人が、岐阜の町へ出てきて、産婆の資格を取ってはじめた小さな産院だった。分娩室は二階であり、私は階段の下に腰かけてわが子の誕生を待っていた。

やがて上の方から赤ん坊の産声がきこえてきた。妻は流産をしたことがあり、この子も無事に生まれるかどうか心配していたので、ようやく生まれたということで、本当に感無量だった。一九六六年四月一七日、生まれた子は女の子であった。

東京に帰る新幹線の中で、私は名前を考えはじめた。響きのいい名前がいい。私は五〇音の表を思い浮かべて、あい、あう、あえ、あおと組み合わせていった。そして「まほ」に行き着いた。これにどういう漢字を当てるか。「ま」は「真」がいい。「ほ」については、相当に悩んだ末に、「保」を選んだ。真実を保つ人――少々重すぎる名前かなと思ったが、私は娘にこの名を与えることに決めた。妻がそれでいいと言ったので、それで決まった。娘の出生届けを出したのは五月はじめだが、五月二〇日には『世界の名著 レーニン』も難産の末刊行された。江口先生は、学生の結婚式で祝辞をするとき、「結婚して、家庭を持ち、子供をつくって、初めて歴史家になるんです」と言われるのが常だった。ようやく私も歴史家になれるのだなと思った。

　私はしばらく娘の写真を撮ることに熱中した。妻と娘を撮った写真を研究所の組合の写真展に出品したりした。

米軍ヘリコプターの爆音と五〇年前の兵士反乱

　ロシア革命五〇周年記念論文集の原稿の締め切りは一九六七年二月であったが、誰も期限を守って原稿を出せ

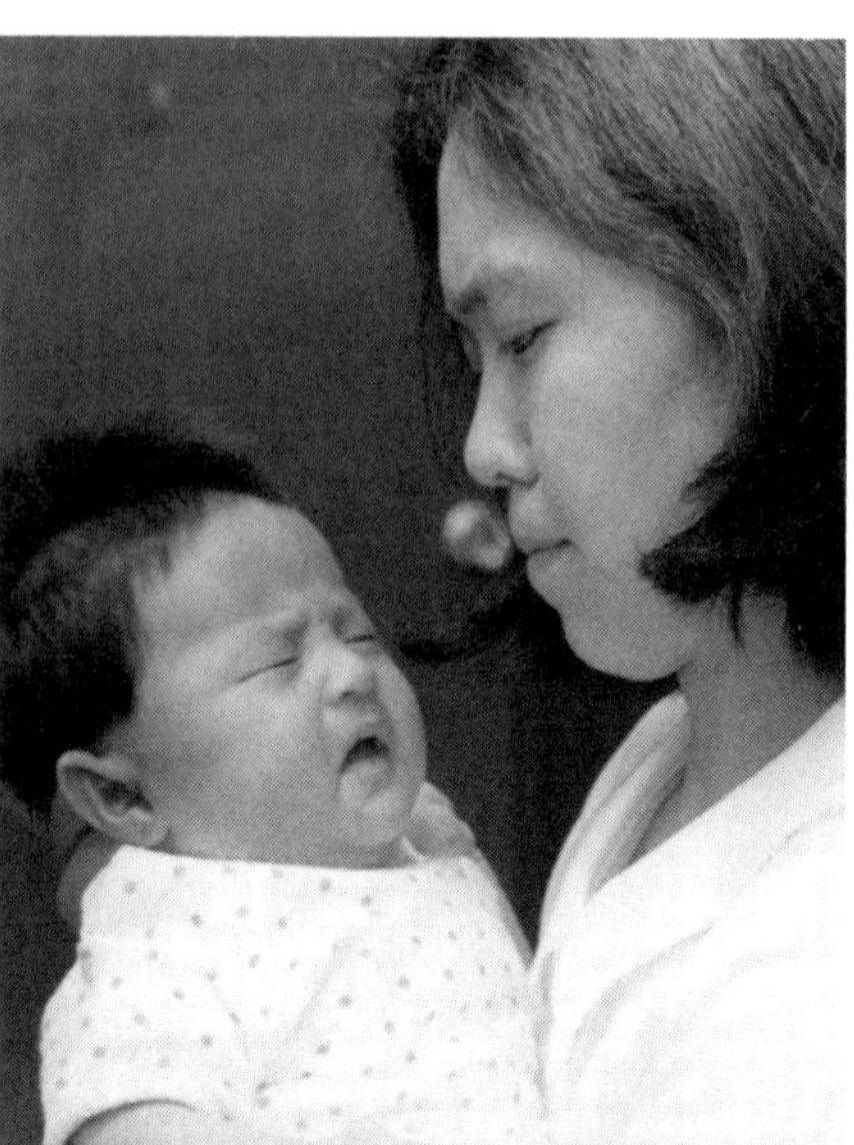

妻・あき子と娘・真保

なかった。菊地さんと話しあって、月例研究会を思いきって休むことにした。これは八か月間つづいた。

　ソ連では、一九六七年に入ると、革命五〇周年を記念する書籍が出版されはじめた。その中心は、膨大な全七巻の『大十月社会主義革命資料集』であった。驚いたのは、一九五六年の『歴史の諸問題』誌の副編集長で、歴史学界のスターリン批判の徹底化を主張して、党中央から批判を受け、解任追放されたブルジャーロフが『第二次ロシア革命』と題して、首都の二月革命について四〇〇頁の本を出したことであった。二月にモスクワで刊行されたこの本は、三月末には日本に届いた。革命党派と大衆運動という観点から書かれたすばらしい内容だった。私が一九五九年以来、堅持してきた観点で、私が書いていることと基本的に重なる分析が驚くほど豊富な資料で描き出されていた。

　私も必死になって自分の論文を書いていた。そのころ私はタバコを吸っていたが、原稿を執筆しながら、タバコを吸っていると、吸いすぎて気持ちが悪くなった。あまりにひどかったので、私はタバコをやめることにした。後年、ソ連で、私は一〇月革命五〇周年を記念して禁煙することにしたと言うと、大いに受けたものだ。

　このころベトナム戦争はますます深刻になっていた。米地上軍も韓国軍もベトナムに大量投入され、犯罪的な

戦争を展開していた。

私の住んでいる町、練馬区大泉学園町は東京二三区の北西の角にあり、北は埼玉県朝霞市に接している。境界にまたがって、米軍の基地、サウス・キャンプ・ドレイクがあるのだが、その北側の川越街道を越えた先にノース・キャンプ・ドレイクがある。そこに一九六五年暮れにベッド数一〇〇〇の野戦病院、「Asaka Army hospital」が開設されていた。この前後に横浜の岸根にも一〇〇〇ベッド、入間のジョンソン基地にも五〇〇ベッドの野戦病院が造られている。米軍がベトナムで本格的な地上戦を開始したことに対応した体制が日本に作られたのである。私がそのことを知ったのは、一九六六年の夏、『アサヒグラフ』誌（八月二六日号）で「日本の中の〝野戦病院〟」という記事を読んだからである。その記事を見て、私はさっそくカメラを持って朝霞へ出かけた。ゲートに立つ守衛に聞いて、ようやくノース・キャンプの正門にたどりついた。病院は北の裏門の方にあったのだが、私は基地を一周してみようという気も起こさなかった。正門のあたりで、出入りする米軍の車を写真に撮り、東の道のあたりから中の建物の写真を撮っただけだった。その写真は、研究所の労働組合の10・21スト準備の掲示に使われた。

野戦病院の存在を知っても、私の生活は変わらなかった。私はロシア革命の研究と研究所勤めをつづけていた。一九六七年元旦の年賀状に次のように書いただけであった。

「武蔵野の名ごりをとどめる東京の北西隅も、決してのどかとは言えないことを私たちは知りました。家から北に自転車で十分のところに、一昨年の暮れベトナム戦争の拡大にともなう、アメリカ陸軍の大病院が開設されています」。

だが、頭上をヘリコプターが飛びはじめた。ベトナムから立川・横田までは五時間で、一か月から三か月までの治療（修復外科）を要する傷病兵を運んできて、そこからヘリコプターに乗せて、朝霞まで運んでくる。ヘリコプターの飛行時間は六分と言われている。

私はそのヘリコプターの爆音を聞きながら、五〇年前の最初の世界戦争の中で抗命・反抗をはじめたロシアの兵士について書いていた。

「前線では、兵士の脱走が頻々としておこっていたが、〔一九一六年〕一〇月一日の夜、シベリヤ狙撃兵第四八連隊の兵士のなかに攻撃命令拒否の動きがみられ、中心人物とされた兵士一人が翌日銃殺されている。一一月一六日には歩兵第三二六ベルゴライスキー連隊第一、第三中隊が、攻撃準備行動の命令を拒否した。兵士は次のように叫んだ。『行かないぞ』、『陣地は最後の血の一滴まで守るが、攻撃にはでないぞ』、『俺たちは九ヵ月も陣地にいて疲れているんだ』、『交代、休息をよこせ』、『俺たちは裸足だぞ』。一一月一八日には、狙撃兵第七連隊第三、四、五、七中隊の兵士が、一二二二高地占領をめざす攻撃を拒否した。四人の中心人物は銃殺された」(「二月革命」、『ロシア革命の研究』三三三頁)。

次第にこのままの生活をつづけることは、苦しくなっていた。この年、一九六七年にはベトナム戦争に反対する運動はアメリカから全世界に広がっていた。

べ平連のデモが行く

日本では、一九六五年にはじまった「ベトナムに平和を！市民連合」(通称・べ平連)のデモに参加する人々が増えていた。べ平連は六五年四月一七日、清水谷公園での第一回のデモではじめて登場した。この会を作ったのは、哲学者の鶴見俊輔氏だった。彼は、一九六〇年の安保闘争のときは、彼が主催する「思想の科学研究会」のメンバーであった政治学者の高畠通敏と一緒に、小林トミの主宰する「声なき声の会」に加わっていた。鶴見と高畠はベトナム戦争の開始直後に行動をすることを決め、『何でも見てやろう』というベストセラーを書いて注目を惹いていた若い作家・小田実に一緒に活動することを提案した。小田はただちに賛同し、「ベトナムに平和を」、「殺すな」の声をあげて、即時の行動を開始することになった。

この運動は個人の主体性を何よりも尊重し、既成の決まりごと、思想、スタイルから自由に、新しい運動、新しい組織をめざした。当初から、日米市民連帯を追求し、戦争が終わるまで、定例デモを毎月行なうことを基本とした。そのようなグループが自由に「べ平連」を名乗り、日本の各地に誕生した。東京のグループはその各地のグループの連合体の中心となった。

べ平連は、一九六五年に「八・一五記念徹夜討論集会」(ティーチ・イン)を赤坂プリンスホテルで行なった。この年、アメリカ各地で開かれた反戦のための「ティーチ・イン」という集会形式を取り入れたのである。当日の集会にアメリカから参加した代表は、厳しくアメリカの戦争を批判した。兵士がベトナムの村で農民の家に火をつける映像が流されたことを記憶している。このティーチ・インに参加していた中曽根・宮沢氏ら自民党の議員が、このアメリカ人のアメリカ批判に反発し、発言を中止させろと求め、混乱が生じた。TV中継をしていた放送局(当時の12チャンネル)は放送を途中で打ち切った。さらにべ平連は『ニューヨーク・タイムズ』紙に意見広告を載せるとして募金活動を行ない、一一月一六日の紙面に「爆弾でベトナムに平和をもたらすことができるか？」と題する訴えを、一面大の意見広告として掲載した。そして、早くも一二月一〇日には米兵向けの最初の反戦ビラを作成して、配布した。

一九六七年三月八日、韓国軍を脱走し、日本に密航して逮捕され、大村収容所に入れられた韓国人・金東希の救援が提起されると、ベ平連は三五〇人ほどの署名を集めて、三月二七日、「金青年の意を尊重し、日本亡命を認めるか、朝鮮民主主義人民共和国への帰国を保護するよう要請する」という要請書を政府に提出した。四月三日には、ふたたび「殺すな」と大書した意見広告を『ワシントン・ポスト』に掲載した。「殺すな」の字のデザインは美術家の岡本太郎のもので、その「殺すな」のデザインはバッジとなって広められた。ベ平連の活動は次次と新しい展開を示し、大きな影響を及ぼした。

だが私は、そうした運動を遠くからただ見ていた。私はロシア革命の研究で身動きが取れなかったのである。

羽田事件と菊地問題

新左翼セクトが率いる学生運動も過激化していた。この年の秋には、一〇月八日に、訪米する佐藤首相に抗議する羽田闘争があり、警官隊との衝突で京大生・山崎博昭が死んだ。その日の午後、私は池袋の喫茶店で長尾久と会い、『ロシア革命の研究』の巻末に掲載する年表の原稿調整をしていた。そこでテレビ・ニュースで羽田で学生が死んだということを知った。五〇年前のロシアの革命について研究している自分たちのあり方に対して、死んだ青年から問いかけを受けているように感じた。長尾氏はそれ以上の気分であったに違いない。彼は私の一年後に東大に入って、一九五八年五月にエニウェトク環礁での米国の水爆実験に反対する教養学部学生のストライキを決定する学生大会の議長を務め、無期停学になった人だった。ブントに属していたのであろう。一九五九年に復学して、西洋史学科に入り、六三年に卒業して、国際関係論の大学院に進んだ。六〇年安保の際には活動をひかえ、勉強にはげんでいた。そのためこのときは心中は一層穏やかでなかったのだろうと思う。

ところが、それから一か月も経たないうちに、とんでもない事件がロシア革命研究がらみで発生した。一〇月革命は、ロシア暦では一〇月二五日（現行西暦では一一月七日）に勃発している。それで一〇月二五日に革命五〇周年を記念する菊地昌典氏の新書『ロシア革命』が中央公論社から出たのである。菊地さんはロシア史研究会の幹事を務め、共同研究のリーダーであった。私にとっては、田中陽児氏とともに、兄とも恃む人で、結婚の披露宴の司会をしてもらった人である。ロシア革命の共同研究の成果の刊行については、中央公論社との交渉を一人でやってくれていた。分厚い研究書を出す見返りに、一般向けの読みやすい新書を一冊書いてくれないかと出版社の側が言うのは当然のことであった。菊地さんは人柱になったつもりで、この仕事を引き受けたのではないかと思われる。中央公論社の山荘にこもって、一九六七年の夏休みは大いに書きまくるということになったようだった。私も長尾氏も自分の持ち分を書くのに必死になっていたときに、一人で従来の水準を超えるロシア革命史をまとめるのはたいへんなことである。しかも菊地さんは、これまでロシア革命史の専門的な勉強はしていない人だった。率直に言って、この仕事には無理があった。頼まれて、やむを得ず引き受けたわけだが、もちろん自分のロシア革命史を書くという誘惑に負けたところもあったかもしれない。

本の奥付では発行は一〇月二五日となっているが、私は二三日に受け取った。一見したところで、すぐに菊地さんの本が深刻な問題をはらんだ本であることがわかった。本文は誤りに満ちていたからである。私の専門とする二月革命の部分は、誤読と誤解の連続であった。

まず三頁に、国会議長ロジャンコの回想が引用されているが、「軍隊の『退廃』はすでに開戦二年目にはじまっていた」とあるが、これが誤訳である。原文の『demoralizatsiia』は「軍隊の戦意喪失」ないし「士気崩壊」と訳さねばならない。クルイモフ将軍の言葉も引かれているが、「この冬に戦闘命令があっても、軍隊はたたかわずして塹壕を放棄するかも知れぬという険悪な状態にある」と訳された原文は「軍隊は冬の間に塹壕と戦場を去ってしまうかも知れない」で、不正確な意訳である。

六頁には、ペトログラード市の工業労働者数は三九万三〇〇〇人、「市周辺工業地帯」に二三万八〇〇〇人、全ロシア労働者の一八・六％が集中していたと書かれてあるが、周辺部には二万四二〇〇人しかおらず、市内と合わせても、全国労働者の一一・九％にしかならない。

一〇頁には「プチロフツィの蜂起の知らせは、二月革命開始のシグナルとなった」とあり、一八頁にも、「二月二三日、国際婦人デーに約二万人のプチロフツィが工場所在地のヴイボルク区から街頭に進出した」とある。これは二月革命がナルヴァ区のプチーロフ工場のストにはじまるのではなく、ヴイボルク区の婦人労働者のストとデモの動きにはじまったという歴史的事実を無視し、誤解にもとづく混乱した説明を行なっている。

二八頁には、デモ三日目の二月二五日に発生した重大事件、クルイロフ警視の殺害事件について書かれているが、「群衆はクルイーロフを馬上からひきずりおろし、殴殺した」とするのは、菊地氏の創作で、実は、警察の動きに反発した一人のカザークによって警視が斬り殺されるという衝撃的な事件であったのである。

三五頁には、二六日夜「兵営内では深刻な革命が進行しつつあった。〔……〕将校たちは逮捕されつつあった」とあるが、二六日夜に反乱した兵士に逮捕された将校など一人もいない。すべては二七日朝のヴォルインスキー連隊の反乱からはじまるのである。

四一頁には、二七日の国会の動きについて、「ツァーリの閉会の詔勅をはじめておしきって」国会が開会されたとあり、五六頁では、「夕方には無制限の権力をもつと自称する国会臨時委員会をつくりあげた」とあるが、国会はツァーリの閉会命令に従って、私的な非公式会議を開いたのであり、「秩序の回復」と「人々や諸機関との交渉」を目的とする国会臨時委員会を選んだだけだったのである。

五七頁では、労働者兵士代表ソヴィエトの「結成を呼びかけたのは、ボリシェヴィキとメンシェヴィキ双方であった」と主張しているが、この点は日本でとくによく研究され、私も長尾氏もボリシェヴィキはソヴィエト結成のイニシアティヴ争いに積極的ではなかったと主張しているのに、菊地氏はその主張を無視して、ただ想像で論じてしまったのである。

成立した臨時政府の政策は八二頁に述べられているが、「組合結成」の自由は「結社」の自由の間違いであり、「階級、宗教、国籍の差別の全廃」は「いっさいの身分的、宗教的、民族的な制限の撤廃」の間違いである。

以上はごく一部の誤りの例だが、本の全体がこの調子であったので、私は全体として、本書は「書かれるべきでなく、出版されるべきでない書物であると言わざるを得ない」と結論せざるを得なかった。長尾氏の結論も同じであった。

一一月一日、私は長尾氏とともに、菊地さんの家を訪れて、私たちの批判を話した。ロシア史研究会の委員・中山弘正氏（ロシア経済史の専門家、法政大学教授、のち明治学院院長）に同行を求めた。家で話したのは、外で話したのでは、家に帰るまでが菊地さんにとってつらいだろうと心配したからである。家であれば、家族がいる。涙を流して、酒を飲んで、寝ることができるだろうと考えたのである。私たちは練馬区関町の菊地さんの家に夜の八時に訪ねて、帰ったのは翌朝の八時すぎだった。菊地さんは泣いていたが、われわれも泣いていた。つらい夜だった。菊地さんは本を販売中止にして、絶版にすると言った。

私たちは、この批判を『ロシア史研究』に載せるが、それ以外のところに書くことはしないというつもりだった。菊地さんの学者としての生命に影響を与えたくないと考えていた。世間的には、この本について出た書評はすべて絶賛するものばかりであった。本当なら、世間の誤解を正すことは私たちの責任であったのだが、それはしなかったのである。私と長尾氏の長文の批判を載せた『ロシア史研究』（一六号）は一九六七年一二月に刊行された。「あとがき」で、私は創刊以来、八年間務めてきた編集委員を辞めると記した。ロシア史研究会は反アカデミズムの在野精神で立ってきた。権威を恐れず、忌憚なく批判をしあい、翻訳史学を排し、史料の分析にもとづき、事実の復元に固執する方法を取ってきた。会の中心的な世話人であった菊地氏は、以上のような会の精神・態度・方法の確立に努力した〝会の魂〟とでも言うべき人物であった。その人が自身が育んできた会風からは考えることができないような仕事をし、それを仲間であり、共同研究のメンバーであるわれわれが、防ぐことができなかったのである。私は、一一月に開かれた総会で「第一次ロシア史研究会は、ここで終わった」と発言した。

『ロシア史研究』（第一六号）のあとがきにこのことを述べた上で、私は次のように結んだ。

「本誌創刊号が出たのは、安保闘争のあと、浅沼稲次郎氏が暗殺された直後であった。今日、アメリカ帝国主義の侵略軍と南北ベトナム人民との闘争はますます熾烈の度を加えている。この二ヶ月来、老エスペランティストは焼身自殺をもって日本の侵略加担に抗議し、横須賀に寄港した空母の乗組員たる四人のアメリカ兵は脱走し、亡命した。壮絶な身ぶりや言葉の馬鹿らしさは痛いほど感じられる。だが、事態がわれわれ一人一人に新たな決意を迫っていることはたしかである。われわれは自らの義務をはたさなければならない」。

菊地氏の『ロシア革命』が出版日程を合わせたロシア革命五〇周年記念日は、本来なら、一九六七年一一月七日であった。由比忠之進というエスペランティストの老人が首相官邸前の歩道の上で焼身自殺したのは、その四日後、一一月一一日のことだった。米空母イントレピッドの四人の水兵の脱走が、べ平連の人々によって発表されたのは、その二日後の一一月一三日であった。私たちが菊地氏の新書の問題で苦悶していたときであった。

だからこそ、この状況で生じた菊地問題は、私と長尾氏にとって、いっそう深刻な経験であったのである。私は、さしあたり学問としてのロシア史研究を確立しなければならないということを考えていた。もちろん何のための学問か、何のためのロシア史研究かを考えなければならなかった。長尾氏もその考えを突き進めたようだった。長尾氏が一九六八年の東大闘争で、大学院生のグループで東大全共闘の代表となった山本義隆氏らとともに運動するようになったことは、このことと関係があるのかもしれない。

菊地さんのその後の学者人生は、なかなかつらいものだった。最初は菊地さんには『ロシア革命』を絶版にして、勉強して、誤りを訂正し、書き直ししてほしいと思ったが、一方ではそれは難しいだろうとも思われた。しかし、それをやらないではロシア史研究者として再起ははかれない。他方で、菊地さんは駒場のロシア科の学生、国際関係論のロシア専攻の大学院生を指導していかなければならない。私も一九六八年四月から助教授になって、菊地さんと同じ大学院の社会学系大学院国際関係論コースで教鞭を執るようになった。私と菊地さんは同僚となり、二人が協力しなければ、東大でロシア史専攻の大学院生を育てられない。

しかし、思いがけない事態が起きて、菊地さんを救った。中国の文化大革命が菊地さんを飲み込んで、私たちの小さな整風運動を吹き飛ばした。菊地さんが国会図書館時代に中国語を学んでいたことが幸いした。さらにもう一つ、一九六八年からの東大闘争の嵐が雰囲気をすっかり変えていった。菊地さんは七〇年代には文化大革命論から歴史小説論にまで執筆対象を広げ、多くの本を出した。ロシア史の世界では、大学院生を集めて『ソビエト史研究入門』（東大出版会）と『ロシア革命論』（田畑書店）を刊行した。ロシア革命について自分で執筆したのは、一九七三年の『ロシア革命と日本人』（筑摩書房）一冊だけだった。これは菊地さんらしさの出た、よい研究だった。私と菊地さんは最後まで大学院で協力して、若いロシア研究者を育てた。私たちの大学院から育って大学教員になったロシア史家は二〇人はいるだろう。菊地さんは定年まで東大教授を務め、定年後は千葉の敬愛女子短期大学に移り、五年間、学長を務めた。亡くなったのは一九九七年のことである。菊地さんのこと、何度も通った練馬区関町のお宅のこと、夫人とかわいらしい娘さんのことを忘れることはない。

ところで、私たちの研究会の本、江口朴郎編『ロシア革命の研究』が中央公論社から刊行されたのは一九六八年一一月七日のことだった。執筆者二〇人で九〇六頁の大著である。菊地さんは原稿を出せず、菊地さんともっとも近かった田中陽児氏は謹慎するとして、原稿を出さなかった。田中氏も、結婚披露宴の司会を菊地さんにやってもらったという深い関係であった。私と長尾氏は制限枚数をはるかにこえる長文の論文を出した。私の論文は一三四頁、長尾君のも一三七頁になった。それでいて私のものは二月革命の最後までは書けていず、長尾氏のものにいたっては、二月革命の直後から執筆をはじめながら、一〇月革命はおろか、八月のコルニーロフ反乱にまでもいたっていなかった。しかし、この二つの論文は国際的水準に達した仕事であったと確信している（なお私は、この論文を基にして二月革命の全過程を描ききった本『ロシア革命――ペトログラード一九一七年二月』を、五〇年後の二〇一八年に作品社から刊行することになる）。

第２章

市民が ベトナム戦争と闘った

「大泉市民の集い」の朝霞基地デモ。先頭左から清水知久、和田春樹（撮影：飯田隆夫）

一九六八年という年

私は一九六八年という年を強い危機感と苛立ちの気持ちで迎えた。送った年賀状は、愚痴とも弁解ともつかないものになった。

「正月休戦の終ったあとから、ベトナムでの負傷兵を横田や立川から朝霞の米軍病院へ運ぶヘリコプターは、さかんに私どもの家の上を飛んでいます。やり切れない気持で爆音をききながら、私どもは今年一年の計をあれこれと思い悩んでいる次第です」。

この年は、米原子力空母エンタープライズの佐世保入港という事件で幕を明けた。全国から新左翼諸党派の学生たちがぞくぞくと佐世保に集まり、一月一七日から警官隊と激しく衝突した。猛烈な放水、催涙弾が浴びせられる中、ヘルメットをかぶり、角材の棒を振るい、石を投げて、米海軍基地の門に突進する学生たちの姿は全国民に衝撃を与えた。私は後年、アジア女性基金の記録のために河野洋平氏に聞き取りをしたことがあるが、そのとき思いがけなく、河野氏は三八年前のこの夜、佐世保のビルの屋上で学生と警官隊の衝突を見たことを話し出した。その光景は、このリベラルな保守政治家の心に深く残っているようだった。一月一九日、エンタープライズは佐世保に入港した。このとき、ベ平連の小田実・吉川勇一氏らは小舟を仕立てて、エンタープライズの周囲を回り、ベトナム戦争反対を訴え、「Follow the Intrepid Four. We Will Help You」と叫んだ。この行動は当時、大きくは報じられなかったが、この行動をも含めて、佐世保がわれわれにとっての一九六八年のはじまりであったと言えるだろう。

一月二一日、北朝鮮の特殊部隊三一人が韓国ソウルの大統領官邸の襲撃をはかり、官邸の裏山にまで達したが、一名逮捕・四名逃亡の他は全員が射殺されるという事件が発生した。さらに二日後、北朝鮮海軍は元山沖で、米海軍の情報収集船プエブロ号を拿捕する挙に出た。アメリカが報復すれば、戦争は朝鮮に波及しかねなかった。一週間後の一月三一日、今度はベトナム解放戦線の奇襲部隊二〇名がサイゴンのアメリカ大使館を攻撃し、大使館の構内に突入して、一つの建物を一時占拠したのである。この隊員たちは一五時間の戦闘の末、全員戦死した。三〇年後、私はホーチミン市と名を変えたサイゴンの旧アメリカ大使館の前の路上に二〇人の英雄の慰霊碑を見ることになる。ソウルでの行動は完全に孤立した事件に終わったが、サイゴンの攻撃は南ベトナム全土における「反米テト攻勢」の一環であった。とりわけ激戦となったのは古都フエであった。北ベトナム軍と解放戦線の一〇個大隊が市中に突入し、全市を占領した。米軍が一週間後にようやくフゥン川の南側の一部を奪還したが、市街戦がつづき、王宮のある北側までを回復するのに、さらに二週間以上かかった。北ベトナム軍は二月二四日に一斉に撤退した。

テト攻勢は、アメリカがこの戦争に勝利しているとのジョンソン大統領の発表が、完全なる嘘であったことを明らかにした。解放戦線兵士の特攻攻撃の二日後、サイゴンの街頭で、南ベトナム政府の国家警察本部長官がゲリラの青年の頭にピストルを突きつけ、撃ち殺すという場面が全世界に放映された。アメリカが守っているサイゴン政権は、まったくの無法者の政権であることが白日の下にさらされた。

二月二〇日、在日朝鮮人・金嬉老が、私の郷里の清水市のキャバレー「ミンクス」で二人の日本人ヤクザをライフルで撃ち殺して、逃走した。そして翌日、彼が寸又峡の旅館に人質一三人を取って、立てこもった。彼は身体にダイナマイトを巻き付け、清水署の警官が来て、朝鮮人として差別を受けてきた自分に謝罪することを要求した。この月の末には、三里塚の空港建設阻止のデモに参加した中核派の学生たちが成田市役所の前で機動隊と激突し、角材と投石、催涙ガスと警棒で流血の乱闘となった。ヘルメットを落とし、地面に両手をついた反対同盟委員長・戸村一作の写真が「逃げ遅れて警官隊に囲まれ殴られる戸村委員長」というキャプション付きで『朝日新聞』（二月二七日付）に掲載された。

ベトナム戦争という途方もない不正義の暴力が圧倒的な力を持ち、それに対抗する解放戦線の側も徹底的な武装闘争で対抗していた。ベトナムの人々に連帯しようとする世界と日本の人々も、運動を急進化させ、部分的には実力を行使しようとしていた。一九六八年は、そのような大きな暴力と小さな暴力、暴力と非暴力の激突の中で明けたのである。その中で小田氏・鶴見氏ら、ベ平連の人々の非暴力の市民抵抗の声がはっきりと鳴り響いていた。

三月に入ると、王子野戦病院開設反対の運動がめざましい勢いで巻き起こった。米軍は、狭山基地にできている第一〇六野戦病院を北区王子の米地図局の跡に移転させることを決めたのだが、これが広く知られると、激烈な反対運動が起こったのである。『サンデー毎日』（三月三日号）は「ニッポンの野戦病院」というグラビア記事を掲載した。そこには、王子野戦病院の他、すでに開設されている朝霞野戦病院のことも「有刺鉄線の中の負傷兵」として報道されていた。私は自分の怠惰を責められる思いがして、いたたまれない思いになった。

三月三一日、ジョンソン大統領がついにベトナムで勝利できないことを認め、北爆を停止すると発表し、和平会談を提唱するにいたった。北ベトナムは四月三日、北爆の無条件停止に向けて交渉を開始する用意があると発表し、五月にパリで会談がはじまった。しかし、そのあと、一時途絶えたヘリコプターの飛来は旧に倍する勢いで再開された。ベトナム戦争が、米軍のヘリコプターが、私の頭上に殺到してきた感があった。誰もパリの会談で、平和が来ると思わなかった。

私は踏み出した

このとき、ついに私を行動に突き動かす決定的な事件が起こった。一九六八年四月四日、米国南部の町メンフィスで、マーティン・ルーサー・キング牧師が白人のならず者に暗殺されたのである。私はもはやこの暴力の世界の中で沈黙していること、行動しないでいることはできないと感じた。

ハワード・ジン『反権力の世代』（原題は『新しい奴隷制廃止論者たち〔*The New Abolitionists*〕』）はこの前の年の八月に、武藤一羊訳で合同出版から刊行された。これを読んで、私は衝撃を受けていた。リンカーンの奴隷解放宣言からほとんど一〇〇年が経過しているのに、アメリカの南部では黒人が選挙権の登録を求めると白人の過激派に殺される。その登録を支援するために東部から来た大学生たちも殺されているのである。そういう状況の中で非暴力の公民権運動をはじめ、それを巨大な民衆のうねりに高めたキング牧師に対する敬意は増すばかりであった。そのキング牧師が殺された。公民権運動のもう一人の指導者・マルコムXにつづいて、この人も殺された。一九六三年のワシントン集会で「私には夢がある（I have a dream）」という有名な演説をしたキング牧師は、一九六七年春からベトナム戦争に反対する立場を明らかにして、四月一五日の三〇万人集会の先頭に立つにいたっていた。

その人が殺された。他方で黒人青年たちは、この汚い戦争に白人青年より多く徴兵され、戦場でより多く殺されている。それで君たちはいいのか。私は黒人兵に呼びかけたかった。四月七日の日曜日、ようやくロシア革命論文集の仕事を終えた私は、今日は朝霞米軍基地に出かけよう、訴えるポスターを作っていこうと決心した。戸棚の中にしまい込んであった大きな六枚綴じのカレンダーに目をつけて、その裏にスローガンをマジックや子供のクレヨンで書き込んだ。

"Stop the War of Aggression"
"Why You Must Die?"
"Who Killed Your M. L. King?"
"Young Afro-American, Go Home. Your Battle is

not Here”

「米兵ヘリコプター輸送反対」

「朝霞野戦病院撤去」

昼前、私は正門前の路上に立った。基地自体もキング牧師の死に対する弔意を表わして半旗を掲げていた。自動車で出てくる米兵にポスターを見せた。黒人兵が出てくると、彼ら向けの二つのスローガンを書いたところをめくって見せた。思いなしか、その表情が変わるように感じられた。

そうして私は一時間ほど立っていた。すると、憲兵が現われ、日本人のガードマンとともに門の前にロープを張り、閉鎖した。やってきた青年の話から、これからデモがあることがわかった。その後、出前がえりの寿司屋の兄さんが話しかけてきた。「大いにやった方がいいね。ヘリコプターはうるさくてしようがないよ」。彼はデモにも強い関心を持っていた。途中休んで、また立っていると、やがて西の方からデモ隊がきた。これは埼玉ベ平連主催のデモで、朝霞野戦病院撤去の目的にしぼったデモとしては、初めて行なわれたものであった。偶然にも私はその場に行き合わせたのである。埼玉ベ平連は小沢遼子というリーダーの名とともに有名になるが、このときは別の男性がデモを指揮していた。デモ隊は正門前でシュプレヒコールをしながら進んでいった。私もあとからついていった。

東京の永田町近くの清水谷公園で、一九六五年からベ平連の月例デモがスタートしていることは承知していた。しかし、私はベ平連のデモに出かけてみたことは一度もなかった。この悪魔的な戦争に自分が行動を起こすとすれば、自分の頭の上を飛んでいるヘリコプターに反応し、自分の町にある米軍基地に対して行動しなければならないはずだった。それで朝霞の基地に対して行動を起こしたら、ただちに埼玉ベ平連を発見し、そのあとについていくことになったのである。

いよいよ私も、朝霞の野戦病院に対して行動を起こすときがきたと考えた際、最初にしたことは妻を説得して、仲間にすることだった。私の市民運動の理想型は夫婦・子供とともにやる家族ぐるみの運動だったからである。大学時代に学生運動に飛び込んでいた妻は、勉強をするつもりで大学院に入ったという経緯もあり、また子育てもはじまっているということで、新しく運動をはじめることには尻込みした。しかし、私の熱意が彼女を動かした。これが最初の成功であった。彼女はガリ版切りの専門家で、自分のガリ版の印刷機を持っていたのである。

一歩踏み出すと、その次の行動は比較的に簡単だった。私は妻と連名で、朝霞の野戦病院とベトナム戦争について大泉地区の住民に訴えるビラを出すことにした。私が文章を書いて、『ロシア史研究』を印刷してもらっている大学の教材部に頼んで青い紙と白い紙に四〇〇〇枚印刷してもらった。五月二日、ビラができてきた。

大泉学園地区に住む市民のみなさんに訴える

大泉学園駅のまえから北へ向ってバスのはしるこの桜並木のつき当りに何があるのか、みなさんはもう知っている。

大泉学園町の北の空を低くせわしげに行き来するヘリコプターが何を運ぶものであるか、みなさんはそのことももう知っている。

この道のつき当りの朝霞米軍基地、ノース・キャンプ・ドレークにアメリカ本国から大部隊が入って、ベッド数一〇〇〇の大野戦病院を開いたのは、三年前の昭和四〇年の暮のこと、はじめは横田・立川に到着するベトナム戦争負傷兵を夜間バスで運んでいたのに、昨年あたりより公然と日中ひんぱんにヘリコプターで運ぶようになったのだ。

みなさんはこのことを我慢できるか。アメリカの汚い戦争の基地が隣り町にあり、ベトナムの戦場より汚い戦争の戦士たちを後送するのに私たちの町の空が使われているのを、みなさんは我慢することができるのか。

アメリカのベトナム侵略戦争はすでに八年間にわたってつづいている。ベトナム人はいまだかってアメリカの国土に攻め入ったことはないし、アメリカ人の生活に干渉したことはない。しかし、アメリカは、フランスが、植民地支配を放棄して引きあげてのち、南ベトナムに反共政権をつくり上げ、ジュネーブ協定で予定された全ベトナムの統一選挙の実施をはばんだ。そして、アメリカは、この反共政権に武器と軍事顧問団を提供して、この上なく血なまぐさい民衆弾圧をおこなわせた。八年前南ベトナム民族解放戦線が結成され、ゴジンジエムの鎮圧策が行きづまると、アメリカは特殊戦争に乗り出し、自分の思う通りにならなくなったゴジンジエムをクーデタで倒させた。四年前、アメリカはトンキン湾事件をつくりあげ、三年前から侵略の根をたたくという口実で北ベトナム爆撃を開始し、南ベトナムに地上軍を上陸させた。今日、アメリカは、南ベトナムに約五〇万の大軍を送り込み、ありとあらゆる残虐な兵器を用い、第二次大戦中に連合軍機がナチス・ドイツに投下した以上の爆弾をベトナム全土に落している。

これは一体何のためなのか。ジョンソン大統領はいう、「ベトナムにおける自由」のため、「民主主義」のためだと。だが、国中の無頼漢と五〇万人の外国兵によって、月平均数百万発の爆弾によって押し付けられる「自由」とは何か、「民主主義」とは何なのか。そんなものは自由でも、民主主義でもない。ベトナム人に押し付けられているのは、まさにアメリカの意志への従属であり、屈服である。

だから、ベトナム人は決して屈しない。南北あわせて三千万のこの小国の民は一千年ものあいだ北の中国の支配とたたかい、百年間にわたってフランスの支配とたたかってきた。

二三年前の九月日本がポツダム宣言を受諾して降伏したとき、ハノイではホー・チ・ミンがベトナムの独立を宣言した。そのときに生れたベトナムの子は、フランスとの戦争でたたかう父と母に育てられて成人し、今日父や母に代ってアメリカとたたかっている。彼らは結婚せず、子供をつくらないと誓ってたたかっているが、もしも彼らに子が生れれば、その子も、侵略者とたたかうだろう。そのようなベトナム人を相手にしては、世界第一の強大国アメリカといえども勝つことはできない。アメリカとサイゴン政府はもはや点と線をかろうじておさえているだけである。だが、それにもかかわらずアメリカはベトナム人を殺しつづけ、ベトナムの人口を確実に減らしつづけている。なんという冷血さであることか。

この汚い戦争は、結局は終るだろう。だが、そのときには、アメリカは人類の名で裁かれ、厳しく罰せられるに違いない。もしもアメリカが裁かれ、罰せられることなく、この戦争が終るなら、世界のどこかに第二のベトナムがつくられることはまぬがれない。

悲しいことには、今のままいけば、アメリカが裁きの庭に引き出されるとき、その隣りの席に並んで立つのは、わが日本だということである。日本はアメリカにありとあらゆる物資を提供し、兵器を修繕してやり、帰休兵を慰安してやっている。日本は、アメリカに野戦病院の敷地を提供し、補給基地を提供し、作戦基地を提供している。日本はLSTの乗組員を提供している。日本はアメリカの汚い戦争の基地なのだ。そして、わが大泉学園地区もその中にあるのである。

私たち夫婦はこの一年間やり切れない思いでヘリコプターの爆音をきいてきた。私たちには老いた両親と二才の娘がある。幸いにして健康な私たちの娘が彼女の祖父や祖母とたわむれているその頭上を、ベトナムの子供たちの腕をもぎとり、娘たちの顔をやき、老人たちの生命を奪っている汚い戦争の戦士たちが運ばれていくのをみるのは、苦痛である。

隣人の家に押し入った泥棒、隣家に火をつけた放火犯人、隣人の子供や老人を引き逃げした自動車をつかまえるのは、市民の義務ではなかろうか。もはや沈黙するのもまた苦痛である。

私たちはアメリカのベトナム侵略に抗議する。

私たちは朝霞米軍病院の撤去を要求する。

私たちは米兵のヘリコプター輸送に抗議する。

一九六八年五月

東京都練馬区大泉学園町二八三

（九二二）一二一九

和田春樹（大学教師）・あき子（主婦）

「もしもアメリカが裁かれ、罰せられることなく、この戦争が終るなら、世界のどこかに第二のベトナムがつくられることはまぬがれない」。いまにして思えば、この言葉は陰鬱なる予言となっている。私は運動をはじめたときに、すでに運動の結末に起こりうる問題を予想していたのである。しかし、そういう未来が来てはならないというのが私の気持ちだった。ここで行動して、歴史を変えなければ、恐ろしいことになる。それを防がなければならないと考えた。一九六八年の春の私は、未来を変えるために、自分の生活から一歩出て、声をあげようとしたのだ。ビラの末尾に職業・住所・電話、そして私と妻の名前を入れたのは、市民運動の原理はこういうものだろうと考えたからである。

郊外の鉄道の沿線で、駅の近くは地価が高く、バスに乗って行く奥の方に家が多く建っている。西武池袋線大泉学園駅も夕方降りる人々の大半はバスの乗客で、バスを待つ長い列ができる。五月三日から私はその列に並ぶ人々にビラをくばりはじめた。半分くばるのに、一か月かかった。のこりは父が家の近くの各戸のポストに入れてくれた。

話しかけてくれる人、電話をかけてくれる人が現われた。駅の近くの団地の主婦・羽田野さん、バスが向かう埼玉県新座町に住んでいるＯＬの舛田さん、駅の南側にある学芸大学生寮の八田君、練馬の共産党区会議員の長野信也氏などである。

そのうち、長野氏の話を聞いた『赤旗』の女性記者が取材に来て、私のビラ配りはこの新聞に最初に報じられることになった。六月二二日付の紙面に、「〝朝霞野戦病院の撤去を〟反響よぶ四千枚のビラ　練馬大学教師一家が活動起こす」という見出しで、五段の記事が載り、私の写真も入っていた。「地元の共産党、社会党の人々とも協力しあって」集会をやりたい、という私の言葉が紹介されていた。共産党が断然積極的な姿勢を示すことは少々困ったところがあったが、この記事で私の行動を知って、感銘を受けたと手紙をくれた人もいた。

〈大泉市民の集い〉の旗揚げ

当時の政治的状況では、反基地闘争においても、反戦運動においても、大学の中の運動でも、運動にますます多くの人々が参加してくるようになる運動の拡大の傾向と、人々が激烈な闘争方法、手段とスタイルに向かっていく運動の激化の傾向が同時に現われていた。ベトナム戦争の苛烈な情景が人々を行動に駆り立てていくとき、これまでにない激烈な運動となるのは自然であった。それがアメリカでもフランスでも見られた全世界的な現象であった。そのことは従来通りの運動により多くの人々の参加を獲得することをめざす既成の政治勢力との対立、衝突をいたるところで生んでいた。日本の中では、それが三派全学連、トロツキスト諸派・新左翼勢力と日本共産党・民青派学生運動の対立として現われた。対立は時には限度を超えたものとなった。

私は東大での職員組合運動の中で、すでにこの対立を経験していた。だから大泉の地で反戦市民運動を起こそうとする決意としては、私は個人の決断により行動し、同じ目標を持つ人ならできるかぎり多くの人と手を握り、みなの合意にもとづいて、できるかぎり強力な運動を進めるというつもりであった。共産党の人々はすでに私の呼びかけに答えてくれていたし助けてくれていたので、ありがたかったが、もとより別の傾向の人々を排除する気持ちは私にはなかった。

この間も私は、休日になると朝霞に通っていた。朝霞の社会党の市会議員・小松定夫氏のところを訪問すると、基地のことに熱心な学校の先生がいると教えてくれた。会いにいくと、その先生は中核派だった。しかし、この人が、朝霞基地についてもっともよく調べているのは、朝霞平和委員会の木透（きすき）氏だと教えてくれ、会うようにすすめてくれた。平和委員会は共産党系の組織である。さっそく木透氏を訪ねていった。積水化学の労働者である木透幸平氏は基地問題一筋に打ち込んできた人で、朝霞基地のことをじつによく調べていた。その知識を惜しみなく与えてくれ、協力を約束してくれた。

しかし、あまりに共産党に傾くのは問題がある。私はあくまでも自立した市民運動の線を守りたかった。それには、政治を超えた人格を中心にしなければならないと思った。

キング牧師の死から動きはじめた私としては、牧師の味方が必要だと考えた。このころ、東大の西洋史研究室で、大学院生の大塚佐和子さんから、ベトナムの子供たちに医薬品を送る運動の呼びかけのビラをもらった。彼女は経済史の大塚久雄先生の娘さんで、石神井のお宅に住んでいた。佐和子さんは「この運動の事務局は、和田さんの大泉にある教会ですよ」と言われた。まさに天のお導きである。私はさっそく日本キリスト教団大泉教会を訪問した。牧師は横田勲氏、夫人の幸子さんは副牧師であった。お二人はとても熱心な方で、私と一緒に運動することをただちに約束して下さった。これで運動の形が決まった。百人力を得た思いだった。

さらに区内に住む知り合いの中で私がもっとも期待していたのは、アメリカ史家の日本女子大教授・清水知久氏であった。彼は私の四歳年上であったが、一九六四年～六五年に歴史学研究会の委員を一緒にやったことがあった。その折、南田中に住んでいた彼と一緒に帰ることがよくあった。このころは石神井公園の近くの農協のそばに引っ越していた。清水氏はアメリカを帝国ととらえる画期的な著書『アメリカ帝国』（亜紀書房）を出したばかりであった。アメリカが相手の運動である。アメリカの厳しい批判者である英語づかいの専門家と一緒に運動できれば、これまた百人力である。私がどんなふうに清水さんに話をしたのか、思い出せない。しかし、清水さんも運動へ参加することをただちに同意してくれたのである。

この間、世の中の動きもめまぐるしかった。六月二日、米軍のファントム戦闘機が九州大学構内に墜落し、大学の建物を破壊した。米軍基地に対する反感が著しく高まった。六月一五日には、日比谷野外音楽堂で、小田実氏や日高六郎氏が呼びかけたベトナム戦争反対の六月行動が催された。東大では、この日、医学部の処分問題に端を発して、医学部の学生が時計台や東大本部を占拠するという闘争に発展し、これに対して大河内総長が機動隊の出動を要請して、占拠を解除させるという騒乱状態が展開した。そこまでくれば、私も研究所の教授会の一員として東大の状況にもコミットしなければならなくなったのだが、私は大泉の運動の立ち上げの準備を優先した。もとより小田・日高氏らの六月行動にもまったく関心を向けなかった。

大泉市民の集いの発足集会の日取りを七月七日と決めて、準備をしていると、七月四日に石神井警察署から電話があり、集会の届けをいつ出すかと言われた。公安条例によれば、屋内集会でも許可制だとのことだった。そこで翌日、警察署に行って、代書人に頼んで集会届を出した。午後から大学へ行って、教授会に出たあと、同僚の憲法の奥平康弘氏に説明をして、助言を求めた。奥平氏は、集会が許可制だと言うなら、それは憲法違反で、裁判すれば警察が敗訴するだろうと言われた。これが石神井署との長い付き合いのはじまりであった。

ついに一九六八年七月七日、七夕の日曜日に「ベトナム戦争に反対し、朝霞基地の撤去を求める大泉市民の集い」の発会集会が大泉教会で開かれた。集まった人は四八人であった。集まった人の中には主婦もいたし、学生もいた。政治的関心の強い人、政治運動をしている人もいた。学園町の住人で、一家で参加された萩原晋太郎さんは会社員で、アナーキストの文筆家であった。共産党に批判的な青年たちと一緒に参加した神達八郎という老人の過去は、そのときは知らなかったが、後年になってコミンテルンの資料をロシアで調べていたときに、この人の資料を発見した。戦前の共産党員で、ソ連に派遣され、極東勤労者共産大学（クートヴェ）で学んで帰り、逮捕され転向したという人であった。さらに二〇〇一年に自費出版された回想録『遍歴 九十四歳の記』によると、転向者の運命として、関東軍の特務工作員となることを強いられ、敗戦時には満州でソ連軍に逮捕され、シベリアの強制収容所・ラーゲリに送られ、一九五五年に刑期を務めあげて帰国した人だということがわかった。そのような人と私はこのとき一緒に集会をしていたのに、それと知らず一度も話さずに終わったのである。共産党の議員は、練馬区議会からも、朝霞の市議会からも参加してくれた。一方、教会の青年の中には新左翼のセクトの活動家もいた。

清水知久氏の到着を待っていたが、なかなか現われないので、開会することにした。まず教会の主・横田勲牧師が開会の挨拶をしてくれた。私は日記に「深く感動させられた。運動を盤石のものとする方向が明確になったと思う」と記している。横田牧師は、自分の罪責から話をされ、野戦病院反対はアメリカ人を救うためだと、私のビラを紹介された。そして、「自分がこの運動に加わったのは、和田さんのためである。和田さんを孤立させてはならないと思う」と言われた。六月二三日の朝霞のデモの話をされ、中核派・社青同・べ平連がやっていたが、自分は和田さんとべ平連のあとをぶらぶらついて行った、ヘルメットをかぶる勢力を孤立させないためにも、広い市民運動が必要だと言われた。つづいて学芸大の大泉寮の八田君が、三派や革マルの全学連と違う全員加盟制の全学連を民青系というのはおかしい、みなができる自治会活動をめざすべきだと挨拶した。私は二人に圧倒されて、迫力ある話はできなかった。

集いの世話人は、横田牧師、学芸大の八田君、それに私の三人となった。「世話人三人がひどくニュアンスが違うのは理想的である」と日記に書いた。朝霞平和委員会の木透氏がスライドを見せて、朝霞基地の説明をしてくれた。熱を込めた話だった。朝霞市の共産党市会議員の大貫氏も挨拶してくれた。ニュースを出すことと基地の見学をすることが決まった。

行動したら、ニュースを出して、記録する、原則として書く人は本名で書くというのが私の決めていた原則であった。ニュースはガリ版で出した。はじめの一年半ほど、二〇号までは、和田あき子が担当して、ガリを切っていた。

八月一一日から一三日にかけて、ベ平連は京都で「反戦と変革にかんする国際会議」を開いたのだが、それへの招待状を私たちがもらうはずもなく、参加しなかった。アメリカ運動団体の代表、日本の新左翼各派の代表も参加した会議の模様は、秋に刊行された会議の記録、小田・鶴見編『反戦と変革』（学芸書房）で見たが、私たちの運動とは相当に離れた世界のようだった。

八月一九日には、私たちは第二回の集会を大泉小学校の講堂でやった。今度は私が「ベトナム戦争と朝霞基地群」と題して話した。基地見学は七月中に二回行なった。基地見学というのは、基地の周囲を回って、金網ごしに基地の中を観察する行動のことである。

八月二八日、アメリカでは民主党の大統領候補を決定する党大会がシカゴで開かれた。ベトナム戦争に反対する人々は、民主党の候補にジョンソン大統領の副大統領であったハンフリーが選ばれることに反対して、シカゴに押しかけた。シカゴの民主党市長デイリーは警官隊と州兵を集め、恐怖の暴力的弾圧を加えた。多数の逮捕者のうち、デリンジャー、トム・ヘイドン、ボビー・シールら八人が起訴され、暴動を企てたとして、裁判にかけられた。いわゆる「Chicago 8（シカゴ・エイト）」である。アメリカの反戦運動は、ベトナム戦争に反対する政治家を大統領候補に押し上げることはできなかった。

東大闘争の共時的進行

この年の四月から、私は助教授になり、駒場の大学院国際関係論コースでゼミナールを担当するようになっていた。市民運動の開始は、私の大学院教員としての研究者養成の活動の開始と一致していたのである。私の最初のゼミナールに出席したのは、ロシア史の原暉之（のち北海道大学スラブ研究センター教授、『シベリア出兵』筑摩書房、一九八九年の著者）、藤本和貴夫（のち大阪大学教授、大阪経済法科大学学長）、久保英雄（のち静岡大学教授）、メンシェヴィキ研究の高橋馨、ポーランド史の柏崎千枝子、ユーゴ史の小山博司（のち新潟大学教授）らであった。原は私の四歳下、久保は六歳下だったが、高橋は私より二歳年上、藤本は私と同年の生まれであった。

私が最初にゼミナールのテキストに選んだのは、ソ連の歴史学者ポクロフスキーの『太古からのロシア史』である。これをみなで分担して、読んで報告しあった。はじめて二か月ほど経つと、東京大学本部が医学部の学生たちに占拠されるという事態が起こって、ストライキが全学に広がり、私のゼミナールもできなくなってしまった。

東大闘争の発端は医学部処分である。東京大学医学部では卒業後のインターン制度に対する不満が鬱積していた。そこへ政府が推進した登録医制度改革が強行され、医局員と学部生が闘争をはじめていた。この年の一月二八日には、医学部学生と四二年卒研修生が無期限ストに突入した。その日に予定されていた卒業試験は一時延期と発表された。二月になると医学部教授会はすでに、学生を警戒して、学外で開かれるにいたっていた。しかし、豊川行平学部長は強硬に学生たちの闘争を抑え込もうとした。卒業試験の再申請を行なえ、そうしなければ、次年度まで試験は受けられないとの通知を発送した上で、二月一九日にはストを非難し、登録医制度の成立後は自主カリキュラムは認めないとの文書を、全医学科学生に発送した。この日、病院で上田英雄病院長を見つけた学生と研修生十数名が話し合いを求めて、間に入った上田内科の春見医局長を含め、もみあいとなった。学生たちは一時引き下がったが、夕方、上田内科医局に押しかけ、春見医局長の行動について謝罪を要求し、同氏を「カンヅメ」にした。翌二〇日の朝七時までこの状態をつづけた結果、春見医局長はついに謝罪文に署名するにいたったのである。

これは、学生が無期限ストに入った中で起こった衝突事件であった。しかし、医学部長と教授会は、この春見事件だけを取り上げて、一方的に学生処分を行ない、それによって医学部ストをやめさせようとした。三月一一日、医学部教授会の上申により、東京大学評議会は学生一二名に対する処分（退学四名、停学二名、けん責六名）を決定した。上田病院長は、研修生ら五名の処分を行なったと報告した。これは乱暴で、強圧的で、過酷な処分であった。処分された者の中には、当日その場にいなかった粒良（つぶら）邦彦という学生が含まれていた。学生たちの憤激は激烈であった。三月一二日に処分が発表されると、その日のうちに医学部の中央館三階が学生たちに占拠された。夜八時、大学評議会が学外の神田学士会館で開かれると、たちまち学生四〇人ほどが会場に乱入して、大河内一男総長に事実誤認の処分を撤回せよと迫った。会館側が学生と従業員の衝突を理由に機動隊の出動を要請し、機動隊一〇〇人が出動して、学生二人を逮捕した。総長と学生は夜を徹して「団交」をしたが、もの別れに終わった。三月一六日、東京大学は「告示、学内一般」

を出し、異常な事態がつづいており「説得と警告」に応じなければ、「不法勢力を学内から排除するため」、重大な決意を持つ、と宣言した。翌日、医学部全学闘はこれに対して、処分が白紙撤回されなければ、卒業式を実力阻止するとの表明を行なった。これに対して、東大職員組合が医学部処分に反対するが、警官導入を誘発するような行動はするな、と求める声明を出し、三月二六日には、学生中央委員会、大学院生の組織などとともに、「卒業式粉砕」「総長室占拠」に反対する七者集会を開いた。

医学部の学生たちは総長室占拠の脅しをかけるだけで、実際の行動には出なかったが、三月二八日、早朝より開かれた学部長懇談会は、卒業式をとりやめると決定した。四月に入って、医学部に進学した新一年生がストライキに入り、八学年のすべてがストライキ決行中となった。にもかかわらず、医学部教授会は処分の再検討をすみやかに進めることをしなかったのである。

医学部での対立と学生の闘争はたいへんな様相を呈していたのだが、社会科学研究所で働く私は、ここまでのところ、この事態を学内一部局の中で発生した局地的な出来事と考えており、自分の住む地域で反戦市民運動をはじめることに注意を集中させていたのである。

しかし、六月一五日、医学部全学闘がついに安田講堂・本部建物を占拠するにいたり、大河内総長は一七日、機動隊を導入して占拠学生を排除させた。医学部の出来事は一挙に東大全体の問題となり、私もどのように対処するか、考えなければならなくなった。

機動隊の導入に対して、全学の学生が強く反発した。二〇日には、法学部をのぞく全学部で学生ストライキがはじめられた。このときから各教授会でも真剣な討論がはじまった。私の属する社会科学研究所の教授会でも、評議会議事録を閲読させよ、機動隊出動要請文書の写しを提示せよ、などの要求が出て、所長は立ち往生していた。次第に教授会レベルでは十分な対応ができないという判断から、有志で声明案を用意する動きがはじまった。私の研究所がそのような教員たちの動きの中心になった。

当時の社会科学研究所（社研）は、学内では左派的な研究所として知られていた。経済学部にはマルクス経済学者と近代経済学者がいたが、社研にはこのとき近代経済学者は一人もいなかった。法学者も、渡辺洋三・高柳信一・潮見俊隆という川島武宜門下の法社会学者の三羽ガラスを中心に、民科法律部会の人々が多く、法学部とは対抗的な世界をなしていた。確かに共産党にシンパシーを感じている人が少なくない研究所であったのである。

その中に、前年に着任したばかりの労働問題の助教授・戸塚秀夫氏がいた。一九三〇年生まれ、三八歳の戸塚氏は、戦後の東大生共産党細胞の重要メンバーであったが、一九五〇年に国際派内部でスパイと疑われ、凄惨なリンチを受けるという悲劇を経験した人であった。その詳細を、のちに安東仁兵衛の『戦後日本共産党私記』（現代の理論社、一九七六年）を読んで、私は知ることになる。戸塚氏は復学後、経済学部の大学院で大河内一男教授の指導を受け、イギリス労働問題の研究者になったのであった。その間に共産党の党籍も回復していたとのことだ。そのとき、私は、戸塚氏の前歴も党籍のこともまったく知らずにつきあっていた。若いのにどうして髪の毛を失ったのだろうと、戸塚氏の禿げた頭を見て、不思議に思っていたという具合であった。しかし、戸塚氏は穏やかで、現実的で、積極的な人であって、私とすぐに心を開いて話をする関係になった。これ以後、私は東大闘争の中で、戸塚氏と終始、行動をともにすることになるのである。機動隊導入後のこの時期、戸塚秀夫氏と私は話しあって、声明案を起草することになった。それが六月二七日のことであった。

戸塚氏は、労働問題の研究仲間であった社研の所長・氏原正次郎氏や、経済学部の中西洋氏・兵藤釗（つとむ）氏らと、争議、紛争の解決という見地から東大医学部処分問題について議論をしていたようであった。これらの人々は、自分たちの先生にあたる大河内一男氏が東大総長であって、失態を演じている、これを何とか助けるために意見しなければならない、という気持ちにかられているようであった。

六月二八日、大河内総長は、多数の学生を集めた安田講堂へ入り、総長の所信表明会見を強行した。総長は、本部建物の占拠は許されないので、自分の責任で機動隊を導入した、粒良君の処分は事実誤認のおそれがあるので、医学部に差し戻す、その他の一一名についても、申し出があれば、事情を聴取するように医学部に求めると表明した。これに対し学生側は大衆団交を迫り、総長はそれを受け入れず、激しい押し問答がつづいた。そしてこの膠着状態は、大河内総長が医師によるドクターストップで退場し、打ち切られたのである。

こうした中で、社研の有志一〇人ほどがこの日のうちに集まり、戸塚案をもとに声明案をまとめることを決めた。それが、七月九日の社研教授会意見書となるのである。

七月二日、全学闘争連合（全斗連）なる組織が、時計台の再占拠・再封鎖を実行した。この組織は、六・一五ベトナム反戦行動に東大から参加した東大ベトナム反戦会議（理学部大学院生・山本義隆氏ら）や各学部の実行委員会が、六月一八日に結成したものであった。その後、全斗連は全学共闘会議（東大全共闘）に自己改編し、七月一六日、「七項目」要求を提示することになった。⑴医学部処分撤回。⑵機動隊導入を自己批判し、声明を撤回せよ。⑶青医連を公認し、当局との協約団体として認めよ。⑷文学部不当処分撤回。⑸一切の捜査協力（証人・証拠等）を拒否せよ。⑹一月二九日より全学の事態に関する一切の処分は行なうな。⑺以上を大衆団交の場において文書をもって確約し、責任者は責任をとって辞職せよ。

このような明確な要求が突きつけられたのに対して、各教授会からの意見は、総長評議会への批判も出され、要求に対する応答も求められはじめたが、なお控えめな主張にとどまっていた。東大当局も事態を収拾するための積極的な方策を打ち出すことができなかった。

とどのつまりは、八月一〇日の総長告示、いわゆる「八・一〇告示」が出されることとなったのである。この告示は、検討の結果、最終方針を決定したとして発表されたものであった。⑴医学部学生処分は全面的に再審査を行なう。その間、「処分は発効以前の状態にもどす」。⑵六月一七日の機動隊導入は必要な措置であったが、事態を紛糾させたことは認める。学生諸君の気持ちも理解する。しかし、大学が警察力の導入を「できるだけ避ける」ためには、学生も暴力的行為を抑止してほしい。⑶大学自治・学生自治の問題について、当面、問題の解決のために特別委員会を設置する。

じつは、この回答を決めた学部長会議では、総長の辞意表明、医学部長・病院長の辞任を核として回答案を決めたのであったが、毎日新聞の内藤国夫記者が七月二九日の朝刊にスクープ記事として公表した結果、大河内総長が辞意を撤回し、この告示となったのであった。このことは、内藤氏の著書『ドキュメント東大紛争』（文藝春秋、一九六九年）に書かれており、当時、法学部長の補佐であった坂本義和氏の回想『人間と国家』（下巻、岩波新書、二〇一一年）でも確認されている。しかし、その当時の私たちは何も知らなかった。八・一〇告示は、学生と一般教員を激怒させた。

東大闘争は、医学部における誤認処分撤回、不当処分の責任追及を中核としている。そのことに対して抗議する学生の行動が、管理部棟の占拠・封鎖・バリケード構築など、きわめて激烈な、暴力化した形態を当初から取ったことが特徴であった。それが東大だけの、日本だけの現象でなく、パリの五月革命や米国のカリフォルニア大学バークレー校でも見られた世界的現象となっていたのは、ベトナム戦争という極限的な国家暴力に対する世界的な反発・嫌悪・抗議のせいであったのであろう。

こうして私は、自分が住む町においてベトナム戦争と対決する方向に進みながら、自分の職場である東京大学においてはじまった大学の管理者と学生の対立にのみこまれつつあったのである。

歌を歌う、歌をつくる

大泉市民の集いは、九月一日に第三回基地見学を行なった。この日は、清水知久氏の起草した米兵向けの大泉市民の集いの英文のビラを持っていった。社研の同僚石田雄氏の夫人・石田玲子さんが、米兵に脱走を呼びかけるべ平連の英文ビラをくれたので、それを見本にして、清水さんに作ってもらったものである。「U. S. Soldiers at Camp Asaka! Do not Kill」と呼びかけて、「侵略戦争に加わるな」「帰国して、七月四日の気高い理想を実現する闘争に参加せよ」と主張している。ベトナム人は、米国の独立宣言の理想のために戦っている、ということが説明されている。

U. S. SOLDIERS AT CAMP ASAKA!

DO NOT KILL! DO NOT JOIN THE WAR OF AGGRESSION !
DYING WHEN SERVING A WAR OF AGGRESSION IS NOT ONLY A LOSS FOR YOUR FAMILY, BUT A SHAMEFUL END. BY OPPOSING THE U. S. WAR OF AGGRESSION IN VIETNAM, YOU PRACTICALLY DEFEND THE NOBLE IDEALS OF THE 4TH OF JULY.

CRYSTAL CLEAR IS THAT:

1) The U. S. is the aggressor who is trampling underfoot the Vietnamese soil.

2) The Vietnamese are fighting in self-defence, fighting a just war to defend their fundamental national rights.

3) The Vietnamese nation is ONE, their country is ONE. They have the national rights to achieve national reunification.

4) So long as the U.S. army of aggression still remain, the Vietnamese people will resolutely fight against it.

5) The only solution to bring peace in Vietnam is the stop of all acts of war on the side of U.S. and withdrawal from Vietnam of U.S. troops.

6) The Vietnamese people's struggle has been greatly contributing to the struggle for the victory of peace, national independence, democracy of the peoples of the world as a whole.

7) The anti-U.S. struggle of the Vietnamese people has received never-before-seen sympathy and wide support from the peoples in the world. A world-wide movement, including your country itself, has been developing to oppose the U.S. aggression.

8) The cases of draft-evasion in various forms and desertion by Americans have been becoming greater in number, which are welcomed by the peoples in the world.

THE 2ND OF SEPTEMBER IS VIETNAMKSE 4TH OF JULY

On September 2,1945, the Vietnamese people represented by the Provisional Government, declared the Independence of Democratic Republic of Vietnam. The Declaration begins with the quotation of the very Declaration of the Independence of the United States of America with which every American should be familiar: "that all men are created equal, that they are endowed by their Creator with certain unalienable Rights, that among these are Life, Liberty and the pursuit of Happiness." Defining these words as "immortal" and "undeniable truth," the Vietnamese Declaration developed the ideals of the 4th of July by saying that "every people on earth is created equal. Each people should enjoy the right to life, right to happiness, right to liberty."

U.S. soldiers! The Vietnamese struggle against the U.S. war of aggression is the struggle not only for their national independence and liberation but also for the noble immortal ideals of the 4th of July, which your Government has too long kept dead. If you want to be a truly patriotic American, stop killing, stop helping kill the Vietnamese.

What you should do now: GO HOME AND JOIN THE NOBLE STRUGGLE TO REALIZE THE IDEALS OF THE 4th OF JULY.

DETERMINED TO REMOVE THE CAMP ASAKA

Recently organized in Oizumi Citizens for Just Peace in Vietnam and Removal of Camp Asaka, we are determined to work for our ultimate objectives to bring a just peace in Vietnam and to remove Camp Asaka which has been playing an important role in the U.S. dirty efforts for war of aggression in Vietnam and which has been threatening our everyday life.

Based on the crystal-clear facts and truths written in the column one, we declare here that we are on the side of the Vietnamese people.

We do not spare to pay sympathy to you U.S. soldiers wound in Vietnam, but our sympathy has to be limited, because we can never forget that you participated to killing and burning, and because we know that you, once recovered through the medical care at the 249th General Hospital at Asaka, will join the war in Vietnam again.

Our movement includes a number of residents of Oizumi area, adjacent to Camp Asaka, and the neighboring areas from all walks of life—workers, businessmen, housewives, students, teachers, preachers, the old and the young. Supporting the Vietnamese people's struggle against the U.S. aggression, we are resolved to use our own legitimate rights to fulfill our objectives.

This is published by Oizumi Citizens for Just Peace in Vietnam and Removal of Camp Asaka.
For additional copies, inquiries and advice, ring or write to the address below:
c/o Haruki Wada, 383 Oizumi-Gakuencho, Nerima-ku, Tokyo; Tel. Tokyo 922—1219

「大泉市民の集い」の米兵向けのビラ

ヘリコプターが発着し、傷病兵を積み下ろすさまが望見される米軍基地の東端で、みんなで、黄色の英文ビラを折って紙ヒコーキにして、柵の中へ飛ばし、「We Shall Overcome」を歌った。すると、近くの建物から二人の黒人兵が降りてきた。彼らは、われわれの黄色い紙ヒコーキを拾った。手招きに応じて彼らは柵のところへやってきた。清水さんが「仲間にも渡してくれ」と言うと、一〇枚ほどのビラを受け取った。彼らは戻っていって、階段のところに座ってビラを読みはじめた。そこで、私は黒人の魂の歌「Oh, Freedom」を歌った。

〽Oh, Freedom, Oh, Freedom
Oh, Freedom over me
And before I'll be a slave, I'll be buried in my grave
And go home to my Lord and be free

No more dying, No more dying
No more dying over me

And before I'll be a slave, I'll be buried in my
grave
And go home to my lord and be free

清水さんはのちに、私がこのとき一人で歌ったことに感激した、とほめてくれた。憲兵の車が来ると、彼らは部屋に戻り、そこから手を振った。この日は全部で五〇枚ほど渡せたことになる。

二日後、私は駅で電車を待つ間にベンチに座っていた黒人兵に同じビラをさし出した。彼は、私が電車に乗るまで私を見ていた。ベンチの背もたれの隙間から目だけが私を見ている。私はその日に向かって手を上げた。こうして私たちは、私たちのベトナム戦争の中に入っていった。

ベトナム戦争反対の運動はアメリカで高まっていた。それは新しい歌のある運動だった。私は五〇年代後半の学生運動を経験したが、そこでは「学生の歌声に、若き友よ、手をのべよ」とはじまる「国際学連の歌」、「われら青年、平和と幸求め、誓いは固く、われら闘いぬく」とはじまる「世界民主青年の歌」も、すべてソ連の歌であった。一九六八年の学生闘争になると、当然ながら、このようなソ連の歌は歌われず、「暴虐の雲光をおおい、敵の嵐は荒れ狂う、ひるまず進め、われらが友よ、敵の鉄鎖を打ち砕け」という「ワルシャワ労働歌」、「起て飢えたる者よ、いまぞ日は近し、醒めよ、わが同胞、暁は来ぬ」という「インターナショナル」の二つだけが歌われていたという印象である。学生たちはいっそう古典的な歌に戻っていたわけだ。

だが、市民運動にはアメリカからフォークソングや黒人霊歌が入ってきて、新しい世界を開いた。べ平連は、一九六七年一月に来日したジョーン・バエズを招いて、永田町の社会文化会館でコンサートを開いた。私はテレビでそれを観た。バエズが歌ったのが、私が歌ったあの「Oh, Freedom」であり、市場に売られていく子牛と自由に空を飛ぶツバメを対比した「ドナ・ドナ」であり、「We shall overcome」であった。

バエズのあとには、フォークソングの神様とされたピート・シーガーの「Where have all the flowers gone?（花はどこへ行ったの）」、それから新鋭ボブ・ディランの「Blowing with the wind（風に吹かれて）」といった歌が、私たちを惹きつけた。すべてギターを弾きながら歌う曲であった。日本のフォーク歌手たちも現われた。「友よ、夜明け前の闇の中で」ではじまる「友よ」という岡林信康の曲は、べ平連のデモの歌になっていた。

一〇月一一日の相談会で、大泉市民の集いも定例デモと署名運動を行なうことを決定した。定例デモの第一回目は、長久保のゴルフ場前から大泉学園駅までのコースで、一〇月二〇日と決めた。署名運動は、朝霞野戦病院の撤去と米軍ヘリコプター輸送の中止を求め、王子野戦病院の大泉学園町への移転に反対するという三要求の署名用紙を作成することになった。一六日から駅前で市民のデモの呼びかけのビラを配り、署名を取りはじめた。すると突然、一八日に、共産党系の安保破棄諸要求貫徹大泉実行委員会が二〇日に野戦病院撤去のデモを行なうことを呼びかけるビラを配りはじめて、私たちを当惑させた。私たちのデモが呼びかけられたのである。一八日の夜になって、のデモと同じ場所、同じ時間、同じコースで集会を一緒にやりたいという申し入れがあった。

「大泉市民の集い」の大泉デモ（1968 年 10 月 20 日）

私たちは相談して、スローガンも違うし、こちらは個人参加のデモなのだから、一緒にはできないと決めた。そちらに先発してもらい、私たちは時間を空けて出発すると、実行委員会側には伝えた。これは実行委員会側の性急な方針ミスであったのであろう。この私たちの要請は受け入れられた。

当日は、私たちのデモが先発することになった。私たちのデモは参加者三三人、うち子供が八人であった。デモをするには歌がいる。しかし、残念ながら、「大泉市民の集い」にはギターを弾く歌い手がいなかった。そこで私は、ビラ撒きをはじめた六月ごろに自分でつくった歌を披露することにした。

〽もしも君たちが平和をのぞむなら
ベトナムに平和を闘いとろう
ベトナムに戦争がつづくかぎり
われわれの平和もありはしない

もしも君たちが正義をのぞむなら
アメリカをとりかこみ　裁きを下そう

侵略者が罰せられ　滅びぬかぎり
われわれの正義もありはしない
もしも君たちが人間であるなら
ベトナムの人々とともに歩もう
人間の尊厳と命のために
自由で平和な世界のために

歌は二拍子の行進歌で、フォークソングとはほど遠く、むしろ五〇年代の歌に近かった。和田正武・京子夫妻の娘さんは、「一人でお留守番しているときに歌うと、恐くなる」と言っていたという。大泉の若い仲間にもあまり人気が出なかった。しかし、私は自分でつくった歌をうたって、デモをして、大いに満足した。

清水さんはセンスが新しく、替え歌主義であった。最初につくったのは、「雪山賛歌」のメロディーに歌詞を付けたもので、こちらの方がみんなに受けたようだった。

〽朝霞の基地を　いますぐなくせ　おれたちゃ基地とは住めないからに　おれたちゃ　基地とは住めない市民　侵略協力ハレンチしごく

結局、私たちのデモでももっともよく歌われたのは「We Shall overcome」であった。

〽We shall overcome. We shall overcome someday.
Oh oh deep in my heart I do believe,
We shall overcome someday.
勝利の日まで　勝利の日まで
たたかいぬくぞ　おおみんなの力で
勝利の日まで

大泉市民デモの歌「もしも君たちが」

のちに石田玲子さんから見せてもらってコピーした歌集『*Songs of the Southern Freedom Movement*』を見ると、この歌のもとは黒人の教会の歌「I'll overcome someday」であった。それが四〇年代に黒人の繊維労働者の組合の歌になり、黒人の歌の組織ハイランダー・フォーク・スクールのものになり、その代表ジルフィア・ホートンが広め、それが伝説的な歌手ピート・シーガーによって歌われ、六〇年代に南部で起こった黒人の公民権運動の歌となったのである。

これが、この時代の私たちの歌、市民運動の歌であった。のちに私たちは、これを韓国語で歌うことになる。

デモの方は、一二月からは、毎月定例化することになり、朝霞駅前から基地一周のコースと大泉のゴルフ場から駅までのコースを、一か月交替でやることになった。

署名運動は、型通り、朝霞野戦病院の撤去とヘリコプター輸送の中止を求めるものとすることが早くから提案されていて、そう決まっていたのだが、病院に入っている兵士や病院で働いている兵士にビラを配っている一方で、病院を撤去せよと要求するのでは落ち着かない気持ちになった。そこで署名簿には、「負傷した米兵を治療して、今一度ベトナムの戦場に送り込むためのこの野戦病院の存在とヘリコプター輸送を認めることは、私たちもまたベトナム戦争に加担することを意味します」と書き込んだ。署名集めは一九六九年四月まで行ない、五四二四人の署名を得た。大泉学園町在住の方は、二三七二人が署名してくれた。集まった署名を持って、まず一九六八年一二月二四日に東京都庁の美濃部都知事を訪問して、申し入れを行なった。知事は、ベトナム戦争は終わりに近づいている、王子病院を大泉・朝霞に移す話は聞いていないが、地元民が反対しているなら私も反対する、と言われた。私たちは、ベトナム戦争は簡単には終わらないと反論した。このとき、都知事との面会を受け入れてもらうについては、知事の秘書をしていた『世界』の元編集部員の安江良介氏が好意的に対処してくれた。安江良介という人に初めて会った印象は、きわめてテキパキした人だというものであった。

都知事との面会のあとは、一九六九年二月に防衛施設庁、三月には朝霞市長のところを訪問し、署名を見せ、要求を申し入れた。朝霞市長は、米軍基地・野戦病院の存在を断固として擁護した。

教師と東大闘争

ここで話を、一九六八年の夏休みが終わった九月の初めに戻したい。九月に入ると、東大では学生たちの抗議運動がさらに拡大した。ついに学生のストライキは全学部に及んだ。そこで、私たちも一歩を踏み出した。六月に動き出した戸塚氏がイニシアティヴを取り、私も助けた。九月二四日には経済学部・社研など八部局の二〇人が集まって、八・一〇告示批判の立場で行動するための話し合いを行なった。この日の議論のまとめの文書を私が作成した。私たちは九月三〇日にも会合を持ち、一〇月一八日に、八学部・研究所教官有志一〇一名の声明「われわれの提案」を発表するいたった。

この有志声明を起草したのは、戸塚秀夫氏だった。晩年になって戸塚氏が私に見せてくれ、自分のホームページにも載せた文章がある。それは一〇月八日付の意見書「私の提案（要旨）」である。戸塚氏は友人たちに見せていたと書いているが、私は知らなかったものである。この戸塚氏の意見書と一〇一人声明を比較すると、戸塚氏が声明の起草者であることは明らかである。

一〇一人声明は、「八・一〇告示」を「紛争の解決に有効でなかった」し、「有効ではありえない」と厳しく批判した。それは、「紛争」当事者間の合意による解決を求める姿勢を持たず、当局の一方的な「最終決定」を示すというものだからである。「紛争」解決のために、具体的には、⑴医学部処分の最終的取り消し、⑵青医連東大支部の公認とその交渉権の尊重、⑶六月一七日の警察力導入の厳しい反省、⑷大学各級管理機関と学生・院生自治組織との協議・交渉原則の確立を主張し、最後に総長以下管理機関がこれらを受け入れ、責任を明確に取ることを要求している。文学部処分の撤回をのぞいて、東大全共闘の七項目要求のうちの基本的な三項目を受け入れ、七項目が求める姿勢の転換を要求していた。

この声明の発起人は、荒瀬豊、香内三郎、高木教典（以上、新聞研）、石井寛治、中西洋、兵藤釗（経済学部）、稲垣泰彦（史料編纂所）、小川超、折原浩、笠原乾吉、信貴辰喜、竹田晃、西川正雄、見田宗介（以上、教養学部）、戸塚秀夫、馬場宏二、藤田勇、和田春樹（以上、社研）の一八人であった。教養学部が七人ともっとも多く、中でも折原氏は八月に長文の個人意見書「東京大学の死と再生をもとめて」を公表していた。署名者の所属部局を見ると、教養五二、社研一六、教育八、農八、新聞研七、経済三、理一、史料五であったように、重要学部である医学部・法学部・理学部・工学部・文学部からは参加者は、ほぼゼロであった。注目されることは、起草者の戸塚氏が共産党員であって、なおかつこの声明には共産党に近いとみられる教官たちが多く署名していることである。声明は、東大全共闘の要求を念頭において、それに対する正当な回答を大学当局に出させようとしたものであったから、共産党系の教官の参加は主体的な行動であったと言えるだろう。

この声明は、一〇月二〇日の『毎日新聞』に報道された。「総長に解決案を〝直訴〟／東大助教授ら百人が立つ」との見出しが付いた。すると、たちまち、翌二一日には『読売新聞』に「東大、新収拾案を準備」「大河内学長退陣決意」「警官導入を反省」という見出しで記事が出た。『毎日』は一〇月二三日であと追い記事を出した。「東大紛争、解決へ動く」「ハト派路線で総長案」と報じた。最後が『朝日新聞』で、一〇月二五日の一面トップで、「東大紛争収拾へ大河内試案」「処分を全面撤回／総長ら責任者は退陣」との大見出しで報じた。

私たちは危機感をおぼえた。そこで一〇月二六日、荒瀬豊・高木教典・戸塚秀夫・中西洋・馬場宏二・兵藤釗・藤田勇・和田春樹の八人で、声明「『収拾案』についての意見」を出した。これは誰が起草したかは憶えていない。原案のガリ版印刷をしたのは私である。八人の一人兵藤氏は、後年の回想『戦後史を生きる――労働問題研究私史』（同時代社、二〇一九年）の中で、この当時、自分が戸塚氏とともに共産党員であったと認めている。その意味でも、八人の声明は一〇一人声明を継承するものだった。

声明は、このような収拾案で解決がはかられるなら、東京大学の崩壊の危機はますます深まり、泥沼に落ちるとし、「八・一〇告示」の基本的姿勢が誤ったものであったことを明らかにすべきだと主張した。具体的には、医学部処分は再審査委員会の中間報告を得て評議会が結論を出すというのではなく、総長・評議会が誤りを認め、処分の取り消しを決定すべきである、六月一七日の機動隊導入は大学の自己否定であったと認めよ、と要求した。このまま全学の教官の討議に付さず、この収拾案を評議会決定とするならば、泥沼に落ち入ることになる、そうでなくて、学内の各教授会の意見を取りまとめ、評議会が回答を全学生に示し、全学集会の場で確認されなければならない、と結論した。

じつは、私たちは一〇一人声明を出したあとから、全共闘側と非公式の話し合いを行なっていた。全共闘側の相手は、医学部に属するリーダーだった今井澄（きよし）氏であった。戸塚氏は彼を初めて知ったようだったが、私は、一九六三年の大学管理法反対運動の際に、助手の活動家として、学生中央委員会委員長であった今井氏を認識していた。のちに知ったところでは、今井氏は一九三九年生れだと言うから、この当時は二九歳で、私の一年下であった。彼は全共闘の副代表格で、ＭＬ派セクトに属している人だったが、落ち着いた態度で、冷静に話し合いができる人物だという印象を持った。今井氏が私たちとの話し合いに応じたのは、一〇一人声明を認めたからであろう。だが、私たちの話し合いは二回ほど行なわれたものの、意見の溝は埋まらなかった。

さて評議会は、一〇月二八日に医学部処分の再審査委員会の報告を受け、独自に判断したという形で医学部学生一一人の処分を白紙撤回することを決定した。これを受けて、大河内総長は一一月一日、「学生諸君へ」という文書を出し辞任した。各学部長もともに辞任した。各学部で新学部長が選ばれ、法学部長・加藤一郎氏が暫定の総長代行として選ばれた。総長の特別補佐に任じられたのが坂本義和氏であった。この直後、林健太郎文学部長が未回答に終わった文学部処分について学生から抗議を受け、一一月四日からカンヅメ団交にされるという事態が発生し、以後、大きな問題となっていった。

この時点で、日本共産党が東大闘争に介入する重大な決定を下した。一一月九日、宮本顕治書記長が会見して、「当面する大学問題の解決のために日本共産党の主張」を発表した。それが翌日の『赤旗』に載り、さらには号外として印刷され、東大の中でも大量に配られた。これは前例のない政党の大学への直接的な政治介入であった。主張は、大学の現状を非民主的と批判した上で、全大学の構成員の代表による全学協議会を確立し、その協議により大学の管理運営を行なうように要求した。その上で、「大学の現状に対する学生の不満につけこんで」、学園封鎖を強行している「トロツキスト」や「修正主義者」の「挑発、破壊活動を断固粉砕し」、その「影響を学生運動のなかから徹底的に追放する」ことをめざすと宣言した。「トロツキスト」が一〇・二一行動の際新宿騒乱事件を起こした、として非難されている。全共闘が東大の新執行部から望ましい回答を獲得して、東大闘争に勝利することを許さない、という方針が打ち出されたと言っていい。戸塚・兵藤氏らの動きは、党のこの方針からすれば許されないものとなったのである。

全共闘に対する積極的対決、攻撃の方針が最初に示されたのが、一一月一二日の東大図書館前での全共闘と民青派実力部隊との衝突であった。このとき民青派部隊は、力で全共闘派を圧倒したと言われている。この際、社研の石田雄（たけし）・藤田若雄氏、教養学部の西村秀夫氏らは、対立する両派に対して暴力行為に反対する働きかけを行なった。そのような行動を起こした一般学生もいたことが知られている。

これ以後、教育学部を中心とする民青派の学生たちは、東大闘争勝利行動委員会の名で全共闘系の全学封鎖方針を非難して、各学部の自治会の主導権を奪還しようとしはじめた。全共闘に対抗しようとする彼らの努力に、以後、中間派の学生が同調して、変化を起こしていった。そこから加藤総長代行との協議を求める統一代表団を結成する動きがはじまった。

加藤総長代行は、全学集会を一一月二五日にも行ない表団と行なった。

たいと提案し、全共闘および統一代表団の双方と、別々に予備折衝をすることになった。まず一一月一八日に安田講堂の中に入って、全共闘の山本義隆氏らと公開予備折衝をしている。一九日、加藤代行は同じことを統一代表団と行なった。

この前後に、戸塚氏と私はなおも加藤総長代行と会って、全共闘との合意による解決という考えで仲介工作を試みた。渋谷の公務員共済の宿舎に加藤代行を訪ねて、話をしたことを記憶している。戸塚氏は総長副代行格の大内力経済学部長とも連絡を取っていたようである。

全共闘がどの方向に進むべきか、迷っていたのは事実だろう。しかし、東大闘争に関与している新左翼セクトは軍事路線を貫徹することをいち早く決めていた。戸塚氏は後年、定年退職時の恒例の回顧座談会で、自分がこのときに行なった工作について次のように語っている。

「当時の助手共闘の有力人物が『そのためにはこの人と会え』ということで、六八年の一二月何日だったか、お茶の水の某喫茶店で会ったのが、共産同の最高責任者、松本礼二さんだったのです。私は『このままで行ったら、機動隊導入が必至であって、全共闘はぽしゃる。できれば機動隊導入を回避したいという大学の最高責任者の意向もあるのだから、長期的な視野で一たん紛争を解決出来ないものか』と話しました。彼は『〔……〕東大紛争というのは、既に一大学の規模で解決できる状況を超えてしまった。各政治党派も全共闘指導部も、この紛争を安保闘争の前哨戦として位置付けて理解している。〔……〕機動隊の導入を迎え撃つという態勢で全共闘は固まっている』というのでした。その時点で、これで東大全体を大きく変えて行く道はなくなった、と私は思いました」（『社会科学研究』四一巻四号、一九八九年一二月、二九六頁）。

この話は、最晩年の戸塚氏と話した折、直に私も聞いた。一二月というのは遅すぎるようだが、流れはそういうことであったのであろう。東大闘争は完全に政治闘争化していたのである。

一一月二二日、安田講堂前に全国の学園闘争の代表部隊が集まって、全国学園闘争勝利総決起集会を開いた。二万人が参加したとされる集会の主役は、日大全共闘の部隊であった。いまや東大の安田講堂は、全国の学生たちの闘争の本丸として、国家権力との最終的激突に向かっていく方向性を与えられたようであった。

東大全共闘としては、加藤執行部との団交によって合意を得て、東大闘争を終結させることはできなかったのである。今井氏と彼が属するＭＬ派も、一一月のうちに「帝国主義大学解体」という方向に進んだ。私の手元に、一一月三〇日、ＭＬ派系の東大全学学生解放戦線が、安田講堂の中で全学討論集会「全学封鎖と今後の方針について」を行なうというビラがある。今井氏が「全学バリケード封鎖の位置づけ――二重権力の問題」と題する基調報告をすると書いてある。このビラを今井氏からもらったとすれば、それは私たちの関係の終わりを告げる合図でもあったのである。この集会で、今井氏は「帝大解体」、「帝国主義大学解体」のスローガンを提起したと考えられる。山本義隆氏は後年、今井氏の葬儀における弔辞で「六八年一一月段階で君達のグループから提起された帝大解体〔……〕のスローガンは、東大闘争を確実に一歩高めるものであった」と述べている。だが、これは東大闘争から出てくるスローガンではなく、政治闘争としてのスローガンであった。一二月一日に出された全共闘の機関紙『進撃』（第二号）に載っている助手共闘の檄文の最後に「七項目要求貫徹、東京大学解体」が呼びかけられており、本文中では「東京大学の制度、秩序、意識の徹底的解体」と述べられているが、その内容は明確ではないし、実現することもできないものであった。全共闘が「東京大学解体」へ進んでいくのであれば、その進化を闘争の発展として認めることはできなかった。

加藤代行は、一二月二日に坂本義和氏らとともにまとめた「学生諸君への提案」を発表し、全共闘を相手にせず、七学部代表団との交渉に向かっていった。一二月一七日、私たち、荒瀬豊・香内三郎・柴垣和夫・戸塚秀夫・中西洋・馬場宏二・兵藤釗・和田春樹の八人は、声明「東京大学の危機に際して」を発表し、学内に貼り出した。この印刷は私が引き受けた。妻にガリ版を切ってもらい、自宅で印刷して、大学内で配布したのである。この最後の声明は、「この大学における長く激しい紛争の過程から、誰もが何一つとして真実の成果を勝ちうることなしに、疲労と憤懣と怠惰を累積して行きつつある現実」が存在することを指摘した。そして、このまま終わってはならない、少なくとも、「相争う両当事者」が「最終的に、いかなる争点をめぐって、いかなる合意あるいは決裂が生じた」のか、確認しなければならないと訴えた。まず、加藤代行の「提案」を批判した。今回の紛争に関する措置と東大改革への基本的態度を切り離して、後者は将来、新総長の下で検討されるべき論点を提示するにとどめているのは、学生の問題提起に正面から応えていない、と主張した。この点と関連して、「学生を大学自治の重要な一構成要素として確認し、その固有の『権利』を認めよ、大学自治に関する従来の東大見解『いわゆる東大パンフ』を廃棄せよ」、と提案した。

声明は、一般教授・助教授の責任をも追及したが、学生の責任も厳しく論じたところに特徴があった。私たちは、自らの要求とその実現方法を真剣に模索することなく、「暴力反対」「外人部隊導入反対」に条件反射的に結集する者、「いたずらに国家権力の介入をおそれ」、総長の「提案」に飛びついて、「なりふり構わず、早期妥結に専念している」者を批判するとともに、「絶望的気分に由来する玉砕主義」を「わが国の左翼運動に屢々あらわれた革命的行為自体を自己目的化する傾向」だと批判した。前者は明らかに反全共闘派・民青派・中間派に対する批判であり、後者は全共闘に対する批判であった。

この声明の重点は明瞭に加藤執行部が七者代表と進める収拾に反対するものであったから、『赤旗』から厳しく批判されることになった。一二月二一日付の『赤旗』に「荒瀬氏らの『東京大学の危機に際して』にあらわれた心情」という文章が掲載された。執筆者は、荒瀬氏らの立場は「東大闘争をめぐって『すべてだめだ』と〝八ツ当たり〟的に切り捨て、あたかも自分だけが〔……〕『良心的』態度を堅持しているかのように思いこんでいる」と批判し、民青派への批判は「即断」にもとづくもので、「事実にもとづいて真理を探求すると言う研究者の態度に反する」、「理非曲直をあいまいにして、実は『全共闘』一派のトロツキストをよろこばせるだけ」だと断じていた。

私たちの声明は、事態を打開する志向をもはや持っていなかった。その意味では非政治的な心情の告白だったから、この批判の執筆者は、私たちの完全な行き詰まりを突いていた、と言わざるを得ない。

全共闘側は、ついに一二月二三日、法学部研究室の封鎖を行なった。丸山眞男教授が強く抗議したことで、注目を集めたが、これは私たちにとっても深刻な問題であった。

東大全共闘玉砕へ

アメリカではニクソンが大統領になり、ベトナム戦争を勝利の印象の下に終わらせる方向に進みはじめた。一九六九年一月九日、時計台前の広場では、東大全共闘が呼びかけた「東大闘争勝利、全国学園闘争勝利全都総決起集会」が開かれ、学生三〇〇〇人が参加した。中国派に投じた歴史家・井上清の著書『東大闘争』によれば、この夜、全共闘の一部、大学院生の全斗連と日大全共闘、解放戦線、社学同などの実力部隊が、教育学部に陣取る民青派の学生部隊を攻撃した。まず教育学部につながる社会科学研究所の建物に侵入し、そこから教育学部に攻め込もうとしたのである。

教育学部の民青部隊は徹底的に抗戦し、とくに放水によって抵抗した。この結果、教育学部との境界に近い社会科学研究所の研究室は書物が水びたしになる被害を受け、悲惨な目にあった。私の研究室も危ないところであったが、私のところより教育学部に近い同僚の稲本洋之助氏の研究室は民青側の放水と全共闘側の攻撃のため、深刻な被害を受けた。全共闘側はまた、経済学部の建物にいた民青派行動隊を攻撃した。そこで経済学部長代行の隅谷三喜男氏が要請して、機動隊が導入された。これにより全共闘派の攻撃がようやく終わったのである。

翌一月一〇日、秩父宮ラグビー場で七学部集会が行なわれ、加藤代行と七学部自治会代表とが確認書を交換した。

安田講堂の塔には、新左翼セクト諸派の旗がかけられた。東大正門には「帝大解体」と「造反有理」の額、それに毛沢東の肖像が掲げられた。今井氏のセクト、学生解放戦線の活動家がやったことだろう。

ついに一月一八・一九日、東京大学に機動隊が導入された。安田講堂と関連する建物の封鎖解除の作戦が実行された。機動隊員八五〇〇人が動員され、学生たちは安田講堂の塔の上から火炎瓶と投石で攻撃した。警察は空中のヘリコプターからのガス液を投下し、地上からはガス弾の連射で応戦した。攻防は三五時間にわたってつづき、ついに午後五時五〇分に、すべての建物が制圧され、学生三七〇人が逮捕された。

この二日間、本郷の学部・研究所の教官は各門の検問に参加を求められた。私もそれに従った。新聞研究所の日高六郎氏も一緒だった。私たちにはつらい時間であった。のちに書いた文章から当日の心境は明らかである。「あの朝、私は赤門で機動隊を迎え、機動隊員とともに門をかためて学生諸君の入構をふせいだ。私がそうしたのは、総長代行の要請とそれを受けた部局教授会での相談に従ったからである。私は機動隊導入には反対であったが、その時点では事態の進行にもはや抗しがたいものを感じていた。その状況の中で割当てられた任務を履行しないことは、このような事態に立ち至るのを阻止しえなかった自分の道義的責任から顔をそむけるにひとしいと思われた。それは、七学部集会が機動隊に守られてひらかれることを批判しながらも、そこに出席する部局の人員に指定されたときに、それを承諾したのと同じ気持であった。たしかに私は状況に流されていたといえるだろう。私は、機動隊導入の決定について、道義的責任を有するとともに、一たび出された、その決定に従い、実行行為に協力した者としての責任を負っている」。

「法学部研究室の屋上で戦闘がやんだ時、機動隊員は抵抗をやめた学生を激しく殴りつけ、足蹴にした。白日の下で、それはりつ然たる光景であった。だが、見ているわれわれの中から『やめてくれ』という声はついに上らなかった。私は叫びたかったが、叫びは声にならなかった。機動隊の導入をおこなった東京大学教官としての自分には、そのような人間としての声を上げる資格はないと思われたのである」。

「安田講堂には空中からヘリコプターが催涙液をふりそそいだ。そのヘリコプターはまぎれもなくベルUH－1B、アメリカ軍がベトナムの戦場で使っているのと同型のものであった。農学部グランドから舞い上ったそのヘリコプターが催涙液をまくさまは、ベトナムの村毎へ毒性の農薬を散布するところを思わせた。同じ型のヘリコプターは横田から王子と朝霞の野戦病院にベトナムの戦傷兵を運ぶのに使われている。私はこのヘリコプターに特殊な感情を抱いてきた。その同じヘリコプターの爆音を私は暗然たる思いできかなければならなかった」。

「検挙された者六三四名、うち失明一名、重傷七六名、起訴された者四七四名——東大の構内で学生に加えられたこの国家権力の行為について、私はその責任の一端をまぎれもなく負っている」（『発言』第一号）。

この件は広く報道された。私の家にも電話してきた人がいた。「自分の大学で学生たちが棒をふりまわしているのをやめさせられないくせに、野戦病院の撤去を口にするなんで恥知らずだ」と言われた。妻のあき子が二月になってから、「市民の集いのニュース」（一二号）に、私について書いた。

「ねてもさめても考えていることは、大学のこと、遊んでもらいたい二歳の真保が『パパはトウダイフンソウって好きね』と言いだした。しかし一月一八、一九日八五〇〇人の機動隊が導入され、千人近い逮捕者と負傷者がでた。〔……〕この日からの和田春樹の緊張と苦もんはその性格からしてものすごいもの、ついには大学をやめても駄目で、職業をかえるほかないということにまでなってしまった。この迷い悩める主人はこのままでは大泉市民のデモに行けないと感じながら、二月九日の朝霞基地一周デモに出かけた。そしてこのデモに精神的に助けられ、立ち直り、わが家に行動する気分がよみがえった。有難いことです」。

学生鎮圧のあと

全国の大学闘争は、一九六九年一月の東大安田講堂の封鎖解除、機動隊の投入をもって、終熄に向かった。この事態の中で責任も感じ、悲痛な感情に打ちひしがれていた同僚たちに呼びかけて、私はミニコミを出して、自分たちの心情を表白し、議論をつづけることを考えた。二月、私は最後まで声明を出しつづけた戸塚・中西・兵藤氏ら七人の仲間を誘い、さらに独自の立場で行動しようとしてきた石田雄・西村秀夫氏、また西川正雄氏にも声をかけて、言いたいこと、言わねばならないことを述べるミニ文集『発言』第一号を刊行した。発刊の言葉と

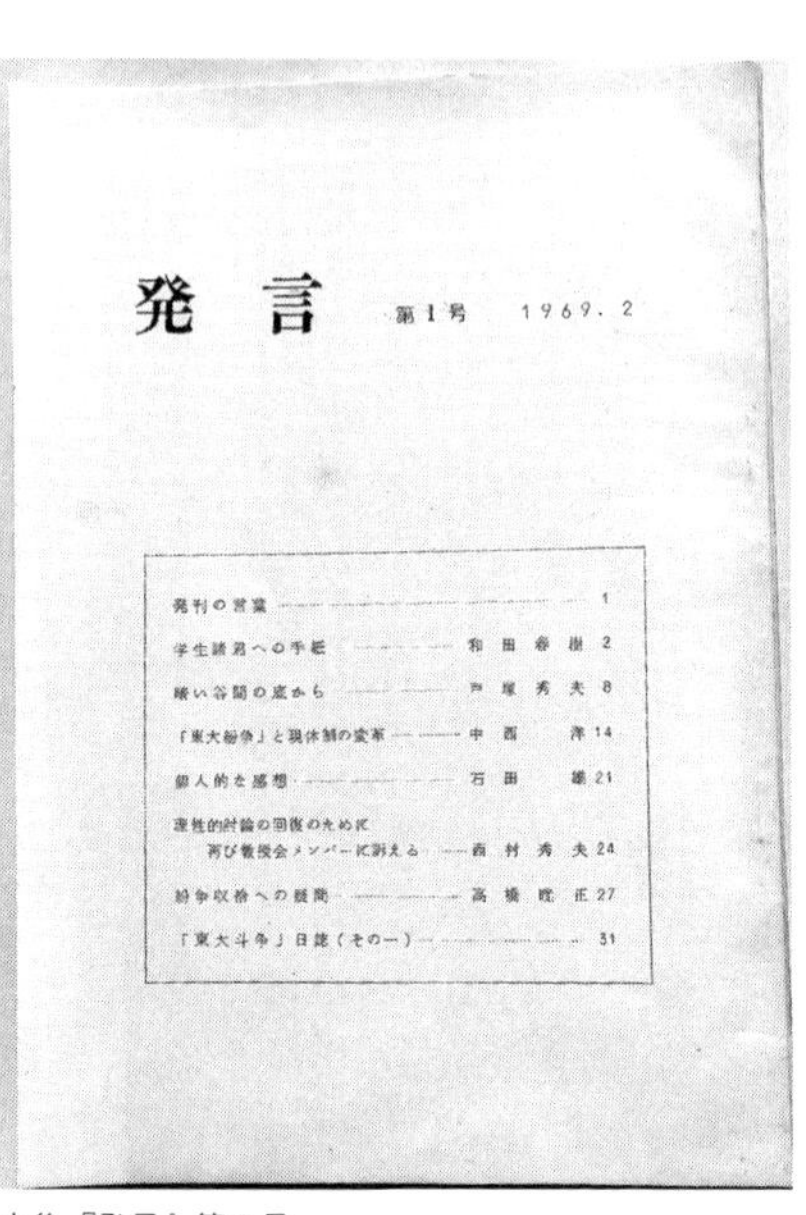

発言　第１号　1969．2

文集『発言』第１号

巻頭の文章「学生諸君への手紙」は、私が書いた。戸塚氏がつづけて「暗い谷間の底から」を執筆し、中西氏が「『東大紛争』と現体制の変革」を書いている。

私は、一月一八・一九日事件について、自分の責任について記した。先に引用した一月事件の際の感想は、すべてこの文章の一部である。私は全共闘の「帝国主義大学解体」というスローガンに対する加藤代行の回答は「官僚的な答弁でしかない」と退けているが、全共闘は「最終的な論理的対決の場を設定し、問われているのが何かを大衆的に明らかにすることなく、『粉砕、粉砕』の路線に進んでいったことは、闘争主体としての責任の自覚に欠けるものと言わなければならない」と批判している。その上で、「全共闘が学内ではいくら少数者であり、暴力的であり、非民主的であるといったとしても、ぎりぎりのところ、根拠を持って納得いかないと言い張る学生の声を力で圧殺したことにほかならない」と述べている。

私は、二月四日まで検問義務を果たしてきたが、これ以上は応じられないと述べ、他方で確認書の実質化をめざす学生諸君に対しては、それを誠実に実行してほしい、と要望した。

戸塚氏は、確認書に対する批判を書いている。確認書は、文面上は機動隊の導入をできるだけ抑えようとする姿勢で書かれているが、確認書を取り交わしたあと、事態は雪崩を打つように機動隊導入へと向かって進んだではないか、と矛盾を指摘している。「帝国主義大学解体」のスローガンには戸塚氏は触れなかった。この点では、中西洋氏は、「東大斗争は全国の学園斗争とのかかわりでとらえねばならず、それはまた〝七〇年安保〟を契機とする日本の変革の展望のうちに位置づけねばならない」という全共闘の主張に対して、自分は「全面的に反駁する能力」を持たないが、この展望に「簡単に同意できなかった」、「大学というものの社会における位置づけに関して、考え方の相異があった」と主張した。

『発言』は第二号を五月に出した。

この『発言』の主張は、『思想の科学』（一九六九年五月号）の「日本の地下水」欄で取り上げられて論じられた。執筆者の名が特定されていないが、鶴見俊輔氏の文章であったと見て間違いはないだろう。『発言』巻頭の私の文章を読んで、「文体の誠実さを感じた」が、その誠実さは戦没学生の手記『きけわだつみの声』に感じたものであったと指摘する。そこから、和田は「『わだつみ』の筆者と同じ年配であり、同じ種類の体験をもって生きのこった」人であろうと推測している。機動隊導入にともなう任務を履行したときの和田の考えは『わだつみ』の論理の再生と同じであると言われたのには、疑問を抱いた。鶴見氏は、海老坂武氏が執筆した、東大執行部と東大教授たちを批判し東大全共闘に連帯を表明した一月二〇日の知識人声明「国家暴力の秩序からの東大の解放を」に加わっていた（『かくも激しき希望の歳月――1966～1972』岩波書店、二〇〇四年、一六九～一七二頁）。その声明に表わされた感情が、この文章の基礎にもあるのだろう。いずれにしても、この文章には単純化の欠陥があった。

私たちは今井澄氏との対話を求めて、東京拘置所に拘留されている今井氏に差し入れとともに『発言』第1号を送った。私は、すでに三月二一日・二三日の総長選挙には不参加を声明したし、四月八日の大学院審査にも不参加を表明して、部分的なサボタージュをはじめていた。四月になって、私と戸塚さんは、今井澄氏と面会するために東京拘置所へ行った。今井氏の表情や彼が語った言葉などはまったく記憶に残っていない。四月二三日、今井氏は長い手紙をくれた。そこで今井氏は東大闘争についての総括を述べていた。

「僕達は、現段階で機動隊に敗れることが必至なのは、当然わかって居ました。確かに、その過程でどの位もちこたえるかということを重視してはいましたが、何より重要なことは、東大闘争がその本質においてもっている国家権力との非和解的な対立を、昨年一〇・八羽田以後の日本の戦闘的左翼の闘争の一連の流れの中で闘い抜けるか否かということだったのです。そして、具体的には、一二月以降の加藤執行部の収拾策動、――自治会民主主義の形式内への闘争の封じ込め、『入試復活』をテコとした旧秩序への回帰――を阻止することにあったことは言うまでもありません。そして、このことは、表面的には一時的に秩序が回復されても、もはや、本質的には収拾しようのない、眼をそらすことのできない混乱をもたらすためです。それは、新しい秩序――人民による秩序へ向けての再編＝階級闘争そのものの過程を進める不可欠の条件だからです」。

その後、今井氏からは、拘置所の中から三通の手紙をもらった。最後の手紙は六月一二日付のものだったが、江口朴郎編『ロシア革命の研究』（中央公論社、一九六八年一一月刊）のことを書いて、私が執筆した二月革命の論文を読んだ感想が述べられていた。「ある決定的時点での大衆の『自然発生的』闘争とそこにおける『前衛』や指導者の指導と展望――つまりどのような展望の下に指導するかという問題――の相互関連、有機的立体的構造に強く興味を引かれました」。

この手紙で、今井氏は東大闘争の前の自分の心境を振り返り、当時は学生運動を離れ、軍事研究と平和運動をしていた、医者の資格を得るために大学にも来ていた、「平和運動をやる『医者』＝つまり進歩的民主的インテリを自らの道」と決めていた、だから東大闘争開始後は「ついていった」部類に属していた、と述べていた。もちろん、こういう姿勢は今は捨てていると言い切っていたが、そのもとの生き方を思い出すのは、意味のないことではなかったろう。今井氏は、大管法闘争の同志について、川崎の小工場でプレス工として働きながら組合オルグをしている者や、マスコミ反戦で活動している者がいるとも書いていた。これからどうして生きて、運動をつづけていくのか、考えていることがうかがえた。今井氏とのつきあいはこれで終わった。[1]

私の大学院生たちがこの闘争の中でどのようにしていたのかはほとんど知らないが、ただ当時「ゲバルト・ローザ」と呼ばれ、その後手記を刊行した柏崎千枝子氏のことは、その手記を読んで知ることになった。[2]彼女は今井澄氏の党派に入り、闘争にすべてをかけたようだ。一月ののち、四月に逮捕され、六月から裁判がはじまっていたようだが、結果がどうなったかはわからない。闘争が終わったあとは、どうしているか心配していたが、数年後に一度だけ訪ねてきた。しかし、その後は音信が絶え、いまはどうしているかわからない。

東大では文学部や地震研で「闘争」がつづいた。工学部では宇井純氏を中心とする自主講座の運動がつづいた。その中で、悩みつづけている教官たちがいた。一九六九年五月三一日には、日高六郎氏（一九一七年生）が辞表を出して、東大を去った。五二歳だった。私は日高さんとは学内では協力したことは一度もなかった。のちになって、韓国民主化運動連帯の活動の中で仲間となった。日高さんはほとんど何も説明せずに東大を辞めていかれた。そのことを伝えた新聞記事の見出しは「苦悩にみち『かっこ悪く（……）』」「旗を振る時代は過ぎた」「非難は覚悟のうえ」となっていた（『毎日新聞』五月三〇日付）。

私は、文学部に立てこもる学生に投石している反対派の学生に投石をやめるように言って殴られた。口の中が切れたので、しばらくは自宅で休んでいた。うかつであったと反省した。大学当局は被害届を出しますかと訊いてきたが、もちろんそんなことはしなかった。

一九六九年六月になって、田畑書店より『私はこう考える――東大闘争・教官の発言』が刊行された。二一人の文章が収められているが、この中で造反教官と言われるのは、教養学部の石田保昭（東洋史）と折原浩（社会思想史）の二人ぐらいであった。二人は正常化が進む大学で、授業再開を拒否していた。石田氏は、全共闘の運動を「被圧迫人民国際連帯の立場にたつ日本人民の運動の先駆」と評価する意見書を出し、この本にもそれを載せているので、東大での生活はとても苦しいものであったろう。そのことと関係があるのかどうかわからないが、石田氏はやがて脳梗塞を起こし、大学を辞められた。お連れ合いの石田米子氏が岡山大学に赴任されたので、一緒に東京を去っていかれた。文学部の藤堂明保氏（中国語）と佐藤進一氏（日本史）は、ともに一九七〇年一〇月に文学部処分に抗議した学生たちの主張を支持し、造反教官となって、自ら東大を辞職された。私のまわりでは、みな、大学に残った。

見ることによる攻撃

私は、一九六八年秋から六九年春にかけての時期も、東大の事態のゆえに大泉市民の集いの運動を一度もやめたり、延ばしたりすることはなかった。私たちが相手にしたのは、ベトナム戦争を戦っている米軍であり、その基地、米軍病院であった。武器を取って、南ベトナム解放戦線兵士と戦い、負傷して後送された兵士、修理を待つ戦争の機械の人間的ファクターであった。戦争に対する疑問を抱き、厭戦感情をつのらせている兵士に、私た

◆1　東大闘争での裁判で最初の判決が出たのは、一九六九年一一月二九日であったそうだから、今井氏はそのころに仮釈放を得たのであろう。大学に復学し、一九七〇年三月に卒業している。医師の国家試験にも合格して、二年後には佐久市の病院で働きはじめた。一九七七年に刑が確定したため下獄したが、七か月で仮釈放となり、病院に復職した。そして一九八〇年に諏訪中央病院の院長となり、九二年には参議院議員となった。初めは社会党に属し、亡くなったときは民主党であった。二〇〇二年に死去した。私たちは一九六九年以後、一度も会うことはなかった。

◆2　柏崎千枝子『太陽と嵐と自由を――ゲバルト・ローザ闘争の手記』ノーベル書房、一九六九年。この本には、山本義隆氏の序文と今井澄氏からの獄中からのアピールが載せられている。

ちは戦場に戻るな、戦争の機械に戻るなと呼びかけていたのだ。戦争の最前線のすぐ後ろで私たちは闘っていたつもりだった。私は日本の市民として、ここが時代と闘う主戦場だと考えていた。

　初夏になって、私たちは新しい運動を起こした。一九六九年の五月三日、憲法記念日に大泉市民の集いは、バスを借りて、王子・朝霞・立川・横田の基地を見てまわった。前の年には、基地を見ることを「基地見学」と呼んでいた。このときはあえて「見ることによる攻撃」の企てと称した。この行動の記録の「まえがき」を私が書いているが、そこには一九六九年春の私の切迫した意識が現われている。

「私たちは、日常の生活を送っていると、ある枠の中での考え方とおぼろげな眼しか持たない。〔……〕野立ち広告やバス停の表示板はみえるが、米軍基地の給水塔、芝生の向うの建物、米軍の自動車、自衛隊のレーダーサイトなどは眼にとまらない。

　だから、基地を見るということは、基地に対決する姿勢がなくてはあり得なかった。ただ見るのではない。一人一人が病院の白い壁や、緑の芝生や銀色の輸送機の腹に、ベトナムの街路や野を赤く染める不屈なる人々の血の色を見るのである。見とおすこと、見つくすことである。それは、もはや見ることをこえ、基地に対して立ち、基地を攻撃する行動を端的になし、その行動に連なるはずである。『見ることによる攻撃』という意味はこのことにある」。

　そういう気持ちで、私たちは東京の代表的な米軍基地をまわった。私たちは、立川空軍基地の滑走路の真下に、米軍機の離着陸を妨害するために、その年の二月から立てられた旗竿、その端に結び付けられた赤旗を見た。それは基地を攻撃する住民・市民の闘いの姿であった。行動に参加した人々は感想を書き、それを文集として発行した。

見ることによる攻撃の記録

― 私たちの基地攻撃を強めるために ―

文集『見ることによる攻撃の記録』

　この文集を美しいガリ版で製作してくれたのは、和田京子・正武夫妻であった。正武氏は、私の父方の親戚で、父の世話で清水東高校で教師をしていた人であるが、そこで私が在校中につくったサークル「いしわり」の顧問をしてくれた。このときは千葉の市川に住んでいた。夫妻はガリ版印刷に熱中していて、印刷を安い値段で引き受けてくれた。あまりの美しさに頼み込んで、この年の秋からニュースの印刷を全面的にお願いすることになった。

さて、文集『見ることによる攻撃の記録』に載った二二歳の女性なかおかかな子さんの文章「この巨大な戦争機械」は、私たちのその後の運動の方向を予言していた。「私達は現在の情勢下において、ベトナム侵略戦争への加担をしないと宣言することはできないだろうと思います。なぜならば、私達は現に加担をしてしまっているのです。〔……〕私達は一日も、一分も、一秒も早く、加担をやめなければならないのだと思います」。「戦争という巨大な機械を動かしている歯車が一つでも動きが鈍くなって、他の歯車とよくかみあわなくなった時、機械は十分に機能を果たせなくなるでしょう。歯車を逆戻りさせたり、動くのをとめてしまったり、動きを遅くさせて、巨大な機械をガッタガタにして、こわしてしまう必要があると思います」。

この人は私たちの集いの活動にその後参加しなかったので、顔も思い出すことはできなくなった。しかし、この人が書いたこと、とくにこの引用のあとの方の段落で述べられている着想は、まさに「見ることによる攻撃」の結果、私たちが得た発見に他ならなかった。

こちら朝霞反戦放送局

その発見にもとづいて、私たちは、一九六九年六月、「朝霞野戦病院攻撃　六月行動」を準備することになった。この行動の中核として「朝霞反戦放送局」を置くにいたったのである。日本にある野戦病院は、負傷の程度が一か月から三か月の治療を要するもので、基本的に治療が終われば、兵士はベトナムの原隊に復帰する。戦争機械の一部としての兵士を修理する、もう一つの戦争機械である。これを攻撃することは、負傷者をふたたび兵士に戻すことを妨害するところに向けられる。そのために反戦の呼びかけを系統的にやることを考えた。「反戦放送」というネーミングは誰が考えたかわからない。市民の知恵と言うべきかもしれないが、これが大成功であった。もちろん、英語放送である以上、すべてアメリカ専門家・清水知久の豊かなアイデアの賜物であったことは確かである。「Radio Camp Must Go」という名称、「RCMG ASAKA」というコールサインをつくったのは清水氏である。また放送と言えるためには、強力なスピーカーと携帯できるアンプが必要だが、これは立教大学の学生・岸剛氏の同郷の友人で、写真大学の学生で技術者の巨島聡氏が運動に参加して、装置一式を作製してくれた。清水氏の英語力と巨島氏の技術力の結合によって、反戦放送が誕生したと言っていい。病棟の真向かいの金網の外に、農地が空き地として放置されており、私たちは自由にそこに立ち入ることができた。この場所が得られたことが反戦放送活動にとって大きな幸運であった。

一九六九年六月は、一日の日曜日から八日の日曜日まで、毎朝一〇時半と午後五時半の二回、反戦放送を行なった。日誌によれば、全一二回実施したが、私は毎回参加し、清水氏は七回参加した。私の大学院生はいまだゼミナールに戻ってこなかった。私は公然と業務を放棄して、市民運動を行なったということになる。

第一回放送は、「This is Radio Camp Must Go. This is Camp Must Go. This is Asaka Station RCMG」という、清水が吹き込んだ開局アナウンスではじまり、最後は「We shall overcome」の合唱で終わった。「ニュース」として、英語の得意な女性参加者が、新宿西口のフォーク・ゲリラの模様、米国での三万五〇〇〇人の戦死者を悼む集会などを伝えた。ニュースの合間には、ジョーン・バエズの歌「ドナ・ドナ」、ピーター・ポール＆マリーの「The Cruel War（悲惨な戦争）」などを流し、「主張」として英文ビラの朗読、「市民の声」として、参加した一九歳の運転手の訴えを通訳つきで行なった。「海外からのメッセージ」として、ベトナムの病院で働く米国人女性の手紙を紹介し、さらに「朗読」として本多勝一氏の『戦場の村』の英訳を読み上げた。この英訳はこれを世界に広める運動をしている石田玲子氏から提供を受けた。放送時間は三〇分であった。放送で繰り返されたスローガンは「Leave the Camp of War and Join the Camp of Peace」であった。

一九六九年六月一五日、日比谷野音で「反戦・反安保・沖縄闘争勝利六・一五実行委員会」（世話人・小田実）が集会を開催し、五万人が集まった。大泉市民の集いからも登壇して話してくれという要請で、和田あき子が反戦放送の話をした。三里塚反対同盟の戸村一作、東大全共闘の山本義隆というような人たちと並んで疲れただろうと思う。集会後のデモには三派全学連も来て荒れたので、七五人が逮捕され、実行委員会の中心人物・吉川勇一氏まで逮捕されてしまったのである。あき子の話は『朝日ジャーナル』（六月二二日号）に掲載された。

一般に、反戦放送はメディアの支持を受けた。六月二日には『朝日新聞』『東京新聞』、六日には『読売新聞（夕刊）』に記事が掲載された。そのことは警察による規制を抑えるのに役立った。病院側からの静粛維持要請に

反戦放送の現場。基地の金網の外側から呼びかけると（右）、兵士が金網まで来てビラを受け取った（左）

もかかわらず、朝霞警察はそれをわれわれに伝えるだけで、金網は米軍のものだから解放戦線旗、いわゆるベトコン旗を結びつけては困る、「良識を持って」やってほしいという以上の制止行動に出なかったのである（和田「奪われた歴史からの脱却を求めて」『朝日ジャーナル』八月一〇日号）。

反戦放送は何よりも効果が目に見える運動であった。言いたいことを語ること、声を出すこと、歌を歌うこと、旗を振ることが、巨大な戦争の機械の中にいる兵士の心に直接働きかけ、何らかの反応を呼び起こすことが実感できたのである。それがこの運動の大きな魅力であった。

兵士たちも、MPも、さまざまな反応を示した。猛烈に石を投げられたのは一回だけだが、当初は反発が強かった。兵士が私たちから受け取ったビラに火をつけて燃やしたこともあった。だが、その兵士と話していた将校がそのまま私たちに近づいてきて、「この戦争は良くない」と言ったのである。MPが監視していないところで、柵のところまで来た兵士の一人は、ビラの主張は「出ていけ」というのだろう、「おれたちだって出ていきたいよ」と言った。もう一人は「もう少し同情してもらいたい。手や足をなくした、かわいそうな連中ばかりなんだから」と言う。「二度と戦争の機械になるな」と話すと、「わかった」とうなずいた。

大泉市民の集いは、毎月一回のデモをつづけた。朝霞基地を半周する朝霞コース、大泉の自衛隊の門前から大泉学園駅までのバス通りを進む大泉コースを、月ごとに交代でやった。老婦人・渡辺ちよさんが六月の文集に「ヨベルのラッパ」という一文を書かれた。旧約聖書のヨシュア記にある話だ。城壁の町エリコのまわりを「ヨベルのラッパ」を吹き鳴らし、七回人々がまわったところ、城壁が崩れ落ち、エリコの町は陥落したという。渡辺さんは、七日で陥落したとは「記事」であって、もっと長い日数を要したのでしょう、「私どもの願いである米軍基地反対も粘り強く且つ長期にわたり運動を続けなければならぬと思います」と書かれていた。一九六五年から定例デモをつづけているべ平連の人々の気持ちも同じだろう。「ヨベルのラッパ」の精神は、大泉の毎月デモの精神となった。

私たちのデモの参加者は、あまり増えるということはなかった。しかし、この年には練馬区内でもいろいろな人がデモをするようになった。石神井警察は対応にいとまがなかったようだ。区内の高校生がデモをしたいと警察に相談に来たときは、困りはてた警備課の責任者は「そういうことなら、大泉市民の集いに頼んで代理届を出してもらえ」と言って、自分でわが家に電話をして、依頼してきた。妻はその依頼を引き受けて、代理で高校生のデモの届をしてやり、当日は彼らのデモの先頭を歩いた。高校生のデモの主題は何であったかは妻も私も憶えていない。しかし、真剣にものを考える人間はデモをしなければならない、というのが時代精神だったのだ。

ベトナム人留学生と出会う

一九六九年六月二九日、清水知久氏の知り合いのテレビの12チャンネルのディレクター山田政伯氏が、二人のベトナム人留学生を反戦放送に連れてきた。国際基督教大学の学生ヴィン・シンと東京工大の大学院生グエン・アン・チュンである。二人は、六月九日に南ベトナム大使館の構内でグエン・バン・チュー（南ベトナム大統領）とニクソンの写真を燃やして、ベトナム戦争反対、サイゴン政権拒否のデモをした留学生グループの中心人物であった。ヴィン・シンは反戦放送のマイクを握って、米兵に語りかけた。

この二人を主人公とする山田ディレクターの番組『青春——友よ君の銃声がきこえる』は、七月一一日に放映された。テーマ音楽はベトナムの抵抗の歌い手チン・コン・ソンの「私の恋人は戦場で死んだ／私は気がおかしくなった」と「長くて暗いベトナムの夜」であった。大使館での驚くべき大胆なデモの様子が映し出され、もう一人のリーダー、東大大学院生のレ・バン・タム君と日

ベトナム人留学生ヴィン・シン

本人の妻と生まれたばかりの赤ちゃんが出てくる。ヴィン・シン君はフエの出身、グエン王朝の末裔だが、父はベトミンに入って行方不明ということらしい。テレビ番組の中で加藤久美子に語っている。「あなたに一番話したいことはですね、いまベトナムの平和のために闘っている私たちは、まずこの時代に生きている以上、この悲劇に対して何らかの態度がないと、自分の存在をアイデンティファイすることができないと思うのです。一人の人間として、この不条理な戦争をやめさせなければならないということは、もっとも大事なことだと思います」。

グエン・アン・チュンは、サイゴンの出身、アイス・キャンデーの工場を経営していた家に生まれた。兄は軍隊に取られ、脱走して捕らえられ、前線に送られ戦死した。彼は落ち着いた、思慮深い天性のリーダーだった。山田氏の番組は、闘争のための組織を結成したときに宣言を読み上げる彼の風貌を映し出していた。「私たちの行動は、一人一人の自由な意志ではじまった。それは自分自身との闘いでもあった。今度、私たちは具体的な闘う組織を作ることにした。この組織は日本のいかなる組織とも関係しない、自立的な組織として存在する」。

六月の反戦放送が終わると、私たちは参加者の感想を集めて、『こちらは朝霞反戦放送局——朝霞野戦病院攻撃6月行動の記録』という三七頁のパンフレットを刊行した。二人のベトナム人の言葉も、このパンフレットに収められた。

いま、山田氏の番組のビデオを観ると、あらためて二人のベトナム青年の内面の光り、美しさに心打たれる。ベトナム留学生たちが作ったのは、「ベ平統（ベトナムの平和と統一のためにたたかう留学生の会）」である。ヴィン・シン君が担当した機関紙は『ファシエン（破鎖）』と名付けられた。

ランパーツを定期購読する

米軍病院の中の米傷病兵に働きかける、という運動の方向を見出してから、私はアメリカの運動や論調をもっと知りたいと思った。それで『ランパーツ』を定期購読するようになった。サンフランシスコで刊行されているラジカルの代表的な月刊誌である。一九六九年五月から届きはじめた号は、私を惹きつけた。六月号にはキャスリーン・クリーヴァーが、夫のエルドリッジのことを書いていた。ブラック・パンサー党の精神的指導者エルドリッジ・クリーヴァーは、この雑誌の同人でもあった。七月号には「戦争が、われわれの町オハイオ州ビールスヴィルに帰還する」という記事があった。息子の戦死を聞いた五家族の悲しみの表情が心を打った。八月号は、学生や市民が公有地に作った「People's Park（民衆の公園）」を、警察と州兵が閉鎖しようとして大きな衝突となった五月の事件を「バークレーの会戦」と題した記事で伝えていた。表紙がもっとも印象的だったのは、一九七〇年の二月号で、アルカトラス島を占拠した先住民インディアンの女性の闘いを描いた記事に関連して、彼女が壁に書いたスローガン「Better Red than Dead」を表紙にしたものだった。一九七一年に『アメリカ・インディアン――「発見」からレッド・パワーまで』（中公新書）というすばらしい本を清水知久氏が執筆したとき、この表紙をさし絵に提供した。清水氏はこのスローガンを「死よりも赤を選ぶ」と訳し、それを本の第一章のタイトルとした。

『ランパーツ』1970 年 2 月号

『原点――差別を見つめる』

京都べ平連の飯沼次郎氏から、一九六九年の夏に「任錫均氏を支持する会」の訴えが届いた。べ平連は一九六五年にベトナム派兵を忌避し、脱走して日本に密入国して逮捕された韓国軍兵士・金東希を、大村収容所から釈放させ、一九六八年一月に北朝鮮に出国させたことから、大村収容所の問題に関心を持ちつづけていた。金東希事件のときに知り合った韓国からの密入国者・任錫均氏が、一九六八年三月、腎結核の治療のため仮放免されると、その仮放免処分の継続のために支援していた。一九六九年八月二三日に処分が取り消され、任氏は神戸入管に強制収容されたが、ハンストを決行し、八月二七日、一か月の仮放免を勝ち取った。そして、任氏の亡命を認めるように求める署名運動が、飯沼氏から全国に呼びかけられたのである。私たちもこれに応じ、「朝鮮人任錫均氏に関する要請書」へ署名を集める活動をはじめた。

まさに署名活動をはじめた九月一五日、東京の韓国大使館に向けて朴大統領の三選と改憲に反対する在日韓国人の青年たちが行なった行動に弾圧が加えられ、大使館の構内に入った四四人が全員逮捕されるという事件が発生した。新聞は「在日韓国学生の大使館乱入事件」と報じた。『朝日ジャーナル』（九月二八日号）には、この行動に参加した青年が報道に抗議し、自分たちの行動の真意を説明した投書が掲載された。「当日、大使館に〝乱入〟したのは、門と塀を乗り越えた日本警官であり、門をくぐって堂々と入ったのは、私たちである」。これを読んで『赤旗』（九月一六日付）を見ると、時事通信の記事が掲載されていた。「『韓国』大使館構内に若い男女が乱入、いきなり集会を開きました」。「麻布署では〔……〕在日『韓国』人の仕業とみて調べています」。

私はふたたび妻との連名で『原点——差別をみつめる』というリーフレットを出した。その中で和田あき子が任錫均氏を紹介し、任氏の政治亡命要請の署名を訴えた。私は、日本国民の「八・一五」（敗戦日）の体験・意識の中には「八・一五が朝鮮植民地支配の終わりであったとの認識が欠落していた」と指摘する文章を載せ、九月一五日、韓国大使館事件の当事者の主張と『赤旗』の報じた時事電の記事の対比を付け加えた。このように問題はある。しかし、今日のわれわれの運動の主題はあくまでもベトナム戦争と朝霞病院の米兵であるので、大泉市民の集いのニュースではなく、私たち夫婦の自主行動として任錫均問題をあつかったリーフレットを出したのであった。

原点 —差別をみつめる—

われわれは、今日どうしても戦後的な「平和と民主主義」の意識から最終的に脱却しなければならない。平和を戦争のない状態、軍事同盟によって他国の戦争にまきこまれることのない状態と考え　民主主義を議会制民主主義と考えて、「平和と民主主義を守る」とする運動は、50年代には、多少とも、状況を切り結ぶ力をもっていたが、もとよりその出発点から根本的に制約されたものであった。

それは、日本国民の「8・15」体験・意識の中から、8・15が35年間つづいた朝鮮植民地支配の終りであったとの認識が欠落していたことから発している。8・15以後、日本国民はいろいろの反省をしたが、朝鮮植民地支配に対してはついに根本的な反省をおこなわなかった。そのことは、帝国主義との対決ぬきの「平和と民主主義」の意識をうみ出していった。

1965年、日韓条約が締結され、批准されたとき、はじめて立ち上った梨花女子大の学生からキリスト者までふくめて韓国の民衆が一致して指摘したのは、この条約が過去の日本帝国主義の朝鮮支配を断罪する精神に立脚しておらず、ふたたび日本の経済的・文化的侵略を許すものであるという点であった。これに対して日本のいわゆる民主勢力の反対論は、日本が朝鮮半島での戦争にまきこまれるから困る、というものにすぎなかった。

1967年、朴が大統領に当選したとき、日本の某大銀行は、《祝朴大統領閣下御当選　当行は一貫して韓国の発展とともに歩んでおります》という広告を韓国の大新聞に出した。この帝国主義的厚顔さ。——それは、われわれのものではないか。

和田春樹

『原点——差別をみつめる』第1号

ジャテック、変貌の時

大泉市民の集いが反戦放送という新しい運動を開始したとき、脱走兵を匿い、次々と日本の国外へ脱出させるという、たいへんな活動をつづけてきたべ平連のジャテック（ＪＡＴＥＣ：反戦脱走米兵援助日本技術委員会）も活動を転換させようとしていた。直接的なきっかけは、一九六九年二月一五日、警視庁の家宅捜査を受けたことだった。立教大学助教授・高橋武智と予備校生・山口文憲の自宅が捜索され、山口は逮捕された。

発端は、前年の一一月五日、メイヤーズとジョンソンという二人の脱走兵を、北海道の根室に連れて行き、そこから国外へ脱出させようとした山口が、メイヤーズとともに警察に逮捕されたことだった。直前に姿を消したジョンソンが、米軍のスパイであったのである。山口はすぐに釈放されたが、メイヤーズはそのまま米軍に引き渡され、ベトナムへ送られた。ジョンソンは、山口がピストルを所持していたと虚偽の密告をして、それがもとで、この二月の逮捕となったのである。一連の弾圧によって、根室から漁船に乗せて脱走兵をソ連に送り、中立国に逃がすルートが遮断された（関谷滋「イントレピッドの四人とジャテックの誕生」、『となりに脱走兵がいた時代』思想の科学社、一九九八年、九四〜一〇三頁）。

ジャテックは、初め空母イントレピッドの四人を横浜に入ったソ連船に乗せてスウェーデンに送り、その後、根室ルートを開発して六人を送り出し、さらに七人を送り出した（同書、六四・七四・八二頁）。このルートが閉じられたのである。このとき、国内に長期に匿っていた脱走兵が四人のこっていた（高橋武智『私たちは、脱走アメリカ兵を越境させた』作品社、二〇〇七年）。この人々をどうして送り出したらよいのか、深刻な問題がジャテックにのしかかった。

この問題の解決を引き受けたのは、ジャテックの第二期の責任者となった高橋武智であった。

本野義雄は、高校生のときからの高橋の平和運動の仲間だった。本野はテレビ局のディレクターであった。高橋と本野はこのとき、ジャテックは脱走兵とともに地下組織として潜行しているだけでは、政治的にベトナム戦争に抗しえないと認識し、活動を公然とアピールするようになったようである。空母イントレピッドから脱走した四人の水兵のための「イントレピッド四人の会」を発行者にして、機関誌『脱走兵通信』を刊行しはじめたのは、一九六九年八月二日のことであった。

その第二号（八月一八日）に大きく取り上げられたのが、清水知久の書いた「朝霞反戦放送局出現!?」の記事だった。第三号（九月上旬）からは、表紙に、「今週の脱走兵」として、人数を発表するようになった。ジャテックに連絡してきた兵三五名、脱走予定六名、「米軍内にとどまって反戦活動を続けるもの二九名」と書いている。一挙に米軍当局に対して挑戦的に出たのである。記事のトップは「もうたくさんだ！反戦GI各地で蜂起」である。これはベトナムや米国の基地で兵士の抵抗、反戦行動が次々と発生していることを伝えていた。このジャテックの転換は、大泉市民の集いの私たちを大いに励ましてくれた。

ジャテックは、そのような運動の新しい方向を推進すると同時に、匿っている脱走兵を国外に送り出す方法を探さなければならなかった。四人のうち二人は、パシフィック・カウンセリング・サーヴィス（PCS）の責任者ピーターマンと話し合った末、基地に戻る道を選択した。したがって、残る二人をどう救うかであった。高橋武智はその方策を求めて、ヨーロッパに旅立つことを考えはじめた。

ホー主席追悼の行進

ニクソン大統領は、一九六九年七月、アジア歴訪の旅に出て、途中グアム島での記者会見で、のちに「グアム・ドクトリン」と呼ばれる基本方針を明らかにした。投入した地上軍を引き揚げさせ、空軍力を使ってサイゴン政府軍を支援するというもので、ベトナム戦争の「ベトナム化」方針と呼ばれたものである。

その状況の中で、九月二日、ホー・チ・ミン主席が逝去した。ベトナム人留学生たちは、九月一〇日、公然と追悼行進と集会を開催した。招きを受けて、大泉市民の集いのメンバーも参加した。参加者は一二〇名、日比谷公園からはじまった行進は、黒地の横断幕を掲げて、雨の中を常盤台公園へ進んだ。そこで追悼集会となった。私は弔辞を述べた。一九〇五年に出たファン・ボイ・チャウ『ヴェトナム亡国史』（平凡社、一九六六年）に清国人・梁啓超が寄せた序文から、次の言葉を引用した。

「今日より後、人類世界の進化の気運は、日に月に新たに発展し、あるいはこうした髪の毛の間から角を生やした偽文明が、白昼横行して人を苦しめることは許されなくなるかも知れない。私はヴェトナムの人々の心を知るにつけ、そのことを信じたい。またヴェトナムの人々の能力を知るにつけ、そのことを信じたいのである」。

梁の予言は、あるいは楽観的にすぎたかもしれない。ベトナム人の願う光復は簡単には実現しなかった。しかし、梁の予言から六五年後、ベトナム人は、フランスを打ち破り、そのあとに来たアメリカと闘っている。私は、ベトナム人がアメリカを「いま追いつめつつあります」「予言は、ようやく現実的なものの域に近づいたのであります」と述べ、ホー主席の亡きあとも、ベトナム人は闘いつづけ、ついに勝利する日がくると信じて疑わないと結んだ。[3]

アメリカ人活動家ヤン・イークス

私たちは八月にも一週間、反戦放送をつづけた。そのとき、「黒人の子供が飢えて死んでるときに、月にアポロが打ち上げられました」と放送すると、聴いていた黒人兵が拍手した。それが大きな励ましになった。

九月一二日、べ平連が国際文化会館で「アメリカの反戦活動家と語り合う集い」を開いた。黒人活動家と徴兵拒否運動家も出るという葉書の案内をもらって、私は喜んで出かけた。うまくいけば、反戦放送で流すメッセージを録音できると考えたのである。その集いには、「外国人べ平連」のダグラス・ラミス、それに中国革命を研究している「憂慮するアジア学者委員会（ＣＣＳＡ）」のマーク・セルデンが出席した。セルデンとはそこで知り合い、やがて生涯の友人になるのだが、それはずっと後年のことである。そのとき、何よりも大きかったのは、カリフォルニアの徴兵拒否運動家ヤン・イークスとその連れあいのアニーの話を聞いたことであった。

イークスは、この集会ではヤン・シーグルと名乗っていた。ヤンは、一九四五年生まれの二四歳の青年で、サクラメント州立大学に在学中の一九六五年に結婚して、徴兵を逃れた彼は、六七年のベトナム旅行のあと、決定的に反戦の意志を固め急進化し、妻と別れた。一九六八年、二度目の徴兵を引き延ばした末、再婚したアニーとともに米国を脱出し、八月に東京に来たのである。彼は最初、電話帳で見つけたベトナム友好協会を訪問したが、日本共産党系のこの組織では望むものを得られず、その後、べ平連にたどりついたのであった。私が反戦放送に

大泉教会で語るヤン・イークス

ついて話し、協力を依頼すると、ヤンとアニーは大いに喜び、当分、日本に滞在するので、できるかぎり応援すると言ってくれた。ヤンは、彼の本の中で、反戦放送について次のように書いている。

「ドレイク陸軍病院周辺の市民団体は、ラウドスピーカーを使って金網の外から兵士たちに〔……〕訴えつづけていた。かれらはこれを『朝霞反戦放送』と呼び、〔……〕毎週、放送をつづけてきた。日本人民はベトナム侵略の後方基地を、爆弾ではなくオリーブの枝で打ち負かすというラジカルなことを考えた点で、私たちをはるかに追いこしていた」。

私は、彼の本『戦争の機械をとめろ！』（三一書房、一九七二年）の書評の中で、次のように書いている（『サンデー毎日』一九七二年一一月二六日号）。

「そのとき、このやさしい顔をした口ひげの男が日本、ひいては東アジアの米軍解体運動の誕生、発展にあれほど大きな役割を演じることになろうとは思わなかった。なにしろわれわれは、指二本でやるピースサインも、こぶしでやるブラック・パワー・サインも、彼に教わるまでは知らなかったのだ」。

ヤンはジャテックと知り合い、べ平連の事務所で軍隊を合法的に除隊することを願うＧＩのためのカウンセリング・サーヴィスを開設し、反戦放送にも全面的に協力してくれることになった。彼はトールキンの童話の主人公ロジャー・ホビットを仮名に選んだため、ホビットの名で知られるようになった。

彼が最初にやった大きな仕事は、反戦ＧＩペーパー『*We Got the Brass*』を刊行したことである。ヤンは、外国人べ平連設立の運動をしていたカリフォルニア大学バークレー校出身の友人から、立川空軍基地の兵士グループが〝ＧＩ新聞〟を出そうとしているので、手伝ってやってほしいと言われた、と回想に記してい

◆3　ホー・チ・ミンの遺体には永久保存の処置が加えられ、他の共産主義国の指導者と同じく廟内に収められ、公開されるようになった。率直に言って、好ましいことではなかった。のち一九八九年になって、ホー・チ・ミンの遺言では、火葬にすること、遺灰は三つに分け、国の三か所に埋めてほしい、碑はいらない、木を植えてほしい、訪ねてきた人に一本ずつ植えてもらえば、やがて森となる、というものであったことが明らかになった。この遺言は、後継者たちに無視された。一九九八年にベトナムを訪問したとき、ハノイのホー・チ・ミン廟を訪ねた。廟の中で、私たちの前にいた老婆は泣きながら歩いていった。私たちはそのあとを黙ってついていった。

る。これが一九六九年の秋、九月末～一〇月初めごろに出た『*We Got the Brass*』の第一号となったのである。この雑誌は題字の下に「Journal of the Second Front International」と書いてあり、かつ「Asian Edition」とも書いてある。ジャテックの責任者・高橋武智の公式の説明によると、これはヨーロッパにおける脱走兵組織の連合体が、ヨーロッパの米兵に向けて出している雑誌で、それを受けて、沖縄・日本の運動のニュースも加えて、「アジア版」にしたのだということだった。しかし、これはカムフラージュのための説明であり、実際のところは、ヤンが書いている通り、立川基地の兵士たちと一緒にヤンが作成したＧＩ新聞だったのだろう。

一〇月四日、私たちは大泉教会で「国際連帯集会」を開催し、そこにヤンとアニーとヴィン・シン君ら、ベトナム人留学生を招いた。これはまことに意義深い集会となった。

攻撃的基地闘争の提起

その間、アメリカでは新しい勢いで「ベトナム・モラトリアム」の運動が盛り上がってきた。一〇月一五日には、ワシントンで五万人、全国で二〇〇万人のデモが予定されているということが伝わってきた。この動きに呼応して、私たちは一〇月一二日～一九日に、第三次朝霞反戦放送局を開設することにした。一〇月五日の『市民の集いニュース』（二一号）に、私は「攻撃的基地闘争の展開――朝霞反戦放送局の意味」という論説を書いた。

「この歴史の転機に、基地闘争も新たな質をおびつつある。基地設置反対、拡張反対という防衛的闘争ではなくて、すでに存在している基地の機能まひをめざす攻撃的闘争が登場しつつある。

第一の例は、北富士演習場に反対する忍草（しぼくさ）母の会の闘争である。この会は、六三歳の渡辺喜美江会長を先頭に、自衛隊の演習場不法使用反対、全面返還を主張して、着弾地付近の坐り込み小屋に、七月一日より毎日三人ずつの坐り込みをおこなっている。『この原に一人の自衛隊もあるべからず』の赤旗をかかげ、『実力奪還あるのみ』とたたかっている。

第二の例は、立川飛行場に対する砂川反戦塹壕の闘争である。滑走路の北端に連なる民有地に高い旗竿を立て、飛行機の発着を妨害し、その旗を守るために塹壕をつくり、青年たちが泊まり込んでいる。

第三の例は、厚木飛行場に対する厚木基地爆音防止期成同盟の闘争である。周辺住民二二〇〇世帯を組織するこの同盟は昨年の運動方針で、「基地機能の減殺につながる運動」の推進をあげ、この八月一五日～一七日には、飛行活動の時間制限の拡大を主張して、滑走路の端に高い旗竿を立て、二〇〇本の古タイヤを燃やし、黒煙で飛行機の発着を妨害する実力闘争をおこなった。

このような攻撃的な基地闘争の一翼を担うものとして、わが大泉市民の集いの朝霞反戦放送局開設がある。兵士の修理という野戦病院の機能を反戦工作によって妨害することが、この目的である。六月、八月についで、一〇月には黒人の兵士をとくに対象にする」。

一〇月一二日から一九日まで、反戦放送の第三次クールが実行された。八日間、毎日行なった。一日三回、午前一〇時半～一二時、一二時一〇分～午後一時、午後四時～五時半である。一〇月一五日、モラトリアム・デーの当日は、昼休みを取っただけで終日行なった。一八日も同様である。配るものは、清水氏の書いた「Appeal to Black Soldiers」が用意されたが、今回の新兵器はGI新聞『*We Got the Brass*』の第一号であった。

兵士たちのこのときの反応は、初日からかつてなく強いものであった。MPによる兵士とわれわれを遮断する動きも激しくなった。一〇月一五日はモラトリアム・デー当日であったので、多くのゲストを招いた。ギタリスト二人を含め、埼玉べ平連の面々が一〇名ほど参加してくれ、終始、私たちの運動を助けてくれた。「戦場の村を世界に知らせる会」の石田玲子さんも来てくれ、総勢二〇名ほどで行なった。

特筆すべきことは、この日、「Army Go Home」「GI Join Us」のスローガンを初めて大ポスターにして、金網のところに掲げたことである。この画期的なスローガンをどうして考え出したかは思い出せないが、おそらく翌年の雑誌『世界』（七月号）に「GI Join Us」という文章を発表している清水知久氏が提案したのであろう。のちに微修正があり「GIs Join Us」となって、このスローガンは全国に広まっていくことになる。

このときの放送について、朝霞基地の保安部長GS大佐エリクソンが、病院部隊司令官へ送った報告が入手された。どういうルートで得たものかわからないが、べ平連・ジャテックから提供された。一通は、一〇月一四日付の報告で「Oizumi Citizen Council for a Just Peace in Vietnam」が、一四日一一時三〇分から一二時四五分まで行なった「宣伝放送propaganda broadcast」から得られた情報であるとして、放送は、アメリカ人と考えられる二人の吹き込んだテープを流した、内容は「ピープルズ・パーク」についての話と良心的兵役拒否の申請をどうやって実行するか、非戦闘義務履行を行政的に獲得するにはどうしたらいいか、などを伝授するものであった。一〇月一五日の「Vietnam Moratorium Committee」の目標が語られ、日本にいる米兵はこの抗議行動に参加すべきだと呼びかけていた。一〇月一一日から大泉のグループは、Camp Drakeで『*We Got the Brass*』を配布している。この「左翼的反米軍印刷物の準備配布に責任ある人物が『放送』で流されたテープの制作にも関わっていると考えられる」。次の「放送」は本日一六時から予定されているので、同じくモニターする、と書かれていた。残念ながら、夕方の放送についての報告は一枚目がなくなっており、二枚目だけがある。そこには「放送に対する××は、彼らの反応は一種の気晴らしであると判定される」と読める。この報告者は私たちの放送の効果を軽視して、基地内の兵士の呼応の動きへの警戒を怠っている。そのことが明らかになった。

反戦GIの出現

変化は突然に向こうからやってきた。一〇月一五日、反戦放送をはじめた私たちのところに、自転車に乗った米兵が近づいてきて、「君たちの放送は真実を語っている」と言い、反戦新聞を出したい、協力してくれ、と言ってきたのである。私はあわてて、会う場所を決めた。三時間後、私の家へ米兵たちを、仲間の予備校生・佐藤久君が連れてきた。まだ明るかったが、家の応接間のカーテンを閉めて迎えた。やってきたのは、白人と黒人の二人であった。

朝霞の反戦米兵ハメットとジャクソン（チェ）の和田宅訪問

最初に話しかけてきた白人兵は、アトランタ出身のジミー・ハメット、二二歳の二等兵であった。ハイスクールを出ると、監獄の職員となり、それから志願して入隊した。ベトナムでの戦争は経験していないが、一年あまりの経験から軍隊を真底憎むようになっていた。黒人兵はニューヨーク出身のハワード・ジャクソン、歳は彼の方が上だった。彼は「チェ」と呼んでくれと言った。本名かと問うと、彼は黙って、基地の図書館から借りてきたチェ・ゲバラの本『ゲリラ戦争』を突き出して見せた。彼は思慮深い大男で、ささやくような声でしか話さなかった。徴兵され、ベトナムの戦場も経験していた。

二人は反戦新聞を出したい、新聞名は『*Kill For Peace*』としたいと言った。それが軍隊の標語だからだということだった。私たちは喜んで協力すると答えた。

私たちが原稿を受け取って、印刷し、『*Kill For Peace*』一号は一一月に出た。そこで二人は、この地下新聞を出す理由は、間違ったことがなされているのに、「正気でない人々がそのことを認めようとしない」からだ、この新聞は「真実をそのまま明らかにする」と述べ、「ベトナムへ行くべきでない」と呼びかけている。「もしも、われわれがベトナム人のように、毎日、妻や家族が殺されるのを目にしたなら、戦争がつづいてはならないという理由をよりよく理解するだろう」。そして、病棟の金網の向こうで、ベトナム戦争に反対し、米軍基地の撤去を求める日本の市民が活動しているが、彼らは共産主義者ではない。「誰も戦争を望まないし、われわれにいてほしくない、という彼らを非難することはできない。君たちの故郷の町を日本兵の群れが走り回ったら、君たちだって嫌だろう」。

文章はきわめて理性的で、説得力があり、ソフィスティケイトされていた。

あとでわかったことだが、この当時、青森県三沢の米空軍基地の中で、一〇月には新聞『*Hair*』が出ていた。

Kill For Peace

This paper is your personal property : It cannot be legally taken from you.

Published by the Independent　Tokyo, Japan　November Issue

WHAT'S THE REASON?

Why should you read an underground news paper? Better yet, why should I write one? Why are there Moratorium's and peace demonstrations? WHY?? It's really pretty clear to see. There was a mistake maddened people now want to put that problem behind them. That is why we are printing this paper and we believe that's why you're reading it. We of Kill For Peace print the truth the way it is. REAL and HAPPENING. We write about how things are going around the bases, the college scene, Viet Nam and about The United States government in general. Also if you have a story that you would like to have printed as to let others know what's happening our address is on page #3.
(YOUR NAME WILL NOT BE PRINTED)
We feel that our paper will help some people to see the light. When you finish our paper pass it along to a friend. We must join together in our cause. People must see what's going on and do their part against it. We feel that this is our part.
THAT IS OUR REASON.

CAMP OJI TO GO

Another two months and camp Oji will no longer be in Japan. The Base is setting up in Korea. This has been known for some time as many GI workers from Oji have been transferred to other base's around the Tokyo area with No replacements coming to Camp Oji.
It has also come down through the grape wine that Camp Kishine will be the next to go. Also very soon South Camp Drake will very soon go, back to the Japanese.
Not but just a couple of weeks ago part of Tachikawa AFB. was given back.

LONG HAIR AND REGULATIONS

"Say Soldier, the barber shop stop giving haircuts?"
"Hey Troop, we don't have any hippies in this Army so, lets get these sideburns cut." "I want to see some polish on those shoes."
How many times have you heard those statements? It's opinion, and understanding that the Army must have some form of uniformity BUT, there should be NO favoritism shown because he is a doctor or lawyer and comes in with a Professions. In some of the hospitals around the Tokyo area, Doctors have been seen long sideburns extending half way down their face. Some of them also have this thick, bunchy, hair that you or I would be sent to jail for wearing. But have you ever noticed their shoes? And these people are suppose to set the example?!!

BOY IN A MANS WORLD

When a soldier, just coming back from Nam is about to be planted into the ground, you can hear everybody say "What a brave MAN he was in the war!" But let that same young 18 year old try to vote or own a car. He's too young, immature, and just hasn't grown up yet. He's not responsible. (?????)
What the Army will do is to take you in, a frail, thin, little boy, and in just 8 weeks (basic) you'll be a big, strong, mature, MAN. (NOW, A real man.) Did you ever have anyone tell you that? That the Army would make a man out of you. That saying must have started out as a joke. What the army does to a man is not a joke though. If you find anything funny about it, go down to your Neurosurgical and ask some of the patients there if the Army makes a man out of you, or if they think there is anything funny about it.

1

反戦 GI 新聞『*Kill For Peace*』第 1 号（1969 年 11 月）

だから『*Kill For Peace*』は日本で三番目に出された反戦ＧＩ新聞ということになる。三沢基地のグループは独自に組織されたものだった。中心的なリーダーは黒人の将校で、八月にアメリカ兵士組合の三沢支部を結成していた。彼らの新聞『*Hair*』とは「Human Atrocities in Retrospect」（人間の残酷行為を回顧する）の略だということで、これは相当にハイブラウの新聞だった。

米軍解体という新目標

朝霞基地の反戦ＧＩ新聞発刊とともに、私たちは一一月からは、毎週日曜日に定例で、二時間の放送をすることにした。これが一九七〇年末の野戦病院閉鎖までつづけられるのである。また横浜の岸根の野戦病院のまわりからも反戦放送をやりたいという連絡があり、私たちは一一月一四日、岸根に出かけていった。岸根は野戦病院の裏側の公道からやらざるを得ない。病院は近いため、放送はよく届くのだが、警官とパトカーがかけつけて来るまでの短い間のゲリラ的な放送になった。私たちが横浜のグループと一緒になって反戦放送を開始すると、やがて制服警官が二五人、私服警官が五人出動してきて、公安条例違反なので解散せよ、と迫ってきた。朝霞の兵士のアピールを読み終わるまでと、私はねばった。病院の最上階から身を乗り出すようにして、ピースサインを送ってくれた兵士の姿がうれしかった。

岸根から座間の病院へ移動した。この日は、外国人べ平連と川崎べ平連が「モラトリアム・デー連帯 座間病院一周デモ」を計画していた。デモの前に反戦放送を試みたが、柵と病室の間は林になっていて、条件が悪かった。平服の兵士、傷病兵二、三人が近寄ってきたが、森の奥でワナを仕掛けてウサギの来るのを待つ猟師のごとき心境である。デモを終えて、帰る電車の中で、一八歳の兵士に新聞を手渡すと、「Very good」という反応だった。ベトナムで負傷して、座間の病院で治療を受けて全快したが、軍法会議にかけられてもベトナムへは戻らない、ときっぱり言った。大泉市民の集いのニュースの二一号（一二月一〇日）に、私はこの日の反戦放送局の岸根・座間遠征の報告を書き、その結びで次のように述べた。

「我々は、この遠征を通じて、朝霞でも、岸根でも座間でも、一つの流れが存在することを確認した。米兵は反戦反軍の道に立ちつつあり、米軍は解体しつつあるのだ」。

この年の初め、東大の本部、安田講堂に立てこもった学生たちは、「帝大解体」を叫んで、玉砕した。それから一年たったいま、反戦市民運動は、米軍基地に対する攻撃を行ない、米軍内部の抵抗を呼び起こし、米軍解体が進みつつあることを確認しているのであった。

私はこの認識を発展させ、『脱走兵通信』第六号（一九六九年一二月七日）の巻頭に「帝国主義軍隊の解体のために日米協力を」なる文章を発表した。

「ベトナム民衆の闘争はアメリカ帝国をゆり動かし、その解体を促している。中でも最も重要なのは、世界帝国主義の暴力装置の主柱たるアメリカ軍が解体しつつあることである。一九六九年は我々がそのことを自らの直接的経験を通じても、はっきりと確認した年であった。年に六万の青年が徴兵を拒否して、国外へ亡命し、年に七万の兵士が脱走し、六〇種の反戦兵士新聞が出され、七か所にGIコーヒーハウスがつくられ、兵士組合が活動し、抗命反抗が激発している。事態はわれわれに第一次大戦時のロシア帝国軍隊の解体を想起させる。〔……〕アメリカ兵士組合の八項目要求の内には『将校選挙制』があげられているが、われわれはそれが二月革命時の反乱した首都兵士の要求であったことを知っている。そのようなことは、一九一七年以来絶えてなかったことではないか。しかも、それは〔……〕世界第一の帝国主義国でおこっている。われわれは、この意味ではロシア革命以来の世界史の大きな転機にあるのである」。

であるとすれば、米軍解体の歴史と現実を研究して、広く知らせることが必要ではないか。一九六九年一〇月に切り開かれたこの新情勢の中で、私と清水知久はジャテックの高橋武智氏と話し合い、米軍解体の全体像を解明する研究作業に着手した。

ベトナム留学生、サイゴン政権と対決

この秋、ベトナム留学生への厳しい試練が訪れた。一九六九年一〇月、南ベトナムのサイゴン政府は、グエン・アン・チュン（東工大大学院博士課程）、グエン・ホン・クァン（同）、レ・バン・タム（東大大学院博士課程）という三人のリーダーに対して、帰国と入隊の命令を出したのである。さらに二一人の留学生に対し、家族からの送金停止措置を取った。三人は、一〇月一四日、

ベトナム留学生レ・バン・タム（1972年）

この命令を拒否するとの声明を東大駒場の留学生会館で発表した。それは本国政府への決別の宣言であった。「チュー・キ等のカイライ政権は、いずれもアメリカ政府の戦争政策の遂行の道具にすぎない。それらは腐敗した、本質的には裏切者達のグループであって、ベトナム民族を代表する資格はまったくないと言えよう」。「現在、祖国で勇敢に闘っている諸民族勢力と共に、私たち海外にいるベトナム人も祖国の平和と統一のために、可能な限り彼らと連帯して闘うのは、当然かつ責務である」。

三人は、(1)サイゴン政府の帰国入隊命令と関連措置をいっさい拒否する、(2)「日本で学びつつ、ベトナムの実情を広く訴え、祖国の平和と統一の念願を実現するのに、あらゆる弾圧を覚悟で引き続いて努力する」、(3)自分たちのこの努力に対して、「いかなる措置がとられるかに重大な関心をはらわざるをえない」と表明した。最後に、日本人に向けて「理解と共感を期待してやみません」と述べて、結んでいた。

三人に対する帰国命令が出たことを聞くと、ベトナム留学生の多くが生活するアジア文化会館、新星学寮に住む工藤正司・田中宏ら会館職員、東大工学部大学院でレ・バン・タム氏と学友であった新石正弘ら友人たちが、一〇月一一日に早くもベトナム留学生支援の会（ベ支援）を立ち上げた。大泉市民の集いも和田あき子を中心にこの会に全面的に協力した。三鷹ちょうちんデモの会の志賀寛子さんも、べ平連の福富節男さんも乗り出した。さらに話を聞いた人々が、国会図書館でも、保谷市役所でも支援の会を作って運動をはじめた。やがて全国各地に運動が広がった。

サイゴン政府は、三人の留学生に対する欠席裁判を軍事法廷で行ない、この年の一二月三〇日に禁固六年、公民権・財産権停止二〇年という判決を下した。三人は、対抗して南ベトナム政府のパスポートを放棄した。彼らに同志たち一七人がつづいた。こうなって支援運動の焦点は、パスポートを喪失した留学生たちに特別在留許可を与えるよう、日本政府に迫ることに置かれるにいたったのである。

梅林・山口グループの登場

一一月のある日、私は『プロジェ』という雑誌の創刊号とともに、手紙を受け取った。梅林宏道という名におぼろげな記憶があった。

「私の名前をご記憶でしょうか。駒場池ノ上の下宿屋の二階に入学試験の折に同宿したのが、お会いした最初でした。今、このような形で、また便りをすることに、ある感慨を覚えます。〔……〕ご活躍敬意をもって見守っております。見守るなどと言うと、ひとごとのようで困りますが、私なりにも一つのアプローチ、おそらくは貴兄と同じ道に通じる一つのアプローチを同志の友人と共に始めました。〔……〕同封いたしました雑誌はそのはしりです」。

この人は、確かに一九五六年に東大の入学試験を受ける際、下宿屋の二階の隣りの部屋に泊まっていた人であった。そのとき、われわれは名乗りあった。その人も合格したのを確認したのを憶えていた。梅林氏は、一九六五年に東大理学部の大学院を終えて、民間会社に入社したが、六八年の激動の中で新しい生き方を求めるようになり、会社を辞めて、東京都立工科大短期大学に移って、教鞭を執るようになった。東大闘争に大きな刺激を受け、折原浩氏の文書から強い促しを受けたようである。彼には学生時代からの同級生で親しい友人・山口幸夫がいた。山口氏は、一九六八年に東大工学部の講師に採用されていたが、東大闘争の中で大学当局に強く反発した結果、学外の梅林氏と組んで、二人で『プロジェ』という雑誌を六九年九月に発刊するにいたったのである。大学の中では、私は山口氏とまったく接触がなかった。『プロジェ』発刊の辞には、こう書かれていた。

「これらすべての頽廃を支えている巨大な柱が、科学技術の高度な発展なのである。我々を未開の恐怖から解放してきたはずの科学技術が、現代の人類に文明の恐怖を、それも最も根源的な非人間化という形をとって、もたらした。

いま、すべての知識人はこの事態を真正面から見据えることから彼らの仕事をはじめなければならない。惰性と化した彼らの論理の根本を問いただし、人間の知識は何であったかをもう一度問い直さなければならない。そのことはとりも直さず、知識人個人個人が自己の内部に向かって『いかに生きるべきか』という切実な問いを発することを意味する」。

たいへんな、ストレートな問いかけをもって前に進む、同年の仲間が現われたのである。こののち、梅林氏・山口氏は、ゆっくりと大泉市民の集いに近づき、一緒に新しい市民運動を創り出すことになるのであった。

ベトナム留学生、在留を勝ち取る

年が明けて、一九七〇年三月、ベトナム留学生の運命の時が来た。在留許可を日本政府から獲得できるかが決まろうとしていたのである。私たちは、べ平統の一七名の在留を認めよ、という内外二〇〇余名の意見書を法務大臣に提出した。ベ支援は三月九日、全電通会館で市民集会を開いた。超満員の参加者が詰めかけた。文部省は三月二四日、国費留学生であった四人の国費延長の願いを拒否した。タム氏について大使館からの推薦状が添付されていない、という理由が示された。三月二六日、法務省は「政治活動はしない」という誓約書を書けば、在留を許可するとの意向を一部の新聞にリークした。四月四日、入管に出頭したグエン・アン・チュン氏ら六氏に対して「私は今後、在留目的である勉学研究に専念し、政治活動は行わないことを誓約します」という文書にサインすることが求められた。六人はこれを拒否した。四月六日、ベトナム留学生を支援する会は一万三〇〇〇名の署名を提出した。その上で、四月七日、一四名の留学生は入管に「今後も違法な政治活動は行わない」という誓約書を差し出し、在留延長許可を得た。

この文面で在留を認めさせるには、アジア文化会館や新星学寮の創立者で、アジア主義者であった穂積五一氏が、田中宏氏を連れて、大河内一男・元東大総長、田中伊三次法務大臣に働きかけたことも助けになったようだ。田中宏氏が自伝的回想でそのように述べている（『共生」を求めて――在日とともに歩んだ半世紀』解放出版社、二〇一九年）。

べ平統は、それまでのサイゴン政権批判の活動は違法なものだとは思っておらず、機会を捉えて、積極的に闘うことをやめなかった。そして各地のべ支援の会も、彼らと一緒に行動した。

この年の一二月一九日、アン・チュン氏が、運動している仲間が一緒に住める家があれば、生活費を切りつめて、結束して運動がつづけられるという夢を語ったことが『毎日新聞』に報道されると、板橋区で電気器具商をしている在日韓国人・琴錫竜氏が自分の店と家が入っているビルの四階フロア全部を提供しようと申し出てくれる、というありがたい展開となった。私には、在日ベトナム人に対して在日韓国人が助けの手を差し伸べたことに象徴的な意味を感じた。アン・チュン氏ら一〇人がさっそく琴さんのビルに移り住んで、運動の拠点を作ったのである。

『米国軍隊は解体する』

高橋武智氏の回想録『私たちは、脱走アメリカ兵を越境させた』によれば、彼は一九七〇年三月に立教大学を辞職し、脱走兵を国外に送り出す新たな方策を求めてヨーロッパに旅立った。米軍解体の研究はべ平連の古山洋三氏の参加を得て進んでいき、初夏に完成された。私たちの共同作業の成果は『米国軍隊は解体する――米国反戦・反軍運動の展開』（三一新書）となって、一九七〇年六月に刊行されたのである。編者として私と清水氏、それに古山洋三氏が名を連ねた。

第一部では、兵役拒否運動の展開過程についてまとめている。清水の他、古山洋三と石田玲子が執筆。兵役拒

『米国軍隊は解体する』(1970年6月)

否の実例を報告しているのはヤン・イークスである。ヤンはこの原稿を書いたあと、三月にはまた沖縄に戻った。

第二部は、米軍内の反戦・反軍運動の展開過程である。軍隊生活について清水が、脱走は古山が、GIコーヒーハウスは清水が、GIカウンセリングはアニーが執筆している。反戦GI新聞については、ベ平連の藤枝澪子、清水と和田が書いた。『ベトナムGI』、『ボンド』(アメリカ兵士組合機関紙)、『アライ』の三大紙、『ファティーグ・プレス』(テキサス州フッド基地)、『ショート・タイムズ』(サウス・カロライナ州ジャクソン基地)、『ヘッド・オン』(ノース・カロライナ州ルジェーン海兵隊基地)、『FTA』(ケンタッキー州ノックス基地)、『シェイク・ダウン』(ニュージャージー州ディックス基地)、『ダック・パワー』(サンディエゴ海軍基地)、それに『アクト』(パリ)を紹介している。

アメリカ兵士組合(ASU)については清水が執筆している。この組織は一九六八年に活動を開始した。一〇項目要求を掲げている。(1)上官への敬礼敬語の廃止、(2)将校選挙制、(3)人種差別撤廃、(4)兵士による軍法会議管理、(5)連邦最低賃金制の確立、(6)政治結社の自由、(7)団体交渉権の確立、(8)不法命令不服従の権利、(9)反戦デモへの軍隊出動反対、(10)ストライキへの軍隊出動反対、である。ASUの創設者アンディ・スタップは、マルクス=レーニン主義者と称しており、将校選挙制はロシア一〇月革命で実現された目標である。ASUの会員は一九六九年夏には五〇〇〇人に達し、一五〇の基地に支部があるという。

兵士の反乱の代表例を主として和田が書いた。一九六六年六月三〇日「フォート・フッドの三兵士」のベトナム行き拒否、六七年一一月一三日のイントレピッドの四水兵の脱走、一九六八年八月のダナン、ロンビンでの営倉内の反乱、八月二三日の「フォート・フッドの四三兵士」の治安出動拒否、一〇月一四日の「プレジディオの二七兵士」営倉内の抵抗、六九年三月二〇日の「フォート・ジャクソンの八兵士」基地内反戦集会、六月五日の

「フォート・ディックスの三八兵士」営倉内反乱、八月のハワイ州ホノルルのクロスローズ教会での二四兵士のサンクチュアリー立てこもりなど、八月二四日のベトナム・ソンチャン渓谷での第二一歩兵旅団第三大隊Ａ中隊の出撃命令拒否などである。

巻末には、米軍解体運動の参加者たちの座談会があり、付録として「異議申し立て」に関する陸軍省の通達（一九六九年五月二八日）と岩国基地の黒人兵の司令官との団交の記録（七〇年二月四日）を収めた。

じつに驚くべき事態が展開していたのである。この本の編集と執筆に参加したわれわれが、まずこの米軍解体の全貌を知って驚愕したのであった。「米軍解体」はすでにはじまっていた。その言葉は、この本の刊行によって市民運動の中へ広まったと言うことができる。

『脱走兵通信』は、一九七〇年六月の第一一号から「米軍解体をめざすジャテックの機関紙」と題字の下に記されるようになった。そして高橋武智氏がこの年の八月に帰国した。

反戦放送から反戦テレビへ

私たちは、引きつづきいろいろな企画を立てて、朝霞米軍病院を揺さぶりつづけた。一九六九年一二月二四日のクリスマス・イヴには、朝霞の駅前のビルの空き室を借りて、フリー・パーティーを開催した。大宮の加藤久美子君の家からレコード・プレイヤーのセットを借りてきた。ふたを開けると、兵士は数人で、日本にいるアメリカ人の学生や日本の若者が多かった。少々危ない雰囲気であったが、無事に乗り切った。このとき、パーティーに出す料理を準備するとき、沖縄から帰ってきたヤン・イークスが生の人参をスティック状にカットして出すように言ったので、感心したのを憶えている。

年が開けて一九七〇年初め、反戦ＧＩ新聞『*Kill For Peace*』の発行人ジミー・ハメットは、友人に密告されて取り調べを受け、ついに「意に反する除隊」の処分を受けて、帰国させられてしまった。私たちがこの事態に対して対抗できないほど、突然の弾圧で、ジミーは去っていった。

これによって『*Kill For Peace*』がストップしたあと、私たちは自分たちでＢ４サイズ一枚の『*Live For Peace*』という新聞を三回発行して、兵士たちに配った。朝霞反戦放送局が発行者ということで、私の自宅の住所と電話番号が記載されていた。内容はニュースの速報である。

前年暮れのフリー・パーティーに来た兵士から、「この前のパーティーは非常によかった。今度はいつやるんだ」と会うごとに聞かれたので、第二回反軍パーティーを一九七〇年の五月二二日に開いた。若者たち四人で見つけた朝霞の川越街道沿いの喫茶店を、三時間八〇〇〇円で貸し切りにして、呼び込みのビラを配って、兵士たちを集めたのである。何とか黒人兵を呼び込んで、ベトナムでの米軍の作戦を批判する映画や、朝霞の反戦放送を聞く兵士をMPが連行する情景を撮影したビデオを観せた。佐藤久君は、この喫茶店のウェイトレスがこの場の様子を見ていて、映画に拍手する米兵の姿に何を感じただろうかと考えた。彼女が「『どこか間違っていたんじゃないかしら?』と思ったとしたら、それだけでもこのパーティーは大成功だったと言えるのだが」と、『市民の集いニュース』二九号に書いた。

一九七〇年七月一八日には、反戦放送をあらため、反戦テレビをやった。正確には反戦スライドショーである。材料は『ランパーツ』誌に掲載されたオハイオ州ビールスヴィルの戦死した兵士の家族の話、在日米陸軍の雑誌『チャレンジャー』や各地の反戦GI新聞の記事、『アサヒグラフ』からソンミの虐殺の写真、岩国の反戦兵士のデモの写真などを巨島君がスライドにし、清水さんが台本を書きナレーターにもなって、佐藤君が音楽と効果音を入れて仕上げた。この特別プログラム映画『*Army Go Home! GIs Join Us!*』の最後は、「さあ、ここに君がいる」とのナレーションとともに、ベッドの上の傷病兵、脅える暗い兵士の顔に「私は生きたい」「平和のために生きよ」の字幕がつづく。ピースサインとともに「RCMG Summer 1970」のエンドマーク。

なかなかの出来栄えであったが、問題なのは、病院の柵の外にスクリーンを立てて、裏側から映写したとしても、病室側からはまともに見えるのかどうかであった。私の家の応接間にみんなで集まって話し合ったが、解決策がない。そのとき、ガラス戸に付けてある虫よけの網戸をスクリーンにすると、うまく効果が出ることが偶然にわかった。佐伯君が虫よけネットを買ってきて、スクリーンを作った。支柱は旗竿で、それを立てるのに私の家の子供用の鉄棒の支柱を使うことにした。

電源は近くの好意的なお宅から引かせてもらって、夕方の午後七時からスタートした。廊下に座っていた黒人兵たちが熱心に見てくれた。視聴者二〇人は大成功である。一週間後にまた上映した。今度は視聴者一五人ほどであったが、上映後「また観たいか」と感想を聞くと、「チクショー、嫌だ」という声があがった。するとアメリカ人の女性活動家と話をしていた米兵が、私たちのところに来て、マイクを取ると反論した。「俺は自由のために闘うぞ」。基地の中からは「この野郎入ってこい」の声。「よし、待ってろ。二、三時間したらそこに戻るから、頭を冷やしておけ」と。

この人は、反戦放送出演兵士の第一号になったのである。私たちは大いに喜んだ。

前出のチェは、ジミーが去ったあとはしばらく静かだったが、ふたたび元気を出し、八月一〇日『*Right On*』という黒人兵向けの新聞を出しはじめた。内容はすべての兵士に対する呼びかけであった。そこに彼は、「ニクソン大統領あての公開質問状」を載せた。

> ミスター・ニクソン、あなたは、一人の男、チャールズ・マンソンが司法の場で裁かれる前に有罪だと公式に断罪した。あなたはわが社会の基本的自由のひとつ、陪審裁判を否定する人間であると証明したのである。もしもあなたがこの男が有罪だと判定しようとするなら、陪審員になって、そうすべきなのだ。あなたは不正義な戦争に抗議していた四人の学生が大学の構内で殺されるのを見たはずだが、ほとんどなにもしなかった。あなたはあの戦争をカンボジアに拡大した。そして下院がなぜだと尋ねると、「そうするのが私の決定だからだ」とこたえた。
>
> ミスター・ニクソン、あなたは、大統領選挙であなたを選んだ幾千万の人々を忘れてしまったのか。戦争を終わらせるのではなく拡大することによって、あなたはあの人々を失望させたのだ。これまでベトナムで四万五千のアメリカ人が無駄死にした。これにベトコン、南ベトナム兵、民間人、他の連合国兵士の死を加えれば、あなたは途方もない数の人の死に責任があるのだ。だのに、あなたはチャールズ・マンソンを断罪している。彼と彼の支持者が数人の命を奪ったと「思う」という理由で。では自分をよく見て見るがいい。
>
> ミスター・ニクソン、数百万人の死に責任があるというのはどんな気分かね。

痛烈な批判であり、説得的な文章だった。公式のアメリカに対する反戦GIが下した有罪判決だと言っていい。

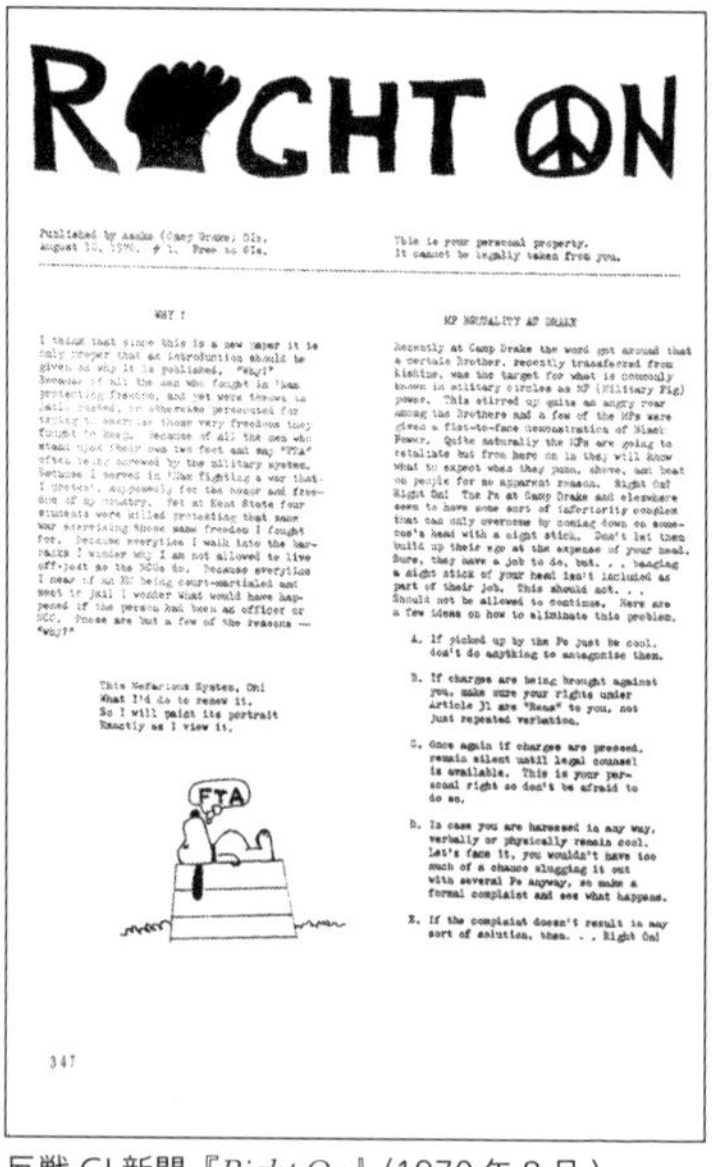

反戦GI新聞『*Right On*』(1970年８月)

帰国する反戦 GI チェの送別会（1970 年 9 月 20 日、撮影：巨島聡）

この後、ほどなくしてチェは除隊することになった。帰国前に私の家で送別会を開いた。一九七〇年九月二〇日のことだった。勝利は目前だと信じて、気分は明るかった。送別の記念写真は、いつまでも私たちの記憶に残った。この写真を見ると、私はヒゲを生やしている。おそらくこの少し前から、私はヒゲを生やしはじめたのだろう。それとともに、私はネクタイをしめるのもやめにした。それが私のささやかな文化革命であったのだ。

岩国基地での米兵反乱

一九七〇年春、ニクソンはカンボジア侵攻作戦に踏み切った。B52による爆撃、米軍・サイゴン政府軍の侵攻がはじまった。このとき、日本での反戦米兵の決起、米軍解体運動は日本最大の米軍基地・岩国海兵隊航空基地に及んだ。全関西のべ平連がこの運動を援助するために動いた。

岩国基地には、ニクソンの「ベトナム撤兵」方針により、ベトナムから海兵隊航空隊が続々と移駐してきた。一九七〇年初めには、司令部直属の基地部隊一〇〇〇人、第一海兵航空師団の二個飛行大隊他三三〇〇人、第七艦隊直属の海軍第六飛行群とその支援隊七〇〇人で、総勢五〇〇〇人の日本最大の米軍基地となっていたのである。

兵士たちの中で、白人のラジカルがアメリカ兵士組合のメンバーとなって「GI Resistance at Iwakuni」なる運動体を結成し、一九七〇年一月末にＧＩ新聞『*Semper fi*』を発行しはじめた。「センパー・ファイ」とは海兵隊のモットーで、「つねに忠誠」という意味である。この新聞は、第一航空師団長ジョンソン准将が、黒人兵を慰撫するために「ヒューマン・リレーション委員会」なる構想にもとづいて、兵士たちとの懇談会をはじめたことを暴露し、批判した。第二号が出た段階で、連絡が東京の『*We Got the Brass*』編集部に届き、三月初旬に広島べ平連・岩国べ平連・ジャテックの四人と岩国の兵士二名との会合が持たれ、共同闘争がはじまることになった。基地外の市民運動グループは、三月二一日から岩国解放放送局を開局し、柵外から呼びかけた。「This is Radio Free Iwakuni. We are branch of Radio Camp Must Go, All Japan Radio Camp Camp Must Go」というコールサインが用いられた。

岩国の反戦兵士たちは、自分たちの新聞『センパー・ファイ』の三月号に宣言を発表した。

「アメリカ政府は、日本と沖縄を、ベトナムに対する不法かつ帝国主義的な戦争の主要な補給中継センターとして使用している。ベトナムでの戦争の親玉どもは『世界を共産主義から救う』ために、アジアの小国を破壊し、数千のアメリカ人と数十万人のベトナム人を殺すことが望ましいとしてきた。われわれＧＩは、この恥ずべき、不法な戦争は、われわれの支持を得られないということを全世界に明らかにしたいと思う」。

「腐敗した専制的な軍隊制度は、民主主義の原理に立脚する国民には耐えられないものである。われわれは〔……〕恐怖ではなく正義にもとづく軍隊をめざしているアメリカ兵士組合および『民主的軍隊をめざす運動』の兄弟たちとの連帯を宣言する。われわれは勝利する。All Power to the People」。

四月には、錦帯橋のたもとで、岩国べ平連・広島べ平連も加わって、「反戦ラヴ・イン」集会が二日間行なわれ、初日は二〇人、二日目は四〇人〜五〇人の兵士たちが参加した。この「ラヴ・イン」が地元の新聞・テレビで大きく報じられると、軍当局は怒り出し、兵士組合の三人の活動家を呼び出して脅迫した。レナー伍長は配転（配置転換）され、機密書類に近づくことを禁じられた。ハーン一等兵は行政的除隊にすると宣言された。ドルトン伍長は、早くも四月二三日、アメリカ本国に配転するという命令を受けた。

兵士たちは屈しなかった。『センパー・ファイ』を隔週刊にして、「ラヴ・イン」は合法的であり、三人への処分は不当だと主張した。ドルトンが出発にあたって残したメッセージは、次のように結ばれている。

「総ての人民が軍の圧制と腐敗、そして現在の政治権力に対抗して自分の運命を自分で決めるべく立ち上がらんことを！　平和と非暴力を我々の武器に、〔……〕All Power to the People」。

五月一六日は、米陸海空軍記念日であった。この日の反戦放送の場に、ベトナム戦争に抗議する黒の腕章を付けた五人の兵士（ジレット、ハーン、ベーコン、ほか二名）が現われ、反戦GI新聞を受け取った。数日後、ジレット伍長は沖縄普天間の五人を逮捕した。MPがこ基地へ配転された。六月二日にはハーンとレナーがアメリカ本土へ配転された。二人の乗った飛行機が飛び立つとき、二〇人の反戦兵士が見送りにかけつけ、握り拳を突き上げて、「All Power to the People」の意志表示をした。アメリカ兵士組合の岩国支部は声明を出し、「アメリカ軍当局は急速に学びつつある。革命家は配転できるかもしれないが、革命を配転することはできないことを」と宣言した。

弾圧はつづいた。ジョージ・ベーコン伍長は六月三日に逮捕され、沖縄の営倉に送られた。ベーコンが送られるときも、二〇人の反戦兵士が見送りにかけつけた。六月五日、『センパー・ファイ』八号が弾圧に屈せず、発行された。

私は、六月六日と七日に広島と岩国を訪れ、岩国教会で米軍解体運動について話した。教会の牧師・岩井健作氏は熱心な活動家であった。そこで岩国べ平連の胡子（えびす）雅男氏らから、この間の兵士たちの闘争の経過を詳しく聞いた。胡子氏は岩国市の県税事務所の職員で、のちに絵本作家になる岩瀬成子氏と、ほとんど二人で岩国べ平連をやっていた。帰京後、胡子氏から知らされたベーコンがベトナム前線へ送られたという最新情報も付け加えて、私は『朝日ジャーナル』（六月二日号）に、報告「岩国の反戦米兵は抵抗する」を書いた。

しかし、これからがクライマックスだった。岩国基地の中では、基地司令官と兵士大衆の間の緊張がさらに高まっていった。営倉には反戦兵士の他、一般兵士で反抗的な兵士が多く監禁された。七月四日、岩国基地営倉には定員三七人のところに四八人も詰め込まれていた（『脱走兵通信』一二号、二頁）。作業に出た囚人兵が営倉に戻って、ビールを飲みはじめた。それで看守たちが咎めると、衝突に発生した。それをきっかけにして、すべての囚人を巻き込んだ暴動、打ち壊しに発展したのだ（同上、一三号、六頁）。

この件で一三人が首謀者として起訴され、一〇月六日から軍法会議で裁かれた。まずデヴィドソン二等兵に対して、重労働五年の判決が宣告された。次いで、脱走してジャテックに匿われていたが、暴動の前に帰営して営倉に入れられていたノーム・ユーイングが被告席に呼ばれたが、彼が民間の弁護士による弁護を受けたいと要求したため、アメリカから反戦弁護士マーク・アムステルダムが呼ばれ、さらに鶴見俊輔氏の依頼で京都の弁護士・小野誠之も弁護に赴いた。これによって、ユーイング裁判は反戦市民が軍法会議に介入する例をみないケースとなったのである。このような活動は、ベ平連の事務所にこの年の六月から開設されたパシフィック・カウンセリング・サーヴィス（ＰＣＳ）の助言・援助のもとに行なわれた。これはアニー・イークスが一九六九年末に帰国して、サンフランシスコの本部に来日を要請してくれた結果、三月にシド・ピーターマンがやってきて、開設されたものである。

一九七〇年一二月九日、ユーイングの軍法会議に鶴見俊輔氏と神谷康子氏が弁護側証人として出廷し、脱走中のユーイングについて、その人柄の良さ、ベトナム戦争に反対する姿勢への共感を述べた。小野弁護士は最終弁論で述べた。「日本人民の反戦感情を代表しつつ、被告ノーム・ユーイングを駆り立てたと同じ気持ちと危機感を抱く立場に立つものであります。それ故に私は、権力に抗しつつ、アジア人と戦うことを強いられた一アメリカ市民を弁護しているのであります」（『脱走兵通信』一六号、八頁）。

弁論は成功した。ユーイングは暴動と脱走の罪を問われており、最高で懲役一三年を言い渡される可能性があったのに、懲役九か月の判決を勝ち取ったのである。『ニューヨーク・タイムズ』は、「日米両国の反戦主義者たちの結合は、〔……〕在日米軍当局にとって、厄介な問題を引き起こす結果となっている」と報じた。ベ平連・ジャテックのノーム・ユーイング裁判支援闘争は、日本の反戦市民運動のもっとも高い波頭を形成するものであったと言えるだろう。

米軍解体運動は、じつは北の三沢空軍基地でも進められていた。三沢の米兵は、最初にアメリカ兵士組合（ＡＳＵ）の支部を結成し、第二のＧＩ新聞『*Hair*』を刊行した先駆者たちであったが、すぐに活動が途絶えた。東京から赴いた日本人活動家が、一九七〇年七月に反戦スナック「ＯＷＬ」を開店し、働きかけを開始して、一二月に『*Hair*』も第二期の発行となったのである。ＯＷＬはフクロウという意味だが、兵士たちにはＡＷＯＬ（無断離隊）を連想する命名だったのだろう。ここには米国留学から帰国し、朝霞の反戦放送を見た森谷文昭、ベ平連の若い活動家・原田隆二、日野文雄らが活動していた。私は三沢の運動は直接には関係がなかったが、あるとき三沢から来た若いクェーカーの女性の訪問をうけた。彼女は、三沢の運動の話を聞かせてくれた。黒人の将校と恋愛中で、結婚して米国に渡るつもりだとのことであった。この若き活動家の思い切りのよさに、まぶしいものを感じたことを憶えている。森谷氏は、『アサヒグラフ』（一九七一年六月四日号）に、村田五郎の名でOWLのことを書いている。のち一九七四年に、私の勤めている東大社会科学研究所の翻訳担当助手になる人である。

沖縄は、米軍解体運動の最重要なターゲットであった。嘉手納基地は、ベトナム戦争の期間中にB52が二五機配備され、ベトナム爆撃を繰り返していた。ヤン・イークスとアニーは、一九七〇年三月、嘉手納基地の近くに入って活動を開始した。そして嘉手納基地の反戦GI新聞『*Demand for Freedom*』が発行された。

嘉手納基地のB52は、一九六八年一一月一九日に離陸に失敗、爆発炎上する事故を起こしたので、沖縄の人々の反発も強かった。沖縄べ平連も活動を開始しており、米国からPCSの活動家も参加し、兵士にカウンセリングをはじめた。一九七〇年、米軍当局はB52をグアムへ移動させた。沖縄での市民の反発を回避しようとしたのであろう。だがこの年の一二月二〇日の未明には、コザ暴動が勃発した。沖縄の女性が米軍兵士が運転する車にはねられ死亡するという事故をきっかけにして、コザ市（現在の沖縄市）の市民の怒りが爆発して、多数の米軍の車両を焼き討ちするなどの「暴動」になったのである。しかしこの事件で一人の死者も出なかったことは、沖縄の人々の自制心を示している。その後、米軍兵士への反戦工作はつづけられ、一九七一年五月になって、反戦米兵四八人と沖縄の反戦労働者が、コザで反戦交流集会を開いたことが明らかになっている（大野光明『沖縄闘争の時代　1960／70』人文書院、二〇一四年、二一七頁）。しかし反戦兵士と市民が、それ以上の反戦のデモンストレーションに合流することは起こらなかった。

私たちと兵士の祭り

一九七〇年の秋には、私たちのところに第三の反戦米兵ジムが現われた。彼、ジェイムズ・ウィリアムズを私たちのところに連れてきたのは、所沢の女子学生・荻野とみよである。ジムは一七歳で志願して、ベトナムで衛生兵として働いた。私たちが会ったときは、大和空軍基地に属していた。反戦の気持ちが強く、すぐにGI新聞『*Freedom Rings*（自由の鐘が鳴る）』を出すことになった。一九七〇年一〇月のことである。この号に彼は実名で詩を載せた。「いつでも国旗をみるたびに、私の目にうつるのは血だ。この一枚の布と無意味な言葉のために、命を捧げた人たちの血だ。英雄なんていない、栄光なんてない」。

反戦放送でも、一九七〇年一〇月には、「私たちと兵士の祭り」と名付けたクライマックスが訪れた。一〇月一八日、反戦放送がはじまると、一人の傷病兵が近づいてきて、星をピース・マークに変えた米国旗を受け取り、引き返すと芝生に座り込み、ＧＩ新聞を読みはじめた。他の兵士もそれにつづき集まりはじめ、四〇人ほどが座り込んだ。ＧＩ新聞を次々に投げ込むと、兵士たちはそれを拾って読みはじめた。さらに、江戸川べ平連のフォーク歌手が歌うのを聴き、アメリカ兵士組合のメッセージを聞きはじめた。新聞は、岩国基地での七月四日の暴動と関係者一三人の軍法会議裁判のことが中心である。そして兵士たちは私たちの呼びかけに答えて、「戦争を終わらせろ」というような叫びをあげるまでになった。ピースサインを出す者、拳を固めて突き出す者、かつてない大きな反響となった。やがて衛生兵や当直の下士官が兵士たちを病室に入れようとするが、兵士たちは簡単には従わず、私たちへの連帯のジェスチュアをやめなかった。これは、柵をはさんだ、私たちと兵士たちの反戦集会・デモであった。

ジムは記者会見をすることを望み、私たちの援助によって、一〇月二〇日、外国人記者クラブで記者会見が実現した。彼は、自分がＧＩ新聞のエディターだと表明し、ベトナム戦争と米軍を批判した。当局はたまげただろ

反戦放送に連帯を表わす兵士たち（1970 年 10 月 18 日、撮影：巨島聡）

う。彼は無届欠勤のかどで、朝霞の病院に移動を命じられ、一一月一三日、基地の中から反戦放送をしている私たちの写真を撮って郵送しようとして連行され、私との関係を調べられた。その晩、彼は基地を飛び出した。逮捕され、一度は朝霞に戻されたが、狭山湖での「ラヴ・イン」の後、とうとう私たちのところへ逃げ込んできた。

狭山湖「ラヴ・イン」は、一一月二一日、狭山湖の近くの広場で開催された。ジム・ウィリアムズの提案を受け入れて私たちが開催したのだ。朝霞・大和・座間・横須賀の米兵たちに呼びかけた。兵士たちがどれほど来たのかはわからない。やってきた兵士たちはロック・コンサートを楽しんだ。兵士たちは恐れなくなっていた。

反戦米兵ジム・ウィリアムズ。背後は、米キリスト者反戦団体のポスター「父さん、母さん、あなた方の沈黙が私を殺しているんです」

私たちはジムを一週間ほど匿っていたが、彼の身の振り方を考えることが必要であった。パシフィック・カウンセリング・サーヴィス（PSC）のシド・ピーターマンとも相談して、弁護士を入れて、基地当局と交渉した。帰隊すれば、米国に戻され不名誉除隊とされるということになった。それで手を打つことになった。ジムは、十分に反戦の心をデモンストレーションしたのである。一一月三〇日、彼は帰隊し、その日のうちにテキサスの基地に赴くように命じられ、日本を去った。

この際に世話になったPCSのシド・ピーターマンは、カトリックのメリノール会の神父であった。大柄な人で、怪僧などと呼ぶ人もいたが、信頼できるプロフェショナルであった。大泉の教会でも一度話してもらった。銀座のソニービルのある交差点を一緒に歩いているとき、彼が「この時代にアメリカ人であることは恥ずかしいことなんだ」とつぶやくのを聞いたことが、記憶に残っている。

マクリーン裁判

反戦放送を継続的に進める間、米軍と警察からの制止・圧迫・報復というものがありうることは想定された。基本的には米軍病院の病室に向かって、かなりの音量のスピーカーでメッセージや音楽を流すのだから、日本の病院に向かって同じことをやれば、たちまち病院側から威力業務妨害だとして、警察に訴えられるだろう。場合によっては告訴され、民事の損害賠償を求めることになりかねなかった。それに行動をしているところは、明らかに所有者のいる私有農地であったので、地主が立ち入り禁止という措置に出れば、たちまち私たちの行動は不可能になったのである。

実際、反戦放送の第一回を一九六九年六月一日から開始したときには、六日目に、和田あき子が朝霞警察にデモの許可証を取りにいったところ、警察官から「基地憲兵隊より、重傷患者が収容されたので、静かにしてもらいたいとの要請があった」と言われたのである。最終日の八日はデモ当日でもあったのだが、挑戦的に、この日初めて解放戦線旗を基地の金網に取り付けた。すると、デモの際に朝霞警察の警備課長氏が私服で来て、「今日もまた、米軍憲兵隊より重ねて静かにしてくれるようにとの申し入れがあった。また金網は米軍の財産なので、勝手に使っては困るとのことだった」と言われた。「節度を持って」やってくれという調子であった。

以後、八月の第二回のときも、一〇月の第三回のときも、米軍・警察からいかなる抗議も注意も警告もなかった。この理由を長く考えて、私は地位協定の弱点があると結論した。日米安保条約にもとづく在日米軍基地及び米軍の地位に関する協定、いわゆる「地位協定」は、米軍に特権と無制限の自由を与え、日本の主権、国民の権利を侵害する不当な取り決めであるとして批判の対象となってきた。しかし、この悪法が皮肉なことにジャテックの脱走兵援助運動への直接的弾圧を阻んだことはいまではよく知られている。地位協定第九条によって、米軍の兵士・将校・要員は日本への出入国に当たって旅券を提示し、査証(ビザ)を受ける必要がない、完全なフリーパスが認められる。したがって勤務中であれ、脱走兵であれ、米国軍人であれば、日本から出ていくことは自由である。その出国のすべてのルート・形式が許される。したがって、日本の市民が脱走兵を第三国へ出国させる工作を行なっても、日本の警察はそれを犯罪として取り締まることはできなかったのである。

同じことが反戦放送にも起こった。地位協定第三条によって、在日米軍基地内では米軍は自由に基地の「設定、運営、警備及び管理のための必要なすべての措置を執ることができる」、つまりいかなる日本の法律によっても制約されることがなく、自由に運営・管理することができるのである。しかし、そのことは米軍基地がいかなる日本の法律によっても保護されることがない、ということでもある。日本の病院で隣りの空き地から病室に向けて患者の安静を乱す拡声器による宣伝を行なえば、病院側の訴えで刑法の威力業務妨害の疑いありとして警察が取り締まるであろう。日本の法律によって制約されない米軍基地・米軍病院は、反戦放送を威力業務妨害の行為として、日本の法律の力を借りて弾圧させることができなかったのである。

反戦放送に参加するロナルド・マクリーン

しかし、政府は黙って見すごすわけはなかった。反戦放送に参加しているアメリカ人ロナルド・マクリーンが、滞在ビザの延長を拒否されるという事態が発生したのである。一九七〇年五月のことであった。

マクリーンは、一九六九年五月に、日本の古典音楽を勉強するために日本にやってきた。英語の教師をしながら、琴や琵琶を学びはじめた。その間に、外国人べ平連を知りその活動に参加していたが、一九七〇年春からは私たちの朝霞反戦放送の活動に毎週参加するようになった。マクリーンは、「Peace is patriotic」（平和は愛国的なことだ）と書いた大きなポスターを持ってきた。マイクを握って、兵士に呼びかけた。兵士たちは野次を浴びせたが、ひるまなかった。傷病兵が「君たちは、若いアメリカ人たちの平和と静けさを乱している」と叫んだときには、強い口調で言い返した。「東南アジアの人々の平和と静けさを乱しているのは、誰なのか」。

一九七〇年五月、マクリーンが入管に滞在の一年間延長を申請すると、許可がただちには下りず、八月になって、出国準備期間として一二〇日間だけの延長として、九月七日までしか認められなかったのである。このことを知った大泉市民の集いのメンバーは、裁判を起こす他ないと考え、反法連（反戦法律家連合）の秋山幹男・弘中淳一郎両氏にお願いした。弁護士になったばかりの若い弁護士たちであった。九月五日、在留期間の延長を認めないという最終決定が出ると、これを取り消すことを求める行政訴訟を東京地裁に提訴した。このような処分が、本人が日本で合法的な反戦集会・デモ・反戦放送に参加していることを問題視して取られたのであれば、これは「思想信条による差別をするものである」と訴状ではっきりと主張された。合わせて在留期間更新の不許可処分の効力停止も申請された。

九月一五日、東京地裁はマクリーンの仮処分申請を認める決定を下した。これに対して法務大臣は、九月一七日、即時抗告を東京高裁に申立て、一九日に理由書を提出した。この理由書はマクリーンの反戦活動を列挙し、「参政権を有しない外国人の政治活動は」「性質上不合理であり」「わが国に好ましからざるものとしてこれを規制すべき」だと述べ立てていた。ここにおいてマクリーンに対する不利益処分の真の狙い、意図が明らかになったので、清水知久が中心になって、東京外国語大学の学生グループとともに、「マクリーン裁判を支援する市民の会」を結成することとなった。べ平連、ちょうちんデモの会、新宿べ平連から参加支援を受けた。

アメリカ人の活動家に対する弾圧としては、すでに一九六九年一〇月に、国際基督教大学（ＩＣＵ）の学生バーバラ・バイら三人が大学闘争に参加して除籍処分を受け、その結果、強制送還されることになったという事件が発生していた。この三人は朝霞反戦放送にも参加しており、ＩＣＵの学生の浜田光が大泉市民の集いのニュース（二九号、一九七〇年六月一五日）に支援を訴える文章を掲載した。しかし、この三人を守ることはできなかった。その運動に関わった学生たちもマクリーン裁判を支援する市民の会に参加してくれた。この裁判がはじまるころに、日本への再入国を拒否されて羽田空港のホテルに閉じ込められたバーバラ・バイの状況が明らかになった。彼女は沖縄で活動していた。彼女のために努力もなされたが、入国拒否を取り消させることもできなかった。

ついには、米軍解体運動の柱でもあったイークス夫妻にも、その日本滞在を認めないという日本政府の圧力が加わった。ヤンは一九七〇年秋、アメリカ政府により旅券が無効にされた。彫刻を学ぶためとして取得した日本滞在のビザは一九七一年末までであった。旅券取り消しに異議を申し立て、その審問のつづく間は滞在延長をみとめさせ活動をつづけたが、一九七一年五月の第二回審問の前にアニーとともに日本を去っていった。彼が残した手紙は『べ平連ニュース』（六八号）に載っている。自分の在留を延ばすために日本の仲間が精力を使うことは「運動の力を不必要にそぐことになる」と考えて去っていく、闘いの場所を変えると決断した、と書いていた。◆4

私にとっては、ヤン・イークスはまるで風の又三郎のように、やってきて去っていった人であった。その後、彼の消息は長くわからなくなった。[◆5]

こうしてマクリーン裁判は、このような外国人反戦活動家抑圧に反撃できる唯一のケースとなったのである。

朝霞米軍病院閉鎖

一九七〇年一二月、朝霞野戦病院は閉鎖された。ニクソンは秋の反戦運動の新たな高まりに対して、一一月三日、「戦争のベトナム化」方針によって、米地上軍を縮小し、米兵の引き上げをスピードアップすると発表した。その方針のデモンストレーションとして、日本の中の米軍病院の閉鎖がめざされたのだろう。しかし、戦争がなおつづいているのに、米軍病院を縮小・閉鎖したのには、市民からの反戦工作、傷病兵の反戦・反軍的気分の高まりが影響したことに間違いない。朝霞病院はあっという間に無人となった。一二月七日、私たちはそのことを確認し、反戦放送をこの日で終えることにした。放送回数はじつに一〇〇回に及んだ。一二月一〇日付で、私たちは「ついにやったぞ、野戦病院 年内閉鎖」というビラを朝霞の街に配った。

しかし一方で、これは私たちの勝利ではなく、敵が逃げたというものだという感じもした。ベトナム戦争はつづいているのに、私たちの運動目標は壁の中にしまい込まれてしまったのである。

一九七一年初め、ニクソン大統領は戦争介入を強力化し、拡大して、優勢を獲得するとともに、停戦‐戦争終結をはかるという二元的な戦略を立てた。「カンボジアとラオスへの戦争の拡大」、ベトナム内では戦争の「ベトナム化」、平定作戦、米軍の撤退を実現し、パリ和平交渉や中国との秘密交渉を進めた。われわれはニクソンを、戦争をあくまでも続行しようとする総大将と見ていた。

一九七一年六月一七日、佐藤首相は訪米し、ニクソンとの間で沖縄返還協定を締結した。B52爆撃機がベトナム爆撃に発進する嘉手納基地はそのまま、核兵器もその

◆4 本野義雄「『方針転換』と米軍解体運動」(前掲『となりに脱走兵がいた時代』一五八〜一六〇頁)。ヤン・イークス「闘う兄弟・姉妹への手紙」(『ベ平連ニュース』六八号)。

◆5 ヤン・イークスがアメリカのカリフォルニア州に住んでいて、元気であることは二〇一〇年に知ることができた。彼を見つけたのは、ベ平連・ジャテックの米軍解体運動を研究する大野光明氏である。

ままにして、施政権だけを日本に移行することだと考えられた。私たちは戦争の幕引きのための陰謀が動きはじめたと見て、反発した。

『ベック情報』発刊

一九七〇年末から七一年初め、私たちは、何をなすべきかに悩んだ。悩んだ末に、もっとも月並みなやり方を取ることにした。つまりベトナム戦争がいまどのような状況にあるのか、そして、われわれはその戦争とどのような関係にあるのか、を考え直してみることにしたのである。

最初に行なったのは、アメリカ人の友人ブルース・ベックが盛んに送ってくれていた、カリフォルニアの湾岸地区、Bay areaのラジカルな新聞を読むことだった。ベックは、一九七〇年の夏に、二本の映画フィルム『ピープルズ・パーク』と『ヒューイ』（ブラック・パンサーの指導者ヒューイ・ニュートンの記録映画）をリュックに入れて、大泉市民の集いを訪ねてきた青年である。その映画を借りて仲間に観せた。その青年にラジカルな新聞が手に入ると運動にプラスだと話した。それで帰国してから、運動関係の新聞『ガーディアン』や『ブラック・パンサー』などを送ってくれるようになったのである。『ランパーツ』を読んでいた私にとって、ベックが送ってくる新聞や運動のビラ、リーフレットは馴染み深く、かつ新鮮な情報にあふれていた。読んでいるうちに、私は二つの恐るべき事実にぶつかった。第一は、ベトナム・ラオスにおける戦術核兵器の使用の可能性が高まっているということ。第二は、一九七〇年秋、日本政府が「ベトナム経済協力調査団」を派遣して、「情勢は好転」しているとの結論を得て、援助を積極化する方針を出し、インドシナ三国に年間一億五〇〇〇万ドルの援助を出すことを明らかにしたということである。

それを見ているうちに、アメリカの運動のニュースや情報を日本の運動に伝えることが意味のあることではないか、日本の中で起こっている新たな動きをいち早く捉えて、問題提起することが必要ではないか、という考えにいたった。べ平連の人々は『週刊アンポ』と英文の『ＡＮＰＯ』を出していた。しかし、それでもなお洩れている情報があると思わざるを得なかった。

朝霞野戦病院が閉鎖され、アメリカを敗北に追い込む決定的な局面を迎えて、私たちは運動を自分たちの地域の外に広げていかなければならないと考えるようになった。幅広い人々に衝撃を与えるニュースを届け、情勢の分析を伝える出版活動を幅広い読者に向けて行なうことが必要だと考えられた。それが、ベックが送りつづけてくれている資料を生かす道だった。

ベック情報

1971.2.18　1

インドシナ反戦のための
10回情報小誌（旬刊）

¥15　10部300円以上（送料共）

大泉市民の集いベック情報部発行
東京都練馬区大泉学園町283和田気付
振替東京 158887 (03) 922－1219

バーチェット記者は警告する

次は戦術核か？

ラオス南部を放射能汚染地域と化することが考えられている

レアード訪問の帰結

歴史の示すところによれば、アメリカ国防長官メルビン・レアードが東南アジアに旅行するとそのあとにいつでも惨事がたくさんまれる。一九六九年はじめレアードがサイゴンを訪問したあと「ベトナム化政策」が発明された。一年後一九七〇年二月レアードが再びサイゴンを訪問したあと三月一八日プノンペンでクーデターが起り、四月末にはアメリカ軍はカンボジアに侵攻した。さてレアードはこの一月三たびサイゴンを訪れた。アメリカ軍の撤退を促進するためだといわれているが、実は戦争をさらに拡大するためであることは明白。今回の訪問のときと同じで戦線はいかなる手段によってかということである。選択の幅は限られている。というのはアメリカの兵士による大々的な攻撃は期待にならないからである。ベトナムにおけるアメリカ陸軍の士気はひどく低下しており、白人と黒人、GIと将校との対立、徴兵された者と職業軍人との対立はますます激しくなっており、陸軍は戦闘に使いものにならなくなっている。一九六九年九月のラオスのジャール平原に対する悪名高いCIA指導の攻勢以来、ラオス情勢はペンタゴンにとって致命的に悪化している。南ベトナムとカンボジアの解放区域に隣接する南ラオスの広大な地域が完全に解放されている。カンボジアではロン・ノル支配はますます首都周辺の狭い地域に限定されている。南ベトナムでは「ベトナム化」が破産していることは明らかになった。

ベック情報

1971.2.28　2

インドシナ反戦のための
10回情報小誌（旬刊）

¥15　10部300円以上（送料共）

大泉市民の集いベック情報部発行
東京都練馬区大泉学園町283和田気付
振替東京 158887 (03) 922－1219

義勇兵派遣をめぐるブラック・パンサー党—南ベトナム人民解放軍の往復書簡抄

南ベトナム民族解放戦線・南ベトナム臨時革命政府の勇気ある革命家諸氏へ

国際的な革命的連帯の精神をもって、ブラック・パンサー党は南ベトナム民族解放戦線・南ベトナム臨時革命政府に対して、あなた方のアメリカ帝国主義に対する闘争を支援するために、不特定数の軍隊を提供するものであります。あなたがたの闘争がわれわれの闘争でもあるという事実を認識するブラック・パンサー党がこの時点でこうした行動をとることは、ブラック・パンサー党にとって適切なことであります。なぜならわれわれは、われわれの共通の敵が、国際的なブルジョア支配の指導者であるアメリカ帝国主義であると認識するからであります。アメリカ帝国主義の支持なくして存立できるファシスト政府、反動政府はひとつもありません。したがって、われわれの問題は国際的であり、われわれはこの問題に対処するには国際的団結が必要であるという認識のもとに、これらの軍隊を提供するのであります。

ブラック・パンサー党はわれわれがアメリカ本国において、いくつかの民族的問題をもっていることを認めるのですが、しかしわれわれの抑圧者が国内問題を抱えながらも、世界中で人民を抑圧していることを知っています。したがってわれわれはアメリカという世界の「都市」内部で闘争と抵抗をつづけ、できる限りの混乱をひきおこし、支配機構の軍隊を分断することによって、われわれの兄弟たちを支援したいと考えております。

ブラック・パンサー党がこれらの軍隊を提供するのは、われわれが民族主義の主張をいっさい放棄した革命的国際主義者の前衛党だからであります。こうした立場をわれわれがとる理由は、アメリカ合衆国がはなはだしく排外主義的な態度で行動し、民族主義を主張する権利を失っているからです。アメリカは世界を強奪してその富を築きあげたひとつの帝国です。したがってアメリカは民族国家ではなく、国際的資

『ベック情報』第１号と第２号

この一九七一年初め、私たちはこれまでにない活動に踏み出した。Ｂ４の紙の裏表、四頁の超ミニコミを二週間に一度のペースで継続的に出そう。タイトルは赤い色で『ベック情報』とする。発行主体は「大泉市民の集いベック情報部」と名乗る。印刷は水道橋の印刷屋・青年社に引き受けてもらう。私が毎号原稿とレイアウト用紙を持って青年社に通う。一〇〇〇部印刷、一部一五円で販売する。刊行期間は二か月半のつもりである。

『ベック情報』第一号は、一九七一年二月一八日に発行した。カバー・ストーリーは「バーチェット記者は警告する 次は戦術核か？ ラオス南部を放射能汚染地域と化することが考えられている」で、ベトナムを訪問したレアード国防長官の写真がそえられた。見開き中央の柱には重要なスローガンが載せられた。第一号には、「ベトナム人民は日本の反戦平和運動に問いかけている。『われわれが真実あなたたちを必要としているいまあなたたちはどこにいるのか』」を掲げた。この言葉は『ランパーツ』一九六九年八月号に載ったフランツ・シャーマン教授の論文のタイトルから取った。「解放戦線はアメリカの左翼に問いかけている」という趣旨だったが、二年遅れで、日本のわれわれが聞かなければならない言葉だと思ったのである。

後半は、「四六年度予算案、インドシナ三国へ年間一

億五千万ドルの援助を計画　佐藤政府肩代わりに乗り出す」とのタイトルのもと、日本政府の危険な動きに警鐘を鳴らした。南ベトナムには発電設備費として一六億円の借款を戦争激化後、初めて与える契約が結ばれたことにとくに注意を喚起している。これは『朝日新聞』が一月一一日に報じた情報であった。

私は、『ベ平連ニュース』六八号（一九七一年三月一日）に「なぜベック情報を出すのか」という文章を書いて宣伝した。『大泉市民の集いニュース』三五号（三月五日）は、巻頭で『ベック情報』発刊の告示を出した。「私たちは運動の惰性の中に鋭敏な感覚と迅速な行動性をうしなっている」。「認識をとぎすますことによって鋭敏な感覚を少しは取り戻すことができるのではないか。そんな思いから『ベック情報』を発刊することにした」。『ベック情報』第二号（二月二八日）のカバー・ストーリーは「義勇兵派遣をめぐるブラック・パンサー党――南ベトナム人民解放軍の往復書簡抄」で、パンサー党党首ヒューイ・ニュートンの名高いポスターをそえた。それに「朝霞野戦病院勤務の若い黒人兵士は語る」というインタヴュー記事を載せた。インタヴューはわれわれの同志チェがやったものだ。彼は「ブラザー・フリーダム」と名乗っていた。

『ベック情報』の出来栄えは上々で、私たちは満足していた。評判もよかったと思うが、正確なところはわからない。私は青年社に二週間に一度通っていた。その折、学生セクトの新聞の校正に青年社に来ていた青年の一人が、のちのソ連史研究者・東大法学部教授として知られる塩川伸明君であったらしい。後年、彼からそのことを聞いた。

ベトナム進出企業に反対する

三月一日付の『朝日新聞』夕刊は、三洋電機・松下電器産業・ソニーの家電の三社が「このほど一斉に、南ベトナムに進出、現場資本との合弁でラジオなどの組立て生産会社を設立することにし、同国政府と日本政府の認可を得た」と報道した。三月一〇日には、南ベトナム沖合の海底油田利権獲得をめざして、新会社の「海洋石油」が設立されたとの報道がつづいた。石油開発公団に加えて、三井物産・三菱商事・丸紅飯田・伊藤忠商事・日商岩井という五大商社、それにアラスカ石油開発・出光興産・トヨタ自動車販売など、計八社が設立に参加した。アメリカのガルフ石油と組んで、四月初めの入札に参加し、利権を獲得すれば、五年間で二〇〇億円かかる開発費用の三割（残り七割はガルフ石油）を負担する予定だというのである。私たちは憤然とした。

そこで、三月二八日の『ベック情報』第五号は「石油とインドシナ／日本資本 相次いで南ベトナムへ進出」をカバー・ストーリーに取り上げた。アメリカでは、全米に二四万人の会員を持つ婦人の反戦団体「平和を望むもう一人の母親」が、昨年からの調査にもとづいて、「米業界に石油利権を取らせるために、あの不人気なチュー・キ政権を盛り立てようとしているのか」「私たちの息子は、沖合の石油のために死ぬのか」と告発し、議会では公聴会開催を求める動きもある。南ベトナム沖合油田をもっとも売り込んでいるのはサイゴン政権である。日本では外相・愛知揆一が「一般論としては、ぜひやらなければならないことと考える」と国会で述べ、海洋石油社長に就任した林一夫アラスカ石油社長は「ベトナム戦争とはまったく無関係で、純粋に経済ベースで踏み切ったものだ」と語っている。『ベック情報』の記者・清水知久は「石油の一滴は血の一滴」「いまインドシナ人民の血、アメリカ、朝鮮の息子の血が、石油に代えられている。そして、その次にあなた、私の血が」と迫った。

私たちは情報とともに行動を呼びかけた。この号で、四月一〇日当日、「日本資本ベトナム進出抗議示威行進」を呼びかけた。日比谷公園に集まったのは一六人だが、虎ノ門にあるアラスカ石油内にある海洋石油と数寄屋橋交差点のソニービルを目標に、私たちは意気揚々とデモ行進をした。

四月二四日はソニー創立二五周年記念のソニー・フェアが、銀座ソニービルで開幕する日であった。私たちは数寄屋橋公園で街頭演説を行なった。赤尾敏の延々とつづく街頭演説が終わるのを待って、こちらも「ソニーは人殺しでもうけるな」というキャンペーンを二時間ほど行なった。そして三〇日にはソニー本社を訪ね、村山浩広報部長と面会した。こちらは清水知久、鈴木五十子と私などの五人であった。進出計画は事実であることがわかった。私たちが、ベトナム人の日本イメージは、これまでは農村部ではナパーム、都市ではホンダだったが、これからは農村部ではナパーム、都市ではホンダ、ソニーとなるのではないかと言うと、村山氏はギョッとした表情をした。ソニーはイメージを大事にしている会社だから、私たちの批判は嫌なものであったらしい。

七月二二日、私たちは、ソニーとトヨタに公開質問状を出した。

ジャテック最後の作戦

ジャテックは、残っていた脱走兵を日本から脱出させるという難題に苦しんできた。高橋武智氏はフランスへ赴きヨーロッパの地下活動家と接触し、パスポートの偽造しか解決策はないとの結論を得て帰国し、自らの責任でそれを実行した。最初に、来栖君と呼ばれていた脱走兵が、偽造パスポートで日本を離れたのは一九七〇年一二月のことであったという。二人目の神田君と呼ばれていた脱走兵が同じ方法でパリに送られたのは、翌一九七一年七月のことであった。これで脱走兵を送り出す工作は完了した。高橋武智は高校時代からの同志であった本野義雄とともに鶴見俊輔と会い、作戦の完了を報告し、泣いた。[6]それは公表できない地下の活動であった。ベ平連の人々がこの活動をやり遂げたことはベトナム反戦の大義に対する偉大な貢献であった。

さあここで戦争の機械をとめよう

アメリカでは、一九七一年の初めからベトナム帰還兵の行動が際立っていた。『ベック情報』は五月二八日の第八号で彼らの運動を取り上げた。「われらが冬の兵士／アメリカをゆるがしたベトナム帰還兵」がカバー・ストーリーである。「冬の兵士」とはアメリカ独立戦争のもっとも困難な時期に耐え抜いて、勝利を導いた兵士たちにトーマス・ペインが与えた称号である。一九七一年初めからアメリカの戦争犯罪を告発し、裁く審問をやり遂げたベトナム帰還兵たちは「冬の兵士」を名乗り、この年の四月一九日から二三日までワシントンで反戦行動を組織した。最終日、八〇〇〇人の帰還兵は議事堂に向かって、ベトナムで得た勲章を投げ返した。四月二四日、五〇万人のデモの先頭を彼らが固め、最先頭には息子を失った母たちと車椅子の帰還兵が進んだ。これはアメリカ国内の反戦運動の絶頂であった。

六月、ダニエル・エルズバーグの勇気ある暴露により、ペンタゴンのベトナム戦争秘密報告書（ペンタゴン・ペーパーズ）の掲載が『ニューヨーク・タイムズ』ではじまった。トンキン湾事件が北爆のための捏造であったことが明らかになった。

『ベック情報』第八号の行動提起は、「愛読者諸兄姉　六月一三日（日）正一二時　福生公園『横田基地をとめよう』第二次行動へ結集されたい」であった。横田基地に対する行動は、この年の三月から、私たちがベ平連、三鷹ちょうちんデモの会などと話し合い、準備してきたものだった。四月には横田基地から厚木基地を経て、北富士演習場までの一大基地めぐりのバス・ツアーもやった。バス三台、参加者一〇〇人中、大泉市民の集いは三〇人を占めた。もっとも私と清水は体調が悪く参加していない。こうした準備の上、「インドシナ反戦のための春季総反抗市民委員会」を結成し、「さあここで戦争の機械をとめよう」というスローガンのもと、横田基地の機能を麻痺させる運動に乗り出したのである。出されたアピール（『ベ平連ニュース』六七号に掲載）は、私が書いたものだ。「横田基地を対象とし、基地内部の反戦兵士と

「さあここで戦争の機械をとめよう」デモ（1971年5月5日、横田基地にて）

連帯して、非暴力直接行動とも結合しつつ、内外呼応した闘いによって、横田基地の機能を麻痺させることをめざしたい」とストレートに呼びかけている。

私は、『朝日ジャーナル』（五月七日号）にも「さあここで戦争の機械をとめよう」と題する一文を寄稿して、横田行動への参加を呼びかけた。

第一次行動日、五月五日は下見である。一〇〇〇人のデモが基地をまわった。第二次行動日、六月一三日には風船を持って、一五〇〇人が集まった。解散地で風船を飛ばして、ファントムの飛行を妨害しようとしたが、機動隊に蹴散らされた。この間に二回、少人数でゲリラ的に凧を揚げて飛行を妨害しようとしたが、無風で凧が揚がらなかった。先のビラでは、アメリカが次の重大なエスカレーションを行なうことが明らかになれば、「それを阻止するための有効かつ強力な行動をおこす準備を進めます」と威嚇した。

私たちはすべて強気であった。アメリカが負けつつあることは明らかだった。徹底的に敗北に追い込めという考えが生まれていた。私は『べ平連ニュース』七〇号（一九七一年八月一日）に「ベトナム戦争が終わるとはなにか」という文章を寄稿した。「ベトナム戦争が終わる」とは「侵略者の偽瞞」か「マスコミの無責任な言葉」ではないか。われわれからすれば、「ベトナム戦争を終わらせる」ということ以外にはないはずだ。それは、「われわれ、すなわちベトナムの人民と全世界の友人たちのイニシアティヴで終わらせる、つまり勝利すると言

◆6　本野義雄「記憶の海の底から」（前掲『となりに脱走兵がいた時代』四一四頁）。高橋武智氏は、二〇二〇年六月二二日に死去した（この作戦の後日談については、三〇六頁の「編集者による付記」を参照）。

うことである。侵略者が降伏するということである」。

清水知久にいたっては『べ平連ニュース』の次号（九月一日）の巻頭に「ベトナム戦争は『終わる』と誰が言うのか?」という大論文を書いて、ニクソン訪中計画発表について批判した。前国防長官のクリフォードが『ニューヨーク・タイムズ』でニクソンは軍事介入を強め、核兵器を使うかもしれないと述べている。ニクソン訪中計画の発表以来、ベトナムで何が変わったというのか。「ニクソンは居直っているだけではないか」。「ニクソンが稼ぐ時間は、ベトナムの人びとの命で償われるのである。居直りを許すな」。

この年の八月二一日、朝霞駐屯地で歩哨に立っていた自衛官が殺害されるという事件が起こり、不気味な印象を与えた。私たちは警戒心を持っただけで、いかなる関心も抱かなかった。

ハイエナ企業を告発する

九月二三日、大泉市民の集いは集会「日本資本の南ベトナム進出をゆるすな！　ソニー・トヨタを告発する」を、池袋の豊島振興会館で開いた。大泉の地を出て、東京の都心で行なった初めての集会であった。それでも七〇人が参加してくれた。とくに私の古い知人・梅林宏道氏が参加してくれ、企業内部の帝国主義という問題を提起してくれたのはうれしかった。またベトナム留学生支援の運動での仲間・田中宏氏もフィリピン海域の海賊問題について鋭い問題提起をしてくれた。

一〇月一六日、私たちは二度目の「日本企業の南ベトナムへの進出に反対する」デモを東京の都心で行なった。今度の参加者は六〇人に増えた。ベトナム戦争がつづいているのに、その当事者であるサイゴン政府の要請に応じて、経済援助をして企業を進出させて、利益を上げさせようとしている日本政府、日本の経済界のあり方を見て、不快感・反感が募っていく中で、「このハイエナ日本」という言葉が浮かんだ。一一月の末にそれまでの活動を報告するパンフレットを出すときに、この言葉を用

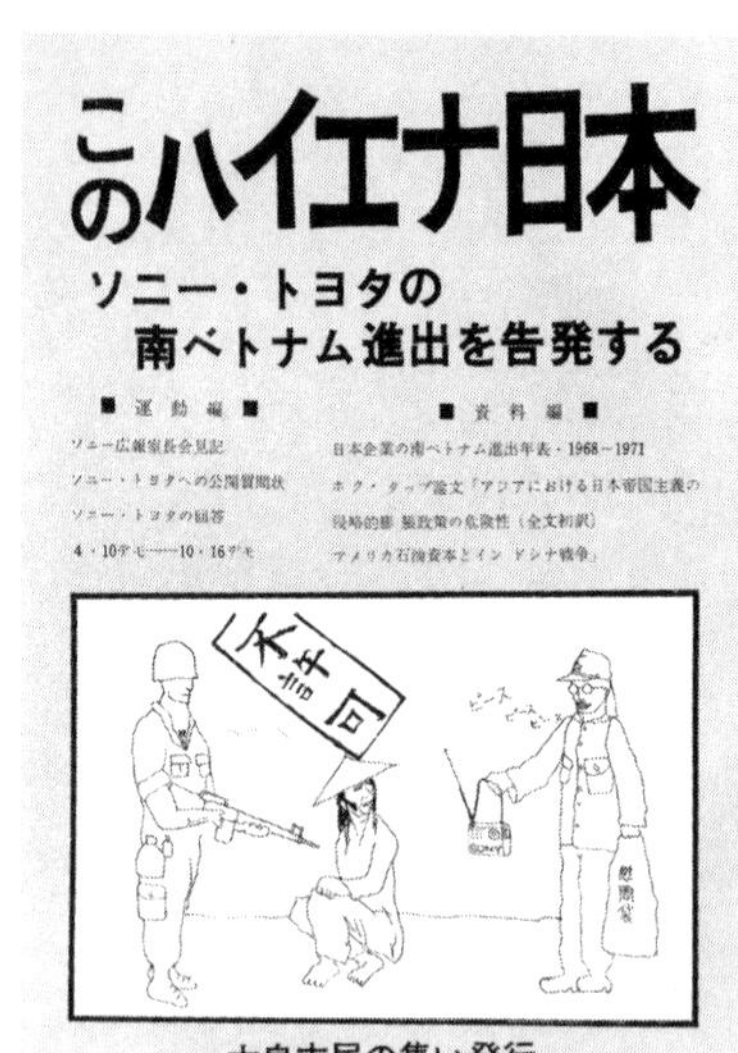

パンフレット『このハイエナ日本』
（1971 年 11 月発行）

「大泉市民の集い」による都心でのデモ（1971年10月16日）

いることになったのである。

クリスマス・イヴの夜、ソニービルの前でビラ撒きをした。八人ぐらいで、「ソニーは人殺しでもうけるのか」というプラカードをぶら下げてやった。そのとき私は、読み返した魯迅の小説『狂人日記』のことを考えていた。そこに出てくるハイエナについての文章のことである。「『ハイエナ』という名の動物がいて、眼つきや様子はひどくみにくく、いつも死肉を食らい、どんな大きな骨でもみなこなごなにかみくだいてしまうのだそうな。おもい出しただけでもぞっとする」。

この作品は「人を食ったことのない子供が、もしまだいないだろうか。子供を救え」と結ばれている。恐いところに入り込んできたな、というのが、そこを読んだ時の印象だった。誰かをハイエナと罵るなら、自分は人間を食ってはいないのかと考えなければならなくなる。とにかく頑張ってやっていこうという気持ちだった。

それから、ベトナム進出を考えている企業を「ハイエナ企業」と呼ぶようになるのには時間はかからなかった。このネーミングはみんなの気持ちにぴったりであった。

私は『朝日ジャーナル』（一九七二年一月一四日号）に「『ハイエナ企業』とわれわれ」を書いた。その結びはこうだった。「問題はいうまでもなくソニー、トヨタだけにあるのではない。私たちはハイエナ日本の腹の中にいるのである。ソニー、トヨタに、今の段階でのベトナム進出をやめろという要求を出すことは、私たちみんなのあり方を変えるための第一歩であると考えている」。

私たちはソニー労働組合に連絡を取り、会いにいった。この二百数十人の組合は、ソニーの南ベトナム進出に反対する決議をしていた。年が明けて一九七二年一月、清水氏がハイエナ審査会という構想を提案して、検討をはじめることになった。二月一九日からは、ソニー大崎工場でのビラ撒きを開始した。従業員二〇〇〇人の工場だが、一五〇〇枚のビラを配り切った。もちろん駅のゴミ箱には多くが捨てられていたとの報告があったが、ともあれ成功である。三月四日には五反田の本社工場でビラ撒きをした。こちらは一三〇〇枚ほど撒いた。終わってから、組合事務所を訪問して懇談した。ビラの文章が硬いという批評をいただいた。三月一三日には芝浦工場でビラを撒いたが、抵抗があり九〇〇枚足らずしか配れなかった。終わってから、労政会館でソニー労働者九人と懇談会を行ない、こちら側では梅林・山口両氏も参加してくれた。

こういう活動には清水知久氏がとくに熱心だった。私は当時、取り組んでいた『ニコライ・ラッセル』伝の仕上げに入ってきたため、毎度の行動に参加するわけにいかなかった。二月一〇日に息子・東樹が生まれたので、妻あき子も動けなかった。私は三四歳で、この本は私の最初の単著であった。

ニクソンの大謀略

一九七二年二月には、日本では連合赤軍の浅間山荘立てこもり事件が起こり注目を集めたが、世界を見れば、二月二一日にニクソンが訪中して、米中が和解するという大事件が起こり、われわれを驚かせた。ベトナム戦争に反対してきた者は、これはニクソンの謀略だと見た。五月一五日、沖縄の施政権が日本に返還された。『ベ平連ニュース』はこのことについてひと言も触れていない。反戦市民運動はこのような沖縄返還を受け入れることはできなかった。六月に佐藤首相が退陣して、七月に田中角栄が後継首相になった。九月に田中首相と大平外相が訪中し、二九日には日中共同声明を発して、国交正常化を実現した。台湾との日華平和条約は破棄された。日中共同声明の中には「日本国は、過去において日本国が戦争を通じて中国国民に重大な損害を与えたことについての責任を感じ、深く反省する」という文言が入った。戦後二七年にして初めて日本は中国侵略戦争を謝罪したのである。しかし、ベトナム戦争に目を凝らしているわれわれは、この展開をどう評価していいかわからなかった。

鶴見俊輔氏ら、キム・ジハを訪問

ベトナム戦争には、韓国が五万の軍を派遣していた。アメリカからの要請にもとづく派兵であったが、共産軍との戦争だとすれば、これは朝鮮戦争の継続であった。しかし、ベトナム民族からすれば、韓国軍は侵略軍であり、さまざまな残虐行為を働く敵であった。その韓国を日本は日韓条約によって経済的に援助していたのだから、日本の反戦市民運動は韓国の状況に注意を向けるべきであった。しかしベ平連も、初期にベトナム行きを拒否して韓国軍を脱走して、日本に密航してきた金東希を大村収容所から救い出し、北朝鮮へ送り出すと、それで問題は解決としてしまったのである。一九六九年八月には任錫均の入管行政に対する闘争がはじまり、任氏を支持する運動が京都でも東京でも起こった。私たちも『原点――差別をみとめる 第一号』なるリーフレットを出し、問題提起をした。だが、それだけにとどまった。韓国の現状に対する関心には結びつかなかったのである。その意味では、ベトナム反戦市民運動は日韓条約締結後の日韓関係について目を向けることなく展開されていたと言わなければならない。

そのような形勢を考えると、一九七二年七月、ベ平連の人々が韓国に対して重大な行動を起こしたことは記憶にとどめなければならない。それは、その当時はほとんど誰にも知られない行動であったが、その後の市民運動の歴史にとって重要な意味をもつはじまりとなったのであった。

一九七二年四月、韓国の体制批判的な詩人キム・ジハが、長詩『蜚語』を発表したため、反共法違反で逮捕・連行された。日本では前年の一二月、彼の詩集『長い暗闇の彼方に』が中央公論社から中井毬栄の編集によって出版されていた。三月には韓国の野党の大統領候補だった金大中がキム・ジハの手紙を渡すため、中井氏を訪ねてきたばかりであった。中井毬栄は、キム・ジハを助けてほしいと作家たちに呼びかけた。反応したのは、ベ平連の小田実だけであった。二人が相談して、キム・ジハ救援委員会を結成することとした（宮田（中井）毬栄『忘れられた詩人の伝記――父・大木惇夫の軌跡』中央公論社、二〇一五年、四四三～四四四頁）。キム・ジハは結核が悪化して、馬山の結核療養所に身柄を移されたことがわかった段階で、彼のもとを訪れ、直接、日本人の支持を伝えようという考えが生まれた。小田と中井両氏は出かけようとしたが、ビザが出ない。そこで、鶴見俊輔、作家の真継伸彦、小田の予備校講師時代の生徒・金井和子の三人が、一九七二年六月末から七月初めまで韓国を訪問し、馬山の病院でキム・ジハに会ったのである（金井和子「節目のひとこと」、『われわれの小田実』藤原書店、二〇一三年、一九八～一九九頁）。

この訪問のことは、当時のベ平連のニュースにもいっさい書かれていない。これは、鶴見俊輔とキム・ジハとの運命的な出会いであったと言えよう。

鶴見さんはこの直後に、メキシコの大学エル・コレヒヨ・メヒコでの講義のために今度はメキシコに向かった。一九七二年八月、妻子とともに日本を出た鶴見さんはほぼ一年をメキシコですごした。七三年六月末にメキシコを出国し、ヨーロッパをまわって帰国したのである。鶴見さんのメキシコ体験は『グアダルーペの聖母』（筑摩書房、一九七四年）に生き生きと描かれている。

ハイエナ審査会ひらく

清水さんが提案した「ハイエナ審査会」の構想は、一九七二年六月に実現された。まずハイエナ企業市民審査会の委員長には、一橋大学名誉教授・西順蔵氏を依頼した。委員には、軍事評論家・小山内宏、市民運動三団体から鶴見良行（ベ平連）、志賀寛子（ちょうちんデモの会）、鈴木五十子（大泉市民の集い）、それに弁護士の弘中淳一郎の五氏をお願いした。六月五日、全電通会館で市民審査会が開会された。大泉市民の集いを代表して清水知久が、ソニー・松下電機・三菱重工・ホンダ・伊藤忠の五社をハイエナ企業に認定してほしいという申請状を読み上げた。それを補強するスライド六〇枚が映された。西委員長が企業側の反論を、企業側に求めたが、回答が得られなかったと報告した。それで、鈴木委員が大泉市民の集いのパンフレットに収録されている企業側の回答書を朗読した。

それから証言となり、元南ベトナム駐在日本商社員・鈴木一彦、南ベトナムに派遣された米国平和部隊隊員ジョン・スプラゲンス、田中宏と、梅林宏道、ソニー労組組合員・岩本純と斎藤武が証言した。会場を半分ほど埋めた二〇〇人ほどの傍聴者の中から幾人かの発言があった。アメリカ史の加茂雄三は私の大学時代の西洋史学科の同期生だったが、彼も発言してくれた。『ベ平連ニュース』編集部の井上澄夫はベトナム人留学生の言葉を紹介した。青年たちの寸劇『ＦＴＨ（ハイエナをやっつけろ）ショウ』が上演され、「ソニーのテレビは血をうつす、それ見て盛田は腰抜かす」という歌が歌われた。

最後に西委員長から、五企業に対するハイエナ企業認定書が朗読されて終了した。清水氏は、『展望』（八月号）に「ハイエナ裁判」を書き、この日の審査会の模様を報告した。

相模原夏の陣

一九七二年の夏には、ベトナム反戦運動の最後の大闘争が起こった。相模原戦車闘争である。私は「相模原夏の陣」と名付けた。八月五日、相模原補給廠で修理を終えたM48戦車四台、M113軽戦車一台を積んだ米軍トレーラー五台が、横浜港ノースピアに通じる村雨橋にさしかかった。緊急動員された神奈川県の社会党員一二〇人が、この輸送は道路交通法違反だとの主張を武器に、トレーラーの前に座り込んだのである。これは、橋の最大許容荷重四六・九トンに対して、M48を四台積んだトレーラーの重量は六六トンであるので、明らかな道路交通法違反だというのである。相模原市の社会党指導者・丹治栄三氏のアイデアによる画期的な闘争であった。相模原補給廠はアメリカの戦争のために兵器を修繕して、ふたたび戦場に送り出す工場であり、この戦争の機械をとめること、基地機能を麻痺させることは、私たちが一九六九年以来、追求してきた攻撃的な基地闘争そのものであった。「さあここで戦争の機械をとめよう」というスローガンのもと、横田基地をめざして一九七一年春に運動を起こした反戦市民が夢に見た闘いであった。

八月六日には、清水知久の話を聞いて、大泉の会に来ているご婦人たちが相模原に出かけている。私は立教大学の学生・岸剛君に誘われたが、出かけなかった。九日になって、ベトナム人留学生が相模原に出かけたと聞いて、これはいかんと思い、一〇日の夜になって一人で出かけた。すると、私が出かけたと聞いた大泉市民の集いのメンバー佐伯氏が自動車を出して、佐藤久君を乗せ、追いかけてきた。一四日には市民運動のテントを造ろうと出かけたところ、M113の搬出が強行され、社会党、共産党、新左翼セクトの学生がそれを止めようと座り込むという修羅場に立ち会った。大勢の市民が取り巻いて、機動隊に圧力をかけたのであった。社青同解放派の青年が「市民もすわりこもう」とアピールしてくれ、と私にマイクを持ってきて求めたが、私は判断に迷って踏み出せなかった。

その夜はテントに泊まり、翌一五日の朝、駅で電車を待っていた。そのときに、わが友・梅林宏道と会ったのである。梅林氏が相模原に住んでいることは知っていた。彼とはソニーに対するハイエナ企業批判の行動を一緒にやっている間柄であり、この日の夕方のソニー本社でのビラ撒きでは一緒になることになっていたのだった。だのに、九日に相模原に通い出してから、彼に一度も連絡しなかったのである。私もこの出会いに驚き、連絡しなかったことを大いに反省したのだが、梅林は、このときの出会いから大きな衝撃を受けたようであった。相模原に住んでいた梅林はただちに腹を決めて、町田市に住む友人・同志の山口幸男と話して、戦車阻止闘争に参加することにし、「ただの市民が戦車をとめる会」を結成することになった。二人が相模原の市民の運動の中心になるのである。

そのときから、ついに九月一九日に人々を排除して搬出が強行されるまで、大泉市民の集いは梅林・山口の後ろについて、相模原の運動に関わりつづけた。

九月一八日〜一九日の私の日誌を『大泉市民の集いニュース』（三九号）から書き写す。

ついに一九日午前五時を期して、機動隊五千人を出して、Ｍ113軽戦車一〇台を搬出することが発表された。テント撤去もそれに先立っておこなうとのことである。〔……〕一人で行き、午後九時半テントにつく。テントはすでに戦争前夜の雰囲気。最終的に、みなの意志が確認されている。逮捕覚悟でテントにすわり込む人、外で阻止行動をする人、退く人の三グループ。私は退く組に入ると答えて、テントの外へ出る。デモを終えた「ただの市民の会」がすわって話し合いをしていたところへ機動隊が突進し、人々をふみにじっていったとのことで、怪我人も出ている。私は交差点で、機動隊に追われる群衆の中にいた。ちょっとこわい。またテント村の方へもどると、ちょうちんデモのものの、志賀両氏に会い、ほっとする。そのとき、梅林君が「市民はこの場にすわり込みましょう」とアピールして、「ただの市民の会」五〇人ほどのすわり込みがはじまる。われわれも同調した。梅林君は「市民はすわろう」とさかんによびかけた。どうかなと見ていると、交差点の方向の人々が次々にすわり込みはじめたので、おどろいた。「ただの市民の会」の旗はどんどん前進し、ついに交差点の中央へ。二千人ほどの人がすわり込んだのである。それは本当に感動的な光景であった。ヘルメットの学生諸君もすわり込みに加わりはじめた。それから心にしみる素朴な訴えがあり、歌が出た。自由ベトナム行進曲も歌われたが、佐渡おけさや木曽節やノーエ節が出て、しっくりした。私がノーエ節を一緒に歌っていると、志賀さんがおどろいていた。私は静岡県の出身なのだと言う。

ノーエ節は、無限に循環する歌である。

〽富士の白雪ャノーエ　富士の白雪ャノーエ　富士のサイサイ　白雪ャ朝日でとける
とけて流れてノーエ　とけて流れてノーエ　とけ

　てサイサイ　流れて三島にそそぐ

とはじまって、最後は

〽娘島田はノーエ　娘島田はノーエ　娘サイサイ
　島田は情(なさけ)でとける

となり、

〽とけて流れてノーエ　とけて流れてノーエ　とけ
　てサイサイ

ともとに戻るのである。だから、座り込みがいつまでもつづくことを願う人々の希望の歌となったのである。

機動隊の増援部隊は二時に東京を出て、三時に到着するといわれていが、そのころになると騒然としてきた。ゲート前にはバリケードがつくられ、火がつけられた。正面から機動隊が襲ってきて、すわり込みの前の部分は完全にくずれ、もぎとられた。のこったのは約五百人。すわり込みの左右では、投石と放水の応酬、機動隊員の投げる石がすわり込んでいるわれわれの方に飛んでくる。みなは、たえず五時まであとどれくらいと時計をみる。ついに夜は白らみ、一番電車が通った。そして午前五時、正面の機動隊は交代する。これは勝ったのかなと一瞬思う。だが、彼らはついに前後左右から近づいてきた。楯を片手にもって、われわれを立たせようとする。楯を使いかねない。『楯をおいて来い』と叫ぶ。すわり込んだ青年たちの離されまいとする必死の努力に私は感動した。やがて、私も引き立てられた。排除された人々はかこまれて、逃げられない。機動隊員に「君たちは人殺しの手伝いをしているんだぞ」と抗議したら、顔を殴られた。楯で足をやられ、大事なところを蹴られた。数人の隊員が、自分たちの中へ誘い込んで、リンチするかまえ、学生諸君がかばってくれた。起きてきた町の人々が見ている中で、われわれ捕虜は市中引き回し、延々と歩かされて、町はずれの草原まで連れていかれた。そこから駅にもどると、ぐったりした人々が地面にすわっている。残念ながらM113は運び出されたのだ。梅林君たちの安否をたしかめて、勤め先である午前一〇時の会議に向かう。

この日の夜、志賀さんから、最後の瞬間にトラックの前に飛び出してシャフトにしがみついた四人の若者はべ平連テントの人々だと教えられた。捕虜行

進の中にいなかった誰かれの顔が頭にうかんだ。◆[7]

梅林・山口氏らの「ただの市民が戦車を止める会」は、じつに立派に闘った。山口氏はこの運動のあと、七三年三月、東京大学の講師を辞職した。

ニクソン再選

一九七二年一一月七日、アメリカ大統領選挙で、ニクソンは反戦候補マクガヴァンを破り、再選された。アメリカは非道な侵略戦争に勝利することはできなかったが、公的な譴責（けんせき）、いかなる罰も受けることなく、いささかの反省、謝罪も行なうことなく、生き延びることになったのである。私は、『エコノミスト』（一一月二一日号）に、論文「市民にとってのベトナム戦争——侵略加担の体制を支える」を書いた。

「まこと、ベトナム戦争は、われわれにとって、この世界の構造を白日のもとにさらすに等しい光を発するサーチライトであり、〔……〕この世界の諸運動の意味をはかるものさしであった」。

「ベトナム戦争の光の中のアメリカは、一切の人間的なものに対する底知れぬ侮蔑を現わすところの帝国主義国であり、抑圧・差別・暴力の国であった。〔……〕公式のアメリカは滅びねばならず、その滅びを通じて生まれかわらねばならないものであった」。

「ベトナム戦争の鏡にうつした日本は、ベトナム戦争を元気よく支持する政府をいただき、〔……〕戦争の後方補給基地と化し、特需その他で富みふとる国であった。政府や財界だけが戦争に協力しているのではない。われわれが日常の生活を通じて、この侵略加担の体制を支えているのであった」。

「われわれは、『ベトナム戦争』によって、目を開かれ、解放されたといっていい。だが、そのためにベトナムの人々がどれほど犠牲になったことか。ベトナム人はその死によって、われわれの蒙をひらいてくれ、われわれを解放してくれたのである。…このことからわれわれがベトナムの人々に対して支払い切れぬほどの未払いの債務を負っていることはたしかである」。

私は、ハイエナ企業に対する批判の運動の意味を説明した。

パリ和平協定

一九七三年一月二七日、パリ和平協定が、米国・北ベトナム・サイゴン政府・南ベトナム臨時革命政府の四者で結ばれた。停戦と米軍の六〇日以内の撤退、米軍捕虜の釈放、一九五四年のジュネーヴ協定に準じた南ベトナム人民の自決権の行使、サイゴン政権と臨時革命政府の和解と協調、南北ベトナムの段階的・平和的統一などが協定の柱をなしていた。三月米軍はベトナムから全面撤退を完了したと発表し、韓国軍も最後の部隊、猛虎部隊が二月に凱旋したと発表された。しかし、戦争は「ベトナム化」されて、つづいた。

　パリ和平協定が調印された翌日の一月二八日、日本でベトナム反戦市民運動をしてきたべ平連ほか六二団体連名の声明が発表された。大泉市民の集いでも、和田と清水の名で声明に加わった。声明は「ついにアメリカにベトナムでの一切の軍事行動の断念を表明させ」た「ベトナム人民の勝利」に深い敬意を捧げるとともに、アメリカに「ベトナムへの一切の介入を全面的に停止すべきである」と求めている。日本政府はアメリカの侵略戦争をバックアップしてきて、いまは「ハイエナ企業」が戦後復興援助を目当てにベトナムへ殺到しようとしている。「われわれは日本政府がこの道を歩むことを許さないために」力を尽くすと決意を述べている。「ベトナム人民の求める真の平和が達成されるまで、われわれは行動し続けるであろう」(『資料・「べ平連」運動』下巻、河出書房新社、一九七四年、二九六〜二九八頁)。

　自民党本部の上には、大きな横幕がかけられた。そこには「祝ベトナム停戦　つぎは復興と開発に協力しよう」という言葉があった。大泉市民の集いは、三月三日に『このハイエナ日本 永久保存版』という新聞大の四頁の新聞を出した。その巻頭にこの自民党本部の横幕の写真を載せ、あとは「〝復興援助〟惜しまず 経済界 米と手たずさえ」という『毎日新聞』(一月二五日付)の記事、「焦土の復興へ 国際協力、『基金』設立を準備」という『朝日新聞』(一月二五日付)の記事、「さあ行こう、ベトナム旅行全ガイド」という『週刊読売』(二月一〇日号)の記事を収録した。

　戦争で儲けた人々は、今度は停戦で儲けようというのである。もちろん戦争で儲けるよりは悪くはない。しかし、私たちはそのような精神に強く反発した。私たちの気持ちを清水知久が三月三〇日に出た『大泉市民の集いニュース』(四〇号)停戦特集号の巻頭に書いた。「黄金のすべてよりも」と題された一文である。

「ほんとにすこしだが、私たちも何ほどかのことができた、そしてできると思いたい。次のような言葉に接すると、そう思ってよいのではないか、傲慢でも甘えでもな

◆7　そのうちの一人・岡田理君に、二〇二〇年の映画『戦車闘争』の中で再会した。

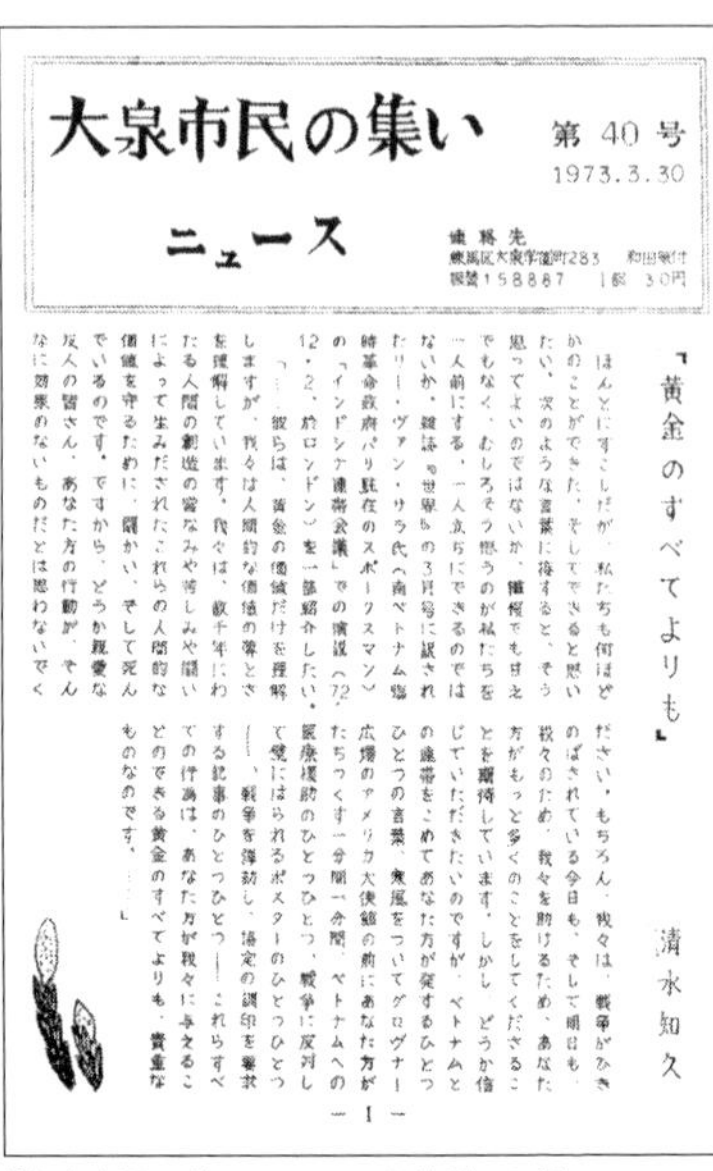

大泉市民の集い　第40号　1973.3.30

ニュース

連絡先
練馬区大泉学園町283
1部　30円

「黄金のすべてよりも」

清水知久

ほんとにすこしだが、私たちも何ほどかのことができた、そしてできると思いたい。次のような言葉に接すると、そう思ってよいのではないか。傲慢でも甘えでもなく、むしろそう思うのが私たちを一人前にする、一人立ちにできるのではないか。雑誌『世界』の3月号に訳されたリー・ヴァン・サウ氏（南ベトナム臨時革命政府パリ駐在のスポークスマン）の「インドシナ連帯会議」での演説（72・12・2、於ロンドン）を一部紹介したい。

「……彼らは、黄金の価値だけを理解しますが、我々は人間的な価値の尊さを理解しています。我々は、数千年にわたる人間の創造の営みや苦しみや闘いによって生みだされたこれらの人間的な価値を守るために、闘い、そして死んでいるのです。ですから、どうか親愛なる友人の皆さん、あなた方の行動が、そんなに効果のないものだとは思わないでください。もちろん、我々は、戦争がひきのばされている今日も、そして明日も、我々のため、我々を助けるため、あなた方がもっと多くのことをしてくださることを期待しています。しかし、どうか信じていただきたいのですが、ベトナムとの連帯をこめてあなた方が発するひとつひとつの言葉、寒風をついてグロヴナー広場のアメリカ大使館の前にあなた方がたちつくす一分間一分間、ベトナムへの医療援助のひとつひとつ、戦争に反対して壁にはられるポスターのひとつひとつ――、戦争を弾劾し、協定の調印を要求する記事のひとつひとつ――これらすべての行為は、あなた方が我々に与えることのできる黄金のすべてよりも、貴重なものなのです。……」

－１－

『大泉市民の集いニュース』終刊40号

く、むしろそう思うのが私たちを一人前にする、一人立ちにできるのではないか」と、清水は述べて、『世界』（三月号）から、リー・ヴァン・サウ（南ベトナム臨時革命政府パリ駐在のスポークスマン）の「インドシナ連帯会議」での演説（一九七二年一二月二日）を紹介した。

「〔……〕彼らは、黄金の価値だけを理解しますが、我我は人間的な価値の尊さを理解しています。我々は、数千年にわたる人間の創造の営みや苦しみや闘いによって生みだされたこれらの人間的な価値を守るために、闘い、そして死んでいるのです。ですから、どうか、親愛なる友人の皆さん、あなた方の行動が、そんなに効果のないものだとは思わないでください。もちろん、我々は、戦争が引きのばされている今日も、そして明日も、我々のため、我々を助けるため、あなた方がもっと多くのことをしてくださることを期待しています。しかし、どうか信じていただきたいのですが、ベトナムとの連帯をこめてあなた方が発する一つ一つの言葉、寒風をついてグロヴナー広場のアメリカ大使館の前にあなた方がたちつくす一分間一分間、ベトナムへの医療援助のひとつひとつ、戦争に反対して壁にはられるポスターのひとつひとつ――、戦争を弾劾し、協定の調印を要求する記事のひとつひとつ――これらすべての行為は、あなた方が我々に与えることのできる黄金のすべてよりも、貴重なものなのです。〔……〕」

リー・ヴァン・サウ氏の言葉は胸打つものであったが、それを紹介した清水知久の言葉も私たちの心を代弁していた。最高の文章であったと思う。

『大泉市民の集いニュース』のこの号には、運動参加者も一人一人感想を載せている。予備校生のときに大泉市民の集いに参加した佐藤久は、「正義が勝利する時代がやってきた！」と題する感想を書いた。大学生の伊藤真紀子の感想は「これから忙しく」と題されている。私は無題で次のような感想を書いた。「停戦協定の仮調印ののち、ビン女史が化粧して、会議に出たというところに万感胸にせまるものがあった。これはまさに人間の勝利である」。ビン女史とは、臨時革命政府外相のグエン・ティ・ビン氏である。

大泉市民の集いのニュースとしては、次の号が出なくなったので、これが最終号になってしまった。

反戦市民運動の中では、ここから急速に店じまいの気分が高まった。それは京都から広がってきた。京都べ平連は、一九七三年四月三〇日に「これからもやるぞ！解散集会」を楽友会館で開いて、早々と解散してしまった。鶴見俊輔氏はメキシコ大学の講義に出かけて留守だったが、残っていた京都の運動の大黒柱・飯沼次郎氏は、朝鮮人社を結成し、すでに次の活動をはじめていた。

べ平連の本体も、五月三日～四日に市民会議を開いて転換の方向に舵を切った。小田実は主催者報告で、「べ平連」というものを「一度脱ぎ捨てて、一人の市民として行動できないか」と述べ、「私自身はこれからベトナムの問題と、アジアの問題を絡めて考えていくなかで、いろいろ行動を考えていきたい」とも語った。べ平連のトップも、明らかに解散に向かっていたのである。

このころ、南ベトナム政治犯救援のためにチー神父とマンダーラ尼が日本に来た。五月一日、国際文化会館で歓迎レセプションがあった。二人は二〇日に帰国するまで広島・岩国・相模原をまわり、精力的に活動された。私の家にも来られ、大泉市民の集いとも交流の機会を持った。マンダーラ尼は静かな、しかし驚くほど勇気のある人だった。彼女と会ったことで、のちに私たちの仲間・平山茂がベトナムを訪問し、ゴー・バー・タン女史と面会するという契機にもなった。私の家には多くの外国人の客が来た。ジャテックの高橋武智氏が、オーストラリアのジャーナリスト、バーチェットを連れてきたこともあった。

そして驚くべきことに、一九七三年九月二一日、日本政府代表はパリで、北ベトナム・ベトナム民主共和国代表と国交樹立の交換公文に署名し、大使を交換することにしたのである。このアメリカという船から急いで降りようとする行為が、アメリカ政府にはどのように受け止められたかは明らかではない。このときの首相・田中角栄はのちに、アメリカによって処刑されるに等しい罰を受けるのだが、このことと関係があるのだろうか。

もちろん、これは単純なる大使の交換だけであって、北ベトナムが要求した無償経済協力に日本政府が応ずるのは、三年後、ベトナム戦争が最終的に終結してからであった。一九七五年一〇月六日、日本は無償経済協力一三五億円を統一ベトナムに供与することに合意する。

べ平連の解散

べ平連は、一九七三年八月、京都の全国懇談会で解散を正式に決定し、一〇月六日に最終の定例デモをやった。そして、翌一九七四年一月二六日、神田の一橋講堂で解散集会を開き、事務所を閉鎖した。こうしてべ平連は、その輝かしい八年の闘争の歴史を終えたのである。

どのような議論があって、そうなったのか、私たちにはわからなかったが、ベトナム戦争の分析、アメリカの情勢の分析があって、導かれた決定ではなかったと思う。小田実氏と鶴見俊輔さんの大局的な判断が決定的だったのだろう。ひと言で言えば、運動する者の人間的限界ということである。後年、鶴見さんは、上野千鶴子・小熊英二に向かって、次のように語っている。

「まあそれでも八年間はもった。私もヘトヘトだったけど、まあ京都だったし、大学を辞職したあと七二年から一年間はメキシコで客員教授をやっていたからね。小田や吉川とか、そのほかのいろいろな人は、もっとたいへんだったんじゃないの。だからパリ平和協定でベトナムから米軍が撤退して、七四年一月にべ平連が解散したときには、ほっとした気分だった」。

「べ平連の活動をやった連中は、細君にすごく迷惑をかけているんだよ。とにかくベトナム戦争が終わるまではがんばらないと、それを許してくれた細君たちに、すまないじゃないの」（鶴見俊輔・上野千鶴子・小熊英二『戦争が遺したもの』新曜社、二〇〇四年、三八六頁）。

べ平連の人々は、裏側でもジャテックのたいへんな活動をつづけてきた。だから、米兵がベトナムを去ることになったところで、幕を引くことになったのは当然のことであった。

ハイエナ企業市民審査会へ

だが、われわれは解散する気にはなれなかった。ベトナム戦争は終わっていなかったからである。清水知久を中心にして、われわれはハイエナ企業市民審査会の発足に向かって進んだ。今度は、連絡先は清水の自宅とした。『ベック情報』の後継紙『ハイエナ月報』なるミニコミを一九七三年四月二八日に創刊し、その月に目立った南ベトナム進出の悪質企業を「ハイエナ企業」と認定した。この創刊号では、南ベトナムで米軍のスクラップを買い付けるにあたって不正をはたらき、サイゴン支店長が逮捕された三菱商事を、新ハイエナ企業第一号に認定した。三菱商事は、一九六八年に沖電気とともに、南ベトナム国家警察の電話センターの工事を請け負ったことも明らかになっていた。六月に出た第二号では、メコンデルタ大陸棚の開発利権入札に応札した海洋石油を、ハイエナ

南ベトナムに進出・支配する企業・政府をやっつけるための

ハイエナ月報 2

'73. 6. 12

¥20　ハイエナ企業市民審査会　東京都練馬区石神井町5―10―8
清水方　(03) 996―1049

ベトナム海底油田奪うな

「海洋石油」林一夫社長殿
貴社は一九七一年三月一〇日、ベトナム戦争が全面的に進行しているさなか、南ベトナム沖合海底油田の開発をめざして設立されました。以来貴社は、南ベトナムのチュー政権のさまざまな動きに対応しつつ事業を広げ、本年五月一日、油田鉱区に関する入札資格を得たと伝えられています。

　南ベトナム沖合油田の開発については、世界各国で、ベトナム戦争との関連で数多くの疑問や批判が展開されました。とくに米国では、ベトナム戦争におけるニクソン政権の目的のひとつが石油資源の獲得にあるのではないかという観点から、議会筋や有力な婦人団体を含む各種の団体が強い批判をあきらかにしました。日本の国会でも、参議院外務委員会がとりあげたところです。

　貴社の設立目的・事業内容に関しては、私たちはかねてより、これが米国のベトナム侵略戦争を助け、戦争を利用して利潤をあげる「ハイエナ」的行動であると考え、また、ベトナムの民衆を代弁せず、民衆をきびしく弾圧することによって辛うじて命脈を保ってきたチュー政権を支えるものに外ならぬと考えてきました。

　一九七一年二月二四日、南ベトナム臨時革命政府外務省は、チュー政権による石油開発計画に対して、強く抗議するとともに、次のように指摘しました。すなわち「南ベトナムのあらゆる資源は、南ベトナム人民の神聖不可侵の財産である。これらの資源の使用について決定する権限をもっているのは、ただ南ベトナム人民と南ベトナム人民の真の合法的代表だけである」と。

　本年一月二七日調印の「パリ平和協定」は、南ベトナムに二つの政府、二つの軍隊が存在することをみとめました。臨時革命政府とサイゴン政権とは第三勢力の代表を加えて、民族和解一致協議会をつくり、総選挙を準備することになっています。いまやサイゴン政権を南ベトナム唯一の合法政権とみとめることは不可能です。そのサイゴン政権との取り決めだけで、今後三〇年間も南ベトナムの資源を左右することは、道義上、政治上はもとより、国際条約上も許されないことです。それとも貴社は、パリ協定を踏みにじって、サイゴン政権をあくまでもり立てる、将来の成行では自衛隊をも派遣して利権を守ることを決意しておられるのでしょうか。

　そこでおうかがいします。

　パリ和平協定を尊重して、七月二日といわれるサイゴン政権の入札に参加するのを取りやめる意志はありませんか。

　一九七三年六月十日
ハイエナ企業市民審査会

『ハイエナ月報』２号

企業第二号に認定した。七月の第三号では、一九五九年の南ベトナムへの戦後賠償のときから活動したベトナム進出の先兵であり、カムラン湾の大工業地帯建設計画の作成を三井物産とともに引き受けている日本工営を、ハイエナ企業第三号に認定した。一〇月の第四号では、ベトナム戦争中、サイゴンでアオザイ・コンテストを催し、アオザイ用の布地の売り込みに成功した帝人を、ハイエナ企業第四号に認定した。

　この年一一月五日市民審査会は声明を発表した。

「事態はわれわれにとって必ずしも悲観的ではない。ニクソン政権は深刻な政治的危機に見舞われており、朴政権も窮地に立っている。タイのタノーム政権は打倒された。ベトナム侵略戦争において手を汚した責任者たちは罰されつつある。〔……〕われわれはいま一度くり返して言う。田中政府が臨時国会で支持を取り付けようとしているサイゴン政権への五千万ドル援助に強く反対する」。

マクリーン裁判の勝利と敗北

　一九七三年には、もう一つ特筆すべき事件があった。前述のマクリーン裁判の勝利である。三月、東京地裁は原告勝訴の判決を言い渡した。マクリーンの外国人べ平連への参加は「平和的かつ合法的行動の域をでていない」とし、「ベトナム反戦を目的とする集会、集団的示威行動および反戦放送への参加」は「一米国人としての自然の思想表現であって、〔……〕日本国民および日本国の利益が害される虞(おそ)れがあるということもできない」とし、原告の行なった政治活動の実体は「なんら在留期間の更新を拒否すべき事由に当たらない」ので、本件処分は「評価を誤ったもので」、「憲法の国際協調主義および基本的人権保障の理念にかんがみ、〔……〕裁量の範囲を逸脱する違法の処分である」とし、取り消しの請求をみとめたのである。すばらしい判決であった。

　だが、被告側の国は控訴した。ベトナム戦争の終わりの時期にあたり、高裁の段階でのマクリーン支援勢力は急速に減少した。大泉市民の集いからは清水知久、東京外国語大学学生グループからは甲斐等が残って、マクリーン裁判を支えていた。一九七五年九月二五日、東京高裁は、法務大臣は更新を適当と認めるに足る相当の理由があるときにこれを許可すれば足り、その際の判断は自由な裁量に任せられており、在留期間中の政治活動を消極的資料とすることも許されるとして、一審を取り消し、原告の請求を棄却した。そこで、マクリーン、秋山、弘中両弁護士、清水知久は、討論の結果、最高裁に上告することを決定した。それは孤独な闘いであった。一九七八年一〇月四日、最高裁大法廷は高裁判決を承認し、原告の上告を棄却した。この最高裁判決は、在日外国人に対する日本国家の基本的方針を定めたものとなった。判決にはまず次のようにあった。

「基本的人権の保障は権利の性質上日本国民のみをその対象としていると解されるものを除き、わが国に在留する外国人に対しても等しく及ぶものと解すべきであり、政治的活動の自由についても、わが国の政治的意思決定又はその実施に影響を及ぼす活動等外国人の地位にかんがみこれを認めることが相当でないと解されるものを除き、その保障に及ぶものと解するのが相当である」。

この判決の冒頭で、在日外国人もその基本的人権が保障されるべきことが宣言されたのは「一つの成果」だった。だが、判決はつづけて、「外国人に対する憲法の基本的人権の保障は、〔……〕外国人在留制度の枠内で与えられているにすぎないものと解するのが相当であって在留の許否を決する国の裁量を拘束するまでの保障、すなわち、在留期間中の憲法の基本的人権の保障を受ける行為を在留期間の更新の際に消極的な事情としてしんしゃくされないことまでの保障が与えられているものと解することはできない」という驚くべき議論を展開し、入管行政の裁量をのばなしに認めたのであった。後年、高名な弁護士となった弘中氏は、大法廷判決には正の側面と負の側面があったと評価した上で、判決を違憲と断じた元最高裁判事の論文の引用を添えている。マクリーン裁判は苦い闘いとして氏の記憶の中に残っているのであろう。もとより最終的に、マクリーンとわれわれが敗訴したことには変わりがない。私たちの運動に参加してくれたアメリカ人の友人が、そのときまで日本に在留できたことは唯一の救いである。マクリーンは最高裁判決後の一九七八年一〇月三一日、日本を去った。清水知久だけが彼の出発を見送った。私はその数日前にモスクワへ出発していた。

弘中氏はマクリーンとのつきあいを維持していたようで、彼が一九九〇年ごろに米国で心臓発作で亡くなった

「大泉市民の集い」30年の会（1998年7月4日）での記念撮影。撮影：中野康雄

ことを教えてくれた（弘中淳一郎『生涯弁護人 事件ファイル』一巻、講談社、二〇二一年、二二八～二二九、二三〇～二三六頁）。

プロムナード――「大泉市民の集い」の仲間たち

大泉市民の集いは解散を宣言しなかった。それで流れ解散だと思っていたが、結局、終わりなく市民運動の世界を歩きつづけることになった。大泉市民の集いの結びつきは、いつまでもつづくことになった。

ここに一枚の写真がある。一九九八年七月「大泉市民の集い三〇年の会」に出席した人々の記念撮影である。この写真を見ながら、市民の集いの仲間のその後を説明する。

最年長は一九一〇年生まれの私の母・和田幸子である。私の両親は静岡県の清水から東京に出てきて、大泉学園町に家を建て、結婚した私たちと一緒に暮らすようになった。一九六五年のことである。父と母は、私が一九六八年五月に出した最初のビラを家の近くの住宅に配るのを手伝ってくれた。そして母は私の娘の手を引いて、大泉市民の集いのデモによく参加した。母は、二〇〇四年一月に九三歳でこの世を去った。

娘・真保と教会の横田牧師の娘・由和さんが、ともに一九六六年生まれで、もっとも若い人たちである。真保は一九九八年には練馬区の区会議員となり、由和さんは演劇と舞踊をしていた。

年齢では和田幸子の次にくる市民の集いのメンバーは、この写真には写っていない萩原晋太郎氏で、一九二五年生まれの筋金入りの老アナーキストである。アナーキスト高尾平兵衛の伝記を書いておられ、アナーキストとしてミニコミ『リベルテール』を出しつづけておられたが、もう亡くなった。萩原さんは御一家での参加であった。母上（一九〇二年生）、夫人（一九二五年生）、長女（一九五六年生）らである。

和田正武・京子の夫妻は、私の親戚で、かつ私の高校時代の教師で、私の結成したサークル「いしわり」の顧問であった人であり、東京の江戸川区に住んでいて、集いのニュース、文集のガリ版印刷を担当してくれた。正武氏は二〇〇七年四月に亡くなった。

私と一緒に運動を起こし、以来、変わらず一緒にやってきたアメリカ史家の清水知久氏は、ベトナム反戦運動が終わったあとは、韓国民主化運動連帯の市民運動にも参加して、生涯の同行者となった。還暦とともに、日本女子大を辞めてしまい、市井の隠者として自覚的に生きた。新聞雑誌を読み、よい記事を発見すると、執筆者に葉書を送り、多くの記者をはげました。二〇一〇年二月に病死された。七七歳だった。

この写真には出ていないが、教会の主・横田勲牧師もほぼ同年で、一九九八年に牧師を引退して、大泉を去り、二〇〇二年一二月、大動脈瘤破裂で急死された。横田幸子さんは、娘の由和さんと一緒に長野県に移り、新しい教会の牧師になられた。二〇一八年、幸子牧師は大泉の北の教会で訪問説教をした。大泉市民の集いとともに生きた私は、このとき、六〇歳で大学を停年退職したところであった。妻のあき子も六〇歳まであと三か月になっていた。信仰を持たない私もその説教を聞いて感動した。

所沢の主婦・鈴木五十子さんは清水知久氏の市民講座の聴講生で、清水さんから話を聞いて、大泉市民の集いに参加するようになった方であるが、娘さんが学生運動をしていたと聞いた。娘の気持ちを理解しようと、ご自分も反戦市民運動に参加しようとされたのである。鈴木さんはハイエナ企業追及の運動で積極的に動き、ソニー本社訪問に参加された。鈴木さんがお元気であるかどうかはわからない。

明治公園で私たちの旗を見て声をかけてきた会社員の佐伯昌平氏は、大泉学園町の住人で、自動車を動かし、私たちをどこへでも運んでくれた。このとき五六歳になっていた。一九九八年には私と一緒に、二〇一八年には和田あき子と一緒にベトナムを訪問している。彼は、二〇〇〇年以後は恒例の新年会を自宅で主催して、われわれのつながりを支えてくれている。私の家の裏のお宅の娘さん、中山康子さんはわれわれの仲間ではもっとも遠く旅した人で、長くギリシアにも住み、社会新報の通信員をしていたが、帰国後はユーゴ内戦で苦しんだセルビアの子どもたちを援助する活動をしている。今は京都に引っ越した。大学で写真を学ぶ学生で、私たちの運動の専属のカメラマンであり、反戦放送の装置一式を製作してくれた技術者であった巨島聡君も、ながく沖縄・横田など基地の写真を撮りつづけていた。彼の鳥取高校の同級生が、立教大学で私の講義を聞いた学生で大泉市民の集いの創立メンバーになった岸剛君で、彼に誘われて大泉に来たのだった。岸君は市民の集いを離れたが、巨島君は残った。彼の写真を編集して、写真集『市民がベトナム戦争と闘った――東京大泉・埼玉朝霞　1968－1975』（梨の木舎、二〇一〇年）が生まれた。

　メンバーの本体は、当時の学生・予備校生・高校生であった人々で、この写真撮影当時は四〇代の半ばであった。日大芸術学部の学生だった中野康雄君は、私たちの運動を撮った組写真を卒業制作にして、郷里の名古屋に帰り、お父さんの運送会社で働き、いまはその会社の経営者である。仲間と熱心にボランティア活動をしている。一九九八年に私と一緒にベトナムを訪問した。加藤久美子さんは清水知久氏の学生だったが、彼女が運動の仲間であった東大生と結婚した際は、私と妻が仲人をした。加藤さんは大宮市で市民運動を熱心にやっていて、市会議員も出した。彼女も一九九八年に私とベトナムを訪問した。夫になった青年は一人娘の加藤家の婿となり、家業のネジ製造業を継いだが、この商売が廃業となったあとはビール会社に入り、いま日本のメセナ活動を代表する人物になっている。山口（田中）美智子さんと藤田さんは、加藤さんと同じく日本女子大の学生のときに参加した。山口さんはＹＷＣＡで留学生のために働き、私と一緒にベトナムを訪問した。藤田さんは日韓連帯運動、金大中氏を殺すなの運動に参加した。

　予備校生で、私のビラを受け取って、運動に参加し、志望校も変えてしまった佐藤久君（一九五一年生）は、私と一緒に米兵工作をやり、米兵のアパートにも行ってくれた。彼は大学で朝鮮語をやった。ロシア語の本の輸入会社に勤めていて、同じ会社の同僚と結婚して、奥さんが会社員をやめて小学校の先生になるのを支えたという。その結婚も私たちが仲人をした。彼は会社の経営方針を批判して辞めてしまい、現代語学塾で韓国語を教えはじめた。高崎宗司さんと共訳で、韓国作家・黄晳暎（ファンソギョン）のベトナム戦争小説『武器の影』（岩波書店、一九八九年）を翻訳した。また私が勧めて、朴裕河（パクユハ）氏の『和解のために』（平凡社、二〇〇六年）を翻訳した。

写真には写っていないが、中原里美君（一九五一年生）も浪人中に反戦放送や朝霞デモに参加した。写真も多く撮影し、後年、スライド映画『日本の中のベトナム戦争／大泉市民の集い／朝霞反戦放送の記録』を制作した。同時に市民にインタヴューも行なっておりて、貴重な音源も残している。彼は、私や清水の売名のための運動に利用される「将棋のコマ」になってはいけないという強い意識を持って生きた。「詩のべ平連」にも参加し、写真館の主人をしながら、いまだに旺盛な表現活動をつづけている。

山田英雄氏は石神井の人で、浪人中に自転車で来て、反戦放送に参加した。大学卒業後は練馬区役所に勤め、変わらずに仲間でありつづけている。加藤安政氏は早稲田の学生のときに加わった、地元の旧家出身の人で、大泉で農業をしていた。久しく連絡がなかったが、娘の選挙で関係がよみがえった。二〇一八年に私の妻と一緒にベトナムに旅した。

当時高校三年生で、井草高校のバリケード闘争に参加したあとで、大泉市民の集いに加わってきたのは、平山茂君と田村晴久君である。彼らは私の講演会を高校で催した。卒業して、平山君は区役所の職員になった。彼はわれわれの間では、最初にベトナムに行って、ゴー・バー・タン女史に会って帰ってきた。いまは退職して、私たちの運動に参加してくれている。二〇二一年から私が提案した日朝国交交渉二〇年検証会議の事務局長になって、毎月のズーム方式の例会を管理してくれている。田村君は建築家になって、清水氏の家の建築も、私の家の改築もやってくれた。大泉市民の集いの三〇周年記念事業の責任者となって、ニュースの合本の編集をしてくれた。一九九八年に私と一緒にベトナムを訪問した。清水氏の死後、関係がこじれてしまい、いまは連絡がない。運動が流れ解散になるころにやってきた一番最後の参加者である所沢の高校生・斉藤久夫君は、電気製品の量販店に勤めて、私たちの仲間に安く提供してくれたテレビや冷蔵庫は数知れない。彼の結婚式も私たちが仲人をした。いまは退職して、町内会の活動をするかたわら、私の運動に参加してくれている。

この写真には、大泉市民の集いのメンバーというのではないが、この運動の親しい友人の顔もある。ベトナム留学生の運動の中心人物の一人ヴィン・シン氏は、一時期、東大の大学院で研究生になっていたが、カナダのアルバータ大学に移り、そこで博士課程を修了して教授となった。このときは京都の国際日本文化研究センターに来ていて、韓国人の夫人・張京子（チャンキョンジャ）氏と出席してくれたのである。ベトナム留学生支援の会の中心人物であった新石正弘氏は、夫人とともにミャンマー・ベトナムの人人のためのボランティア活動をする団体「ブリッジエーシアジャパン」の主宰者となっていた。彼が亡くなったあと、夫人と息子が受け継いでいる。その他は、三鷹ちょうちんデモの会の志賀寛子さんと埼玉べ平連の東一邦氏が写っている。東氏は、この会ののちのベトナム訪問に同行してくれた。彼は二〇二〇年に亡くなった。志賀さんも二〇二二年に亡くなった。

こういう人たちが出会って、市民の結びつきを持つと、そのつながりは三〇年も、それ以上もつづくのである。われわれは変わらずに、友人としてつきあい、いろいろなことを一緒にやってきた。大泉市民の集いは解散の時を逃したため、私たちの心の中に生きつづけていると言うべきかもしれない。

第３章

歴史家になる

ハワイ准州上院議長ニコライ・ラッセル。この人の伝記が私の最初の著書だった

私は、大学に入って、民間のロシア史研究会で学び、ロシア史研究者になった。大学を卒業して、大学に職を得てからは、ロシア史研究会での活動をつづけるかたわら、歴史学研究会、土地制度史学会での委員を務め、研究発表を行なった。しかし、一九六八年からベトナム戦争に反対する市民運動をはじめてからは、それまでの学会活動の中で問題を見つけ、研究を行なうことをやめてしまった。その代わりに、市民運動をする中で突き当たった問題や発見したことに触発されて、歴史家として仕事をするようになった。振り返れば、市民運動をして生きてきたことが、歴史家としての仕事に大きな影響を与えていることが明らかである。もちろん歴史家として研究したことが、私の市民運動、私の生き方を導いたことも否定できない。私はそのように、この時代を生き抜いたということである。

『血の日曜日』

妻のあき子は文学研究者だったが、私と結婚して、ロシア史研究会にも参加し、ロシア史の研究にも接触するようになって、研究の幅が広がった。一九六八年に出た『ロシア革命の研究』（江口朴郎編、中央公論社）では、文化革命をめぐるプロレトクリト（プロレタリア文化創出協会）の動きを、ゴーリキーやルナチャルスキーとからませて書いた。そこからゴーリキーに関心が向かい、ゴーリキーがロシア革命の中で第三の潮流として出していた新聞『ノーヴァヤ・ジーズニ』を読み、一九一七年のゴーリキーについて調べはじめた。どういうきっかけがあったのかは憶えていないが、彼女の文化革命の論文を読んだ人の推薦だろうか、岩波の『図書』に寄稿することになった。それが評判よく、つづけてゴーリキーについて書いてほしいということになり、一九六八年の第六号に「ゴーリキーの二人の妻」を執筆した。最初の妻エカチェリーナ・ペシコーヴァはエスエルであり、一九〇五年革命の際にゴーリキーと一緒にアメリカにロシア革命運動の資金集めにいった新しい愛人の女優アンドレーエヴァは、ボリシェヴィキだったのである。そうした時期があったが、ペシコーヴァは終生ゴーリキーの友人でありつづけ、二人の往復書簡が興味深い。この原稿も面白く、評判がよかった。『図書』の編集発行者であった浅見いく子さんが、ロシア文学翻訳者の湯浅芳子さんが一緒にご飯を食べましょうと言っておられると連絡をしてくれ、ご主人も一緒にどうぞということだったので、山王神社近くのうなぎ屋で一夕ご馳走になった。

これですっかりゴーリキーに熱中した彼女は、早稲田大学の図書館で一九〇五年革命とゴーリキーについての本を調べるうちに、一九〇六年に女性作家グレーヴィチが参加者からの聞き取りにもとづいて書いた「血の日曜日運動」についての本にぶつかった。民衆運動について、まったく新しいイメージが生まれた。彼女からそのことを聞いて、私も心が動き、彼女を手伝って、神父ガポンと血の日曜日についての本を共同で執筆することにして、作業をはじめた。民衆の皇帝崇拝は、私の最初の論文（一九五七年）で提起した問題であった。「血の日曜日」の行動では、神父ガポンが労働者たちに請願書への署名を求め、それを持って皇帝の宮殿に向かって行進する。私にはそれがマーティン・ルーサー・キングを思わせるものと感じられた。

菊地昌典氏の新書の事件があった中央公論社で、同じ編集者の岩田堯氏が出版を引き受けてくれ、一九七〇年五月に『血の日曜日』が中公新書として刊行された。中央公論社の人々が急進化していた時代の産物の一つである。「まえがき」に私たちは次のように書いた。

> 一九〇五年、明治三八年のこと、一月九日（旧ロシア暦、西暦では二二日）、ロシア帝国の首都ペテルブルクはいつものように雪におおわれていた。だが、この日、一〇万に近い労働者、その妻子、親兄弟は、場末の工場街数カ所より、皇帝の座所、冬宮めざして行進し、軍隊に行手をさえぎられ、射たれた。人人は雪を血に染めて倒れた。人は、この日を「血の日曜日」とよぶ。
>
> プガチョフの農民戦争のとき以来、この国でかくも多数の民衆が一つ心で組織され、一切の権力の威嚇にもひるむことなく行動したことはなかった。この民衆の行動を指導したのは、三五歳の司祭ガポンであった。
>
> すべての論者が、この日の事件が一九〇五年革命の、広くはロシア革命の発端をなしたことをひとしく認めている。だが、この事件ほど、通俗的な解釈や誤った見解によってその全体像がおおいかくされてきたものはない。この事件は、決して、ツァーリ

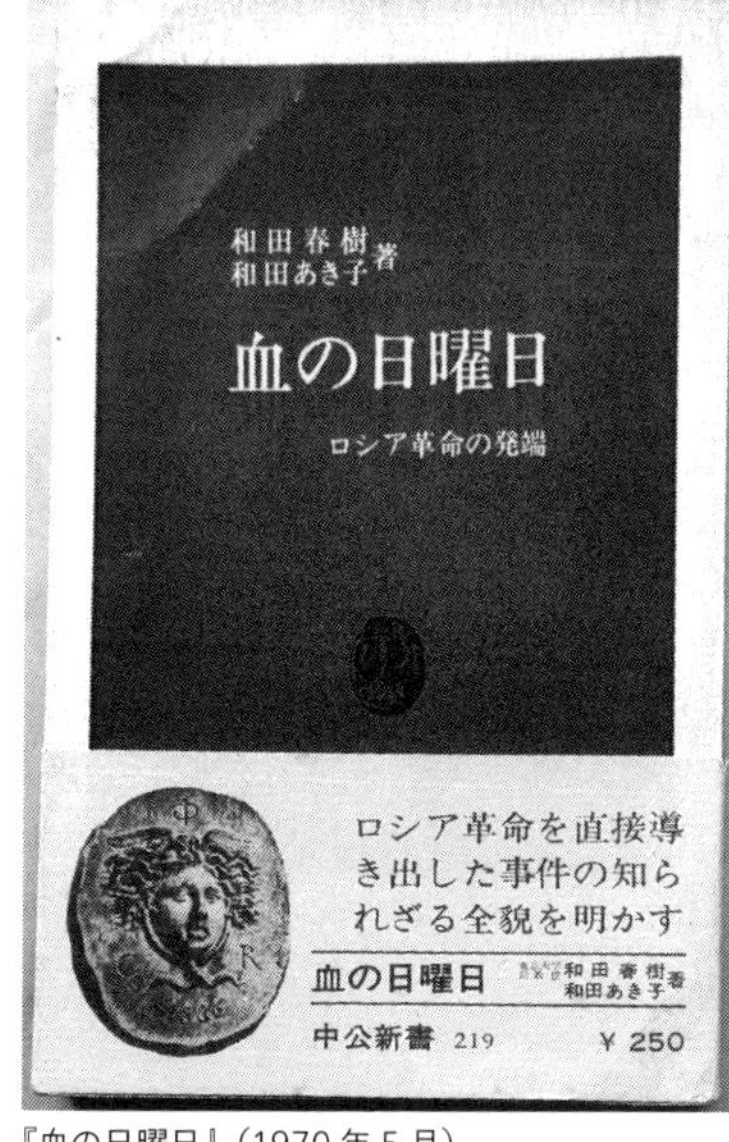

『血の日曜日』（1970 年 5 月）

を信じ切っていた民衆がただ集まって行進したというものではない。もしそうなら、最初に発砲の威嚇をもって解散を命じられたところで、みな逃げ散っていたであろう。人々は、そのとき前進したのである。「自由か死か」との叫びにもはげまされて、騎兵の突撃にもかかわらず、前へ進んだのである。この民衆の決意の前に恐怖にかられた権力者の反応が無差別発砲となった。民衆の中には一つの思想があった。ツァーリのもとに「プラウダ」を求めて行く、それが得られなければ、死ぬ以外にないという思想である。

「血の日曜日」事件の直後は、民衆にこの思想を与えたガポンの役割が正当に評価されていた。労働者二〇〇人の証言に基づいて女流作家グレーヴィチが書いた小冊子は、事件に関する古典的名著をなしている。だが、ガポンが殺害され、保安部とのつながりが主張されるようになると、ガポンの役割はきわめて否定的に評価されるようになる。ガポンと近しく交わった作家ゴーリキーも、ガポンははじめから品性のいやしい人間であったとののしりはじめた。こののち、事件は労働者大衆の自己運動としてとらえられるようになり、ガポンは指導者の座を保持せんがため、この運動につき従っていたにすぎないとの説がとられるにいたった。

だが、正統主義が横行した一九三〇年代には、ついに『ソ連共産党史小教程』において、事件は挑発者ガポンの挑発計画に基づくものだとの説が打ち出された。この説はソ連史学界を支配し、わが国のロシア史家にも影響を及ぼした。

一九五六年の「スターリン批判」以後、この事件の再評価をめざした西島有厚氏は、挑発説を斥け、「労働者大衆の自己運動」説を復権し、さらにそれをいっそう深いものにした。また事件六〇周年を記念して一著を著わしたソ連の研究者セマーノフにも同じ傾向が認められる。

だが、西島氏の研究は、過程を、経済要求から政治要求へ、ストからデモへ、の論理的発展ととらえるため、民衆運動の思想をとらえていないという弱点がある。西島氏にあって、請願書にふくまれる要求項目の検討が重視されて、請願書の文体や論理の検討がないのは、象徴的である。抑圧され、不満をつのらせてはいても、民衆は、いつもは、ひたすら運命を堪え忍んでいる。その民衆がついに動き出すその契機が重要なのであって、振り返って、このように客観的条件は成熟していたという確認におわるのでは問題ではなかろうか。

もとより、「血の日曜日」事件は民衆の巨大な成長の産物である。だが、その成長は、独特な対決の思想に導かれて、すすめられたのである。ガポンが与えたその思想は、ロシア民衆思想のうちにある伝統的な観念にかかわっていた。しかし、そこには、また、現代世界の中における重要な対決の思想、非暴力直接行動の思想の源流にかかわるものがあったといえる。

本書の結論は、あるいはガポンの役割に最も高い評価を与えるものとなっているかもしれない。だが、私たちは、ガポン個人をたたえようというのではない。日常的な生活の場にあるものが行動の場に踏み出す際の契機を、自分の場合にも、他の人々の場合にも、大事にするという態度は、私たちが反戦市民運動「大泉市民の集い」二年間の経験から学んだものである。

この本は時代の精神に合っていたようである。朝日新聞学芸部の赤松俊輔氏は、西洋史の一年後輩だったが、私たち夫婦をインタヴューして書評と一緒に大きく読書欄に載せてくれた。日経新聞も書評を掲載してくれ、北海道新聞もインタヴューをしてくれた。この本は版を重ねた。その後、欧米でも、ロシアでも、このテーマの本が何冊も出たが、率直に言って、私たちの本を抜く水準を示す本はいまだない。

シベリア戦争史ゼミナール

大学院生の諸君も一九六九年が過ぎると、七〇年からはゼミに戻りたいということになった。再開にあたって、私は提案した。大学院のゼミということでなく、研究会をやろうではないかと。ベトナム戦争を念頭においてロシア史を考えると、シベリア出兵が目に付くということになる。ロシア革命に対して、日本が敵対的な干渉戦争をしかけたものだからだ。一九一八年から二二年まで、足かけ五年もの間、ロシア領土内で、宣戦布告もなしに戦争を仕かけ、そして日本は敗者として撤兵した。にもかかわらず、その戦争の経験について反省されることはなく、罪を償うこともしなかった。だから、一〇年も経たないうちに中国に侵略し、泥沼の戦争にはまり込んでいくことになったのである。

日本人は、この戦争の深刻さを一貫して忘れ去ってきたのではないか。そもそも「シベリア出兵」という呼称自体が、戦争の深刻さを覆い隠しているのではないかと私は考えた。関連の本を見ていたら、「西伯利(シベリア)戦争」という言葉にぶつかった。満州で出ていた朝鮮人民族主義者の新聞『韓族新聞』の一九二〇年一月一一日付の論説の一節にこうある。

「彼レ倭賊ノ不信不義ナル清日戦争、露日戦争、青島戦争、将タ西伯利戦争ニ於テ彼等ノ毒悪ナル刃ノタメニ惨殺セラレシモノ幾何ナリヤ、之ヲ思ヘバ胸迫リ顎振ウ」。

　私はこれを見て、「シベリア出兵」ではなく「シベリア戦争」と呼ぶのが当然ではないかと考えた。米国は、さすがにベトナム出兵とは言わずに「the Vietnam War」と呼んでいるのだから。

　そこで私は、ゼミの再開と言わずに、「シベリア戦争史研究会」をやらないかと大学院生たちに持ちかけたのである。原暉之・藤本和貴夫・島田孝夫・高田和夫・久保英雄らの諸君が参加した。このときの成果は、のちに『ロシア史研究』二〇号（一九七三年四月）に載った三本の論文、私の「シベリア戦争史研究の諸問題」、藤本和貴夫「日本のシベリア干渉戦争について」、島田孝夫「黒島伝治小論」となった。原暉之君は尼港事件について報告した。その中で韓国の文献までを読む意欲を示していたので、新しい研究の方向性を示しているとして、大いに感心したのである。

　このテーマは、私たちの研究会の翌年、一九七一年の一月から高橋治氏の長編『派兵』の第一部「土足の正義」が『朝日ジャーナル』に連載されはじめたことによって、社会的に注目を集めることになった。一九七二年には、参謀本部の秘密戦史『西伯利出兵史』が、高橋氏の尽力で新時代社から復刻されたことも大きな出来事である。

　一九七三年にいたり、菊地昌典氏と高橋治氏が話し合い、原君も加わって、新たにシベリア戦争史研究会が組織された。原暉之氏はこの研究会での新たな報告をもとに、一九七五年に『ロシア史研究』二三号（一九七五年二月）に「『尼港事件』の諸問題」なる論文を出した。原君はのちに大著『シベリア出兵』（筑摩書房、一九八九年）を書き上げる。原君がさんざん考えたあげく「シベリア戦争」という名称を採用しなかった結果、この新名称は学界的には受け入れられずに終わっている。

最初のソ連旅行

　一九七〇年の夏、私は初めてソ連を訪問する旅に出た。モスクワで国際歴史学会、その前にレニングラードで国際経済史学会が開かれるので、高橋幸八郎・江口朴郎両先生を中心に団を組んで参加することになったのである。研究所の同僚の大石嘉一郎氏、古参の日本経済史研究者・守屋典郎氏、西洋史の西川正雄氏夫妻など、多彩な一行であった。

　旅費を安くあげようということで、パキスタン航空を使って、南回りでカラチまで行き、カラチを見物して、そこからソ連の中央アジアに飛び、次いでモスクワへ向かうというコースになった。

一九七〇年八月二日、羽田を出発し、マニラ・バンコック・ダッカを経て、深夜、カラチに着いた。パキスタンはその暑さと市内の自動車の派手な飾りで、圧倒的な印象を受けた。私が訪れた最初の外国であった。四日の深夜にカラチを発って、五日の午前四時にソ連のタシケントに着いた。ウズベキスタンには三日滞在し、一日は古都ウルゲンチへ行った。ここで見たもので印象に残っているのは、イスラム寺院と砂漠、朝鮮人の娘さんであった。八月八日朝早くタシケントを発ち、午後遅くにモスクワに着いた。翌日の夕方にレニングラードへ向かった。

中央アジア・古都ウルゲンチで会った朝鮮人姉妹

八月一〇日、国際経済史学会世界大会の開会式がタヴリーダ宮殿で開かれた。ここは、帝政時代の国会議事堂であり、二月革命の際に労働者兵士代表ソヴィエトが開かれた場所である。私は興奮を抑えられなかった。

モスクワに戻って、八月二三日に開会した国際歴史学会に出席した。しかし、私には会議に出るよりも大事な

学会会場のタヴリーダ宮殿。帝政期の国会議事堂で、二月革命時は、ここでペトログラード・ソヴィエトが誕生した

ことがあった。モスクワの歴史家ブルジャーロフに会うことであった。私が初めてロシア史研究の分野で仕事をしたのは、ブルジャーロフの一九五六年の論文を読んで、そのテーゼの追試をすることであった。『歴史の諸問題』誌副編集長として歴史学界でのスターリン批判の先頭に立ったブルジャーロフは、反動の中では「学問における党派性というレーニン的原則」を逸脱したと批判され、追放された。しかし、雌伏の末、一九六七年に二月革命の名著を執筆し、再登場したのである。その人に是非会いたかったのである。

八月二四日、ブルジャーロフの勤め先のモスクワ教育大学の事務室に電話すると、幸運にも自宅の電話番号を教えてくれた。自宅に電話すると、すぐ来いということで、その日のうちにブルジャーロフに会ったのである。

彼は、一九〇六年生まれのアルメニア人で、当時は六四歳だった。その老人が初対面の私に、「君はスターリンについてどう思うか。自分は党の教育機関に長くいて、スターリンの考えを宣伝してきた。その責任を感じるので、スターリン批判に真剣に取り組んだのだ」と言って、私を感激させた。帰りに見送ってくれた夫人のゴーシャ・ボリソヴナに、「一九五七年の後は心配していました」と言うと、「無鉄砲な人ですから」と笑っていた。彼女はユダヤ人であった。やさしい母のような人だった。

この日の夕方、ソ連史研究所を高橋先生とともに訪問した。高橋幸八郎先生のお供をした形である。ヴォロブーエフ所長、ボブイキン副所長、イテンベルク、パシュートと面会した。イテンベルクはユダヤ人のナロードニキ研究家で、「ヴ・ナロード」運動についての著書を一九六五年に出したところであり、是非とも会いたいと思っていた人だったので、うれしかった。このときの出会いが、以後、終生にわたる交際のはじまりとなった。

あこがれのレーニン図書館にも初めて入って資料を見た。レーニン図書館は石造りの神殿のごとくであった。私の目的は、一九六三年に志を立てた「六人のナロードニキ」の伝記を執筆するために、彼らの書いた文献を見ることであった（拙著『ある戦後精神の形成』岩波書店、二〇〇六年、三二六頁）。

カードを引いてみると、物書きであったプレハーノフ、チホミーロフにはじつに多くのタイトルがあって、どうにもならなかった。そこでチャイコフスキー、ラッセル、フィグネルらの本やパンフレットを借り出して見てみた。マイクロフィルム撮影を依頼するのは、受け取るまでの時間を要するためできなかった。もちろん本格的に研究するためには、ソ連へ長く滞在しなければならない。

帰国したのは八月二七日であった。

「戦後日本人の反省と歴史家」

一九七一年のいつであったか、もう憶えていないが、高崎宗司という人が訪ねてきた。『歴史学研究』（三一二号）に私が書いた論文「第二次大戦後の東アジア――日本・朝鮮・中国の民衆」を読み、私に会いにきたのである。その一九六六年の論文を発展させて、『思想の科学』誌に一本原稿を書いてくれないかというのが編集者としての高崎氏の依頼であった。高崎氏は私より六年若く、東京教育大学の日本史の大学院で学ぶうちに、全共闘運動に加わり大学院を辞めてしまって、いまは自分で日本と朝鮮の関係史を研究しながら『思想の科学』の編集部で働いていたのである。この人は水戸の出身で、不器用で一筋の人と見えた。五年前の旧稿を憶えていてくれて、雑誌に書く場を与えてくれるというありがたい提案であったから、私は引き受けた。

結局、私は、一九六六年に書いた内容をふたたび主張した。敗戦後の日本人の反省の中には朝鮮植民地支配についての反省が含まれていなかった、ということである。雑誌『世界』創刊後の五年間に掲載された唯一の朝鮮問題についての論文は、元京城帝大教授で、戦後は東京大学教授となった鈴木武雄の「朝鮮統治の反省」（一九四六年五月号）であったが、それは同化主義が間違っていたという統治方法の反省にすぎなかった。『世界』一九五五年八月号の「わたしの八月一五日」に載った手記には敗戦時の日本人の朝鮮人観がはっきりとうかがえるが、敗戦で打ちひしがれた日本の民衆は独立を喜ぶ朝鮮人の姿に圧迫感をおぼえるばかりだったのである。

新たに付け加えたのは、戦後イデオローグの一人となった矢内原忠雄が、無教会派の朝鮮人・金教臣（キムギョシン）の友であり、植民政策の大専門家であったにもかかわらず、戦後において朝鮮植民地支配の反省を国民に呼びかけなかったということである。矢内原の敗戦後の初の社会的発言であったのは、一九四五年一〇月の木曽福島での講演「日本精神の反省」であった。矢内原はその中で、「朝鮮とか台湾とかに於ける日本の政策を見れば、共栄圏理念の不明瞭、不徹底がわかる」として、神社参拝の強要、創氏改姓の実施、朝鮮語・台湾語の使用禁止をあげている。「これでは、大東亜共栄圏の理念を朝鮮・台湾に適用しなかったから、駄目なのだと言う程度の反省でしかない」と私は指摘した。矢内原はつづけて、一一月には東筑摩郡広丘国民学校で講演「平和国家論」を行ない、天皇の勅語を引用しながら、「平和国家こそ栄える国である」ことの主張をして、次のように述べた。「従来日本人の海外発展の背後には、日本の軍国主義がある、日本の帝国主義が潜んでいる、という疑ひをもつて見られた」が、「日本が真の平和国家となる暁に於いては、日本人の海外移住はその様な眼を以て見られることがなくなる」。私は、「日本が罪をおかしたとの反省は希薄である。他国を侵略し、抑圧した犯罪行為への反省がないところで、敗戦国の立つ道として平和国家の建設が説かれている」だけだと批判した。矢内原が東大に戻り、私が勤めている社会科学研究所の所長になったあとに、一九四八年一〇月「管理下の日本――終戦後満三年の随想」を書いた。その中に次の言葉を見出して、私はついに矢内原の反省は「帝国主義者の反省であって、帝国主義への反省になっていない」と書くにいたった。矢内原のその言葉とは、「私は日本の植民地統治がことごとく害毒であったとは思はない。少なくとも経済的開発と普通教育の普及は、植民地社会に永続的利益を与へたものと思ふ。〔……〕ただ思想的同化政策の一項に至つては、旧植民地民族の何人も之を想起して好感をもつ者はないであらう」である。

論文「戦後の日本人の反省と歴史家」は、『思想の科学』一九七一年一一月号に掲載された。私は、一般雑誌にものを書く者としては、高崎氏によって世に出されたと言える。そして、このときの出会いから私たちのつきあいははじまり、私と高崎氏は市民運動家としても、歴史家としても、生涯を一緒に歩くことになったのである。

『ニコライ・ラッセル――国境を越えるナロードニキ』

一九七〇年の訪ソのあとでいろいろ考えると、六人のナロードニキについて史料を集めて、彼らを登場人物にして、一挙に大河小説風の本を書くのは非現実的だということがわかった。他方で、私はベトナム反戦運動の中でアメリカからやってきて米軍兵士に働きかけるアメリカ人の工作者ヤン・イークスと知り合ったので、この六人のうち、日露戦争の捕虜に革命工作をするためハワイからきたニコライ・ラッセルに、あらためて特別の親しみを感じるようになっていた。ラッセルは日本に来て、日本で暮らし、最後は日本を見限って中国へ赴き、そこで死んだ人なので、ソ連に留学をして資料を集めなくても、相当程度は書けるのではないかとも考えた。私はベトナム戦争にはまりこんで、動くことができない。しかし私は、歴史家として本格的な作品を書きたいという気持ちだった。そこで私は六人のうちで、ニコライ・ラッセルを一人取り出して、その伝記を書くことにしたのである。のちに刊行された本のまえがきの書き出しを引用してみよう。

日露戦争の末期、北は弘前より南は熊本まで、日本全国に三〇カ所の捕虜収容所が設けられ、そこに七万人のロシア人捕虜が収容されていた。この捕虜の将兵に専制打倒の革命思想を宣伝するためにやってきた工作者がいた。彼の宣伝工作は成功を収め、捕虜中の将軍連を戦慄せしめるものとなった。捕虜の帰還後、彼は長崎に移り、極東ロシアにおける反革命の勝利ののちこの町に流入したロシア人亡命者の中心人物として、エスエル系新聞『ヴォーリャ』の発刊のために努力し、「在長崎露国革命党首領」と呼ばれるにいたった。

　この人物はニコラス・ラッセル、またはドクター・ラッセルと名乗り、アメリカ国籍をもっていたが、実は三〇年前にロシアを追われたナロードニキ革命家であった。

　私がラッセルについて初めて知ったのは、雑誌『世界』（一九五七年一一月号）で、木村毅氏の「ニコライ・ラッセルの革命工作」なる一文を読んだためである。ナロードニキをテーマにして卒業論文を書いているとき、木村氏の論稿で教えられて、明治新聞雑誌文庫で長崎ラッセルが出した新聞『ヴォーリャ』の現物を初めて見た。いつかこの資料を生かしてまとめたいと思ったのは、そのときだった。

　一九七〇年秋から、私は猛烈に調べて執筆をはじめた。

ラッセルの本名はニコライ・コンスタンチノヴィチ・スジロフスキー、一八五〇年にベラルーシのモギリョフで生まれた。ペテルブルク帝大法学部に入学したところで、一八六八年～六九年の首都の学園闘争に飛び込んだ。このときの学生運動の中で、学生の自治権獲得を主張する派と、学生の自己否定論を主張して、「ヴ・ナロード」を呼びかけるネチャーエフを中心とする政治グループが対立したのである。スジロフスキーは自治権獲得派で運動し、永久退学の処分を受ける。人生の道を考えた彼はキエフ帝大の医学部に再入学し、自己否定の方向に進んだ。彼は初めアメリカに行って、コミューンを作るというアメリカ主義のサークルに参加し、次いでスイスへ行き、インターナショナルで働こうとしたが、結局キエフに戻り、一八七四年の「ヴ・ナロード」運動に参加した。活動の結果、警察に追われることになり、その年のうちにジュネーヴに亡命した。以後、生涯、故国へ戻らない永遠の亡命者となった。

　スジロフスキーが亡命後に最初に関わったのは、一八七五年に起こったボスニア＝ヘルツェゴヴィナの反乱支援である。ほどなくしてルーマニアに行って、そこで彼はブクレシュティ大学を卒業して、医師免許を取るのである。この直前に、アメリカ国籍を取得しており、ニコラス・ラッセルというパスポートで医師免許を得た。やがてブルガリア亡命革命家フリスト・ボチェフと交わり、彼のゲリラ部隊に参加を求められるが、思いとどまる。一八七七年にロシアが介入して、露土戦争をはじめると、ルーマニアに入ってきたロシア軍兵士に対して革命を呼びかける宣伝をする。戦後は、ルーマニアの社会主義運動のパイオニアたちを助けるという活躍である。この時代の彼の資料は一八八一年ルーマニア近代史史料集の一巻となって一九五四年に出版されていた。その資料集は北大スラブ研究センターにあった。それを読むために、私はルーマニア語を勉強した。大学書林の『ルーマニア語四週間』という本を買って勉強しはじめた。イタリア語をやった私からすると、ルーマニア語は近い言語と見えた。しかし、辞書は日本ではまだできていなかった。それでソ連で出ているルーマニア語／ロシア語の辞書を使ったのである。

ルーマニアのあとは、革命運動から足を洗ったラッセルは露土戦争で独立したブルガリアから切り離され、トルコの中の自治州として残された東ルーメリアへ行って、診療所を開業することになる。そこでまたもや政治に巻き込まれる。ブルガリア民族主義の指導者スタムボーロフは、ラッセルの知人であったが、「統合」を契機に親ロシアから親オーストリアに変わり、ラッセルをロシアの手先だとしてブルガリアから追い出したのである。

ラッセルは、東ルーメリア時代に再婚した女医レオカジヤとともに、一八八七年、新大陸アメリカへ渡り、サンフランシスコに落ち着き開業する。ところが、この地の正教会主教ヴラジーミルは神学生たちを性的欲望の餌食にしていた。訴えを受けたラッセルは主教を告発することになり、逆に正教会から破門されてしまう。それで今度は一八九二年に、ラッセルはハワイに移住したのである。

私は、ラッセルの生涯を書き進めながら、彼が住む国国で、つねにその国の歴史の渦中に飛び込み、活動するさまに驚いた。彼の活動とともに初めて知る国々の歴史と社会は、私を興奮させた。さながら私自身がドクター・ラッセルの世界一周旅行の同行者になった気分だった。だが私がもっとも強い印象を受けたのは、ハワイの話であった。

ラッセルが渡ってきたハワイは、リリウォカラニ女王をいただく小さな立憲王国であった。この島に入植してサトウキビのプランテーションを経営していたアメリカ人事業家たちは、一八九三年一月一七日、米軍艦の水兵を上陸させ、女王をとらえて、クーデターを断行した。クーデター派は米国への併合を望んだが、米国側との交渉は難航し、ようやく一八九八年になって、ハワイは米国に併合され、米国の准州となったのである。この准州の最初の一九〇〇年の選挙で、ラッセルは「ハワイ人のためのハワイ」を主張する自治党（Home Rulers党）から上院議員候補として出馬し、当選した。そしてハワイ准州上院の初代議長となったのである。だがアメリカ勢力が巻き返し、一九〇二年の選挙では自治党は共和党に惨敗し、ラッセルも政界を去ることになった。

その後は、ロシアの政治情勢が深刻になるのに合わせて、ラッセルの気持ちも母国の革命に戻っていった。そこへ日露戦争が勃発したのである。彼はアメリカ・ロシア自由友の会の要請も受け、自分でも望んで、日本に抑留されたロシア人捕虜に対する革命工作のために、一九〇五年六月、日本にやってきた。

私は、ラッセルの日露戦争捕虜工作について記述する前提として、「日露社会主義者の握手」「ポーランド社会党と日本政府」「ツィリアクスの工作と明石元二郎」の三つのテーマを取り上げて研究した。戦争と革命の関係、とくに革命のために自国の敗戦を利用する「革命的敗戦主義」戦略に注目した。ラッセルは、まさにロシア革命のために日本の戦争勝利を歓迎し、日本軍の力を利用しようとして、捕虜工作を進めたのである。

日露戦争が終結し、捕虜が日本を去ったあと、ラッセルは長崎に居を移し、革命派の新聞『ヴォーリャ』を発行し、ロシア極東地方での革命工作に従事した。この長崎時代、ラッセルは多くの日本人や孫文ら中国人と交渉を持った。その点については、横山源之助・大庭柯公（かこう）・金子克己が書き残している。神戸でラッセルの捕虜工作を手伝っていて、のちに東京に出て『ヴォーリャ』グループの東京代表の役割を演じたポーランド人ブロニスワフ・ピウスツキは、東京で二葉亭四迷・横山源之助ととくに親しく交際した。

ラッセルは大逆事件のあった年に長崎を去り、フィリピンへ移り住んだが、世界戦争が勃発すると、日本にふたたび戻った。しかし、一九二〇年に日本を最終的に捨てて、中国へわたった。一〇年後に中国天津のドイツ租界で亡くなる。

長崎でラッセルともっとも身近に交渉を持ったのは、社会主義者の細井肇とアジア主義者の金子克己であった。細井は社会主義者の冬の時代に転向して、朝鮮にわたり、総督府のために働くことになる。金子は、萱野長知（ながとも）らと中国革命のために働き、最後は日本軍のために働いたが、佐世保で敗戦を迎え、一九四六年初めに死んだという。私は、金子克己のご子息を長崎で探し出し、一九四五年の大晦日、米軍占領下の佐世保で戦勝を祝う米艦船の汽笛が鳴り響く中で、死の床に臥す金子克己が語った言葉を聞いた。「蔣（介石）君は実によかった。日本に勝つのが彼の宿願で、それを達したのだ。天皇陛下には申し訳ないが、昔の同志として心から喜びたい」。私は感激して、ラッセル伝の巻末の注の最後にその言葉を書き込んだ。

本を執筆してみると、日露戦争の際の捕虜工作まで書いたところで、一〇〇〇枚になってしまった。二巻でお願いするしかないと、編集者の間瀬光彦氏にお願いしたが、オイル・ショック前の優雅な時代で、編集者は鷹揚だった。二巻本でいいと言ってくれた。

上巻部分を脱稿し、中央公論社に渡したのが、一九七一年暮だった。長崎時代から晩年を扱う下巻部分を仕上げるにあたって、最大の心残りは、ラッセルの最後の日本人の妻とその間に生まれた子供たちの消息がわからないままであることであった。ところが一九七二年三月、敷野静子氏の論文によって神崎清「革命綺談ラッセル博士――日露戦争と露国社会党」(『中央公論』一九三六年六月号)があることを教えられた。神崎氏は、天津でラッセルの遺児大原安光氏(当時天津同盟通信勤務)に会われ、その聞き取りにもとづいて、ラッセルの遺族として、長男の高木辰男(上海工部局音楽部員)、娘の大原朝子(フローラ・ラッセル)、夫人・大原夏野という三人について書いていた。

ラッセルの遺族の名前を見て、私は少なくとも一人ぐらいは日本に引揚げているのではないかと考えた。それならば東京に住んでいる可能性もある。ある夜半、ふと電話帳で名前を探してみることを思いついた。飛び起きて東京版の電話帳を開いてみると、大原安光はないが、高木辰男は三名載っていた。一人は医師、一人は食料品店とあるので、残る一人に可能性があるかもしれなかった。翌朝さっそくに電話をしてみると、幸運にも、まさにその方がラッセルの御子息であった。その上私と同じ練馬区内の住人であったのである。高木氏は、上海から引揚げられたあと、ヴァイオリニストをされていたが、いまはピアノの調律をしておられるという。お宅の玄関

ラッセルの長男・高木辰男

に入ると、いままで見たこともないラッセルの立派な写真が飾られていた。本章の扉に掲げた肖像である。

大原安光氏は、神戸のお住いであった。数日後にお訪ねした。戦後、天津から引揚げたあと、神戸の会社にお勤めになったが、そのときはコマーシャル・コンサルタントをしておられた。多くの貴重な写真とラッセルの死の前年の手帳を見せていただいた。大原夏野さんは一九六四年に亡くなられていた。末の娘フローラさんは、パキスタンの新聞記者と結婚し、カラチに在住とのことであった。ナーヂャ・クレイシと名乗っておられるこの方からも、のちにお手紙を頂戴した。

高木・大原両氏にお目にかかれたので、ラッセルの晩年については、多くの点がはっきりした。この直後四月上旬、長崎を再訪して、天草の大江を訪ねて、ラッセルの眠る大原家の墓地をみた。こうして、私は第二巻を一九七二年七月末に脱稿することができた。『ニコライ・ラッセル――国境を越えるナロードニキ』の上巻は一九七三年二月に、下巻は五月に刊行された。上下合わせて、二〇〇〇枚の大作となった。まえがきの結びに私は書いた。

> 本書の執筆中も、その刊行を待つ間も、私は心おだやかに本書がなることのみを考えていたわけではない。戦争はつづき、本書と私をとりまく状況のいたるところに矛盾・抑圧がある。私をラッセルへかり立ててくれたアメリカ人ヤン・イークスは、徴兵を拒否して国外へのがれたことが明らかとなり、アメリカ政府よりパスポートの取消しを宣言される直前、活動の舞台であった東アジアを去っていった。いま一人、ベトナム人の友ビン・シンは、朝鮮人の妻とともに、九年間滞在した日本から去っていった。彼らにとって、日本は何であったのであろうか。
>
> この現実の中で、半世紀以上も前の工作者の事績を跡づけることに情熱をかたむける意味について、

『ニコライ・ラッセル』上巻（中央公論社、1973 年）

その本を出すことの意味について、立ちどまって考えざるをえなかったことはしばしばである。にもかかわらず、私は本書を書き、出版する。これを読む人びとがラッセルの生きつづけるしたたかさから何かを感じとってもらえば、幸いである。

この本に対する反応は良いものだった。書評も数多く出た。しかし、書名を「ニコライ・ラッセル」と、誰も知らない人物の名前にしたのは失敗だったかもしれない。副題の「国境を越えるナロードニキ」を表題にした方がよかったのではないかと思ったものだ。それもあってあまり売れなかったようで、上巻四〇〇〇部刷ったものの、下巻は二五〇〇部となってしまい、それでも一〇年ぐらいは上下巻揃いで買うことができたのである。しかし私にとっては、まさに歴史家としての出発の本であった。そして、ラッセルについての伝記としては、世界最初の大著である。この本が私の本の中でもっとも良い本だという評価を後年聞いて、純粋にうれしく思ったものである。

『マルクス・エンゲルスと革命ロシア』

ラッセル伝の仕事が終わって、私はすぐに新しいテーマに取り組んだ。一九七二年一二月から雑誌『思想』に論文「マルクス・エンゲルスと革命ロシア」を連載しはじめたのである。連載は、翌年いっぱいまでつづいた（一九七三年一・八・一〇・一一・一二月号）。

なぜ、このテーマを取り上げて書きつづけたかと言えば、わが国において、六〇年代末から「マルクスとロシア」というテーマに関する真剣な研究業績が次々に発表されていた、という事情があったと言わねばならないだろう。

山之内靖『マルクス・エンゲルスの世界史像』（未來社、一九六九年）、平田清明『市民社会と社会主義』（岩波書店、一九六九年）、淡路憲治『マルクスの後進国革命像』（未來社、一九七一年）が刊行され、ロシア史の仲間からは保田孝一氏の『ロシア革命とミール共同体』（御茶の水書房、一九七一年）がマルクス・エンゲルスのロシア共同体論で論争に参入した。すると、平田清明氏は「歴史的必然と歴史的選択――マルクス『ザスーリチあての手紙』について、文献史と理論紹介」というきわめつきの論文を、雑誌『展望』の一九七一年一〇・一一・一二月号に連載し、さらに竹内芳郎氏が「政治的選択と〈客観的可能性〉――平田清明氏に答う」を同誌の一九七二年二月号に書くという、熱気を帯びた論争が展開されたのである。

だが、ロシア史家で、ナロードニキの専門研究者であり、国境を越えた変革運動間の対話・協力・連帯ということに関心を持つ市民運動家である私から見ると、これだけ議論が重ねられているのに、議論がマルクスのテキストの訓詁の学という枠を出ないことに苛立ちを感じざるを得なかった。マルクス・エンゲルスはロシアについてどのように書物を読み、ロシア人と議論をし、どのような手紙を受け取り、どのように返信をしたためたのか、具体的な状況、具体的な交渉の中で彼らの発言の意味を探るのが当然であろう。そのような歴史的な分析がなされていない。そこで私は、この論議に加わる意欲を持つにいたった。

ロシアの革命運動を見つめるマルクス・エンゲルスの姿勢を、ベトナムでの革命戦争、韓国の民主化運動を見つめて、日本の政治の変革を考える私たちの姿勢から考えてみよう、というのが私の問題意識であった。私の到達した結論は次の通りである。

マルクス・エンゲルスは、ヨーロッパの反動の牙城ロシア帝国の革命を望んだ。そして、そこに台頭した青年たちの革命的ナロードニキ運動に感動して、彼らを支援した。ロシア語を学び、ロシアの歴史と社会を研究し、ロシア認識をあらため、ナロードニキの革命論の現実性を認め、さらに革命の展望をも受け入れたのである。マルクスのザスーリチ宛ての手紙は、このような思考発展の跡を示している。

一九七四年初めに、『思想』に連載した論文を第一部として本をまとめることを決心し、七四年の前半のうちに、第二部として「エンゲルスと革命ロシア」について執筆し、最後に第三部「歴史の中のマルクス・エンゲルスのロシア論」を書き加えた。『マルクス・エンゲルスと革命ロシア』は勁草書房から、一九七五年一月に刊行された。この私の本については、山之内靖氏が研究所の雑誌『社会科学研究』（二八巻六号）に長文の書評を書いてくれた。

山之内氏は、私の研究がかつてない水準のものであるとし、私のマルクス理解に相当な支持を与えたが、なお

『マルクス・エンゲルスと革命ロシア』（勁草書房、1975年）

マルクスは共同体革命に留保をつけたとして、私を批判した。

だが、この山之内書評を例外として、私が本を刊行すると、わが国の論壇でマルクス・エンゲルスのロシア論をめぐって盛んに議論をしていた人々が、突然口を閉ざしてしまった。

大学院の学生たち

私の大学院のゼミナールには、一九七三年・七四年には新しい院生が続々とやってくることになった。東大闘争の渦中で苦しんで、ようやく卒業した学生が駒場の国際関係論の大学院に入ったり、文学部の西洋史の大学院に入ったりして、私のゼミナールに来たのである。一九七三年組には、ロシア革命後の党国家体制を研究する石井規衛、ウクライナ民族主義を研究する中井和夫、グルジア問題を研究する高橋清治が、七四年組には、ソヴィエト期の労働者問題を研究する塩川伸明、ソ連外交史を研究する横手慎二、一九〇五年革命を研究する加納格らが入ってきた。このうち石井は東大文学部西洋史、塩川は法学部政治学科、中井は東大駒場のロシアの文化と社会の教授となり、高橋は東京外国語大学ロシア科の教授、加納は法政大学の歴史学、横手は慶應大学法学部の教授になるというわけだから、私と菊地昌典氏は志を持つ学生に研究者になるチャンスをしかるべく与えることができたと言えるだろう。

この他には、モスクワ大学の大学院で勉強して戻ってきた袴田茂樹も入ってきたし、東大闘争をセクトに属して闘ったという富田武も遅れて戻ってきた。下斗米伸夫も、彼らとほぼ同年配で法学部の大学院にいたので交流があった。

この人々にとっての不幸は、市民運動もしている私は、彼らの指導にそれほど熱を込めていなかったことであろう。私は自分が研究をして、本を執筆し、学生たちがそこから何か学んでくれればいいと考えていた。一度、池袋でのコンパの際、石井規衛君に「先生、もっと指導してください」と迫られて困ったのを憶えている。私のところに来た大学院生たちの中で、私と同じようなテーマを研究する者はほとんどいなかった。この点で法学部の溪内謙氏のゼミは、ソ連政治史を研究しようとする学生を大いに惹きつけていた。

ともあれ優秀な学生が集まる大学院のゼミナールは、教授が最新の研究成果を吸収する場でもあったから、私も菊地氏も大いに学生たちから裨益していたのは間違いない。

第４章

日韓連帯運動の六年

(1)　日韓連帯ニュース　№24　￥80　1976年9月15日　毎月1回15日発行

日韓連帯ニュース

日本の対韓政策をただし韓国民主化闘争に連帯する日本連絡会議

東京都新宿区高田馬場2-9-1 青川ビル402 TEL03-209-1967
振替 東京4-80314「日韓連帯連絡会議」

民主救国宣言裁判の判決に抗議する

金大中氏の生命を救うために

日韓連代表　青地　晨

『日韓連帯ニュース』第24号（1976年9月15日）

金大中拉致事件の衝撃

一九七三年八月八日の夕方、私は浜松町の日赤本社の前にいた。民放五〇社が五月からやってきた「ベトナムの子らに愛の手を」の一億円募金キャンペーンがいよいよ終わり、民放連と日本赤十字社が南北平等と称して、募金の半額をサイゴンの赤十字に渡そうとしていた。私たちベトナム反戦市民運動の代表たちは、この年一月のパリ和平協定が、ハノイ・サイゴンの両政府と南ベトナム臨時革命政府の三者で調印されたことを尊重して、臨時政府を無視せぬよう、募金は三等分するように日本赤十字に申し入れるために集まったのだった。私がその場に着くなり、べ平連の吉川勇一氏が、途方もない事件が起こったことを教えてくれた。九段のホテル・グランドパレスから、韓国の政治家、元大統領候補・金大中氏が白昼暴漢に拉致されたというのである。

そのとき、私を含めて多くの日本人は金大中（キムデジュン）氏のことをよく知らなかった。ちょうどその日は、雑誌『世界』の発売日で、朝刊には刊行された九月号の広告が載ったところだった。私は帰途、書店で『世界』を買って、金大中氏と編集長・安江良介氏との対談「韓国民主化への道」を読んだ。本人が拉致され、生死もわからない中で、この対談の言葉は強い印象を与えた。その人は、自分たちの解放について驚くほど反省的な態度で述べていた。「われわれ韓国人は、もちろん三・一独立運動もやったし、光州学生運動もやったし、中国やアメリカで抗日独立運動もやった。しかし基本的には連合国の勝利によって贈与された民主主義と解放であって、自分で充分な代価を払って勝ち取ったものではなかった。そうした民主主義を勝ち取った歴史的伝統がないから、民主主義を守っていく主体勢力と国民の自覚意識が足りないわけですね」。

そして金大中氏は「しかし遠からず、私達韓国民は、必ず自由と正義のため立ち上がるでしょう」、「私は歴史に於ける正義の不敗を信仰する」と言い切った。そして驚くべきことに、自分の運命を予感するかのように、次のように述べていた。「朴正熙（パクチョンヒ）氏個人に対して憎悪心もないし復讐心もない」。「いずれわれわれが民主主義を回復して政権をとった後に、幸いに私がもし政権の座にあったとすれば、そのときは安江さんは、これを証拠にして私をみることができると思います」。「私はこうした不幸をくりかえしたくないと思うのです。私は今、朴正熙氏個人よりも国のため彼の将来を心配しています」。

金大中氏は、日本人の韓国を見る見方をも正面から論じて、批判していた。自民党政権の主流的な人々の「安定第一」の考えを批判し、党内の良識派にはいっそうの民主化への支持を求めた。それ以上に、日本社会党などの野党の見方には厳しい意見を述べた。「平和的統一」を支持してくれるのはありがたい。しかしこの人々は「北の」千四、五百万を相手にして、南の三千二、三百万とは話もするのもいやだという気持ちのようにみられる」。「野党がそこに関心をもたないことが、朴政権にどれだけ都合がよいことか」。

これは初めて聞いた韓国の民主主義政治家の声だった。しかもその言葉を読んだとき、その人の生死はいまだ不明であった。それだけに印象は強烈であった。民主主義を求めてやまない信念の政治家のそのような姿は、日本には見られないものだった。

この『世界』の号にはまた、在日韓国人の鄭敬謨（チョンキョンモ）という初めて知る執筆者の論文が載っていた。「韓国第二の解放と日本の民主化」と題されたその論文も日韓関係のあり方を鋭く批判するものだった。「韓国人のこころに『シンパラム』〔「自らの意志によって行動にかられた人間のパトス」のことだと鄭氏は説明している〕が吹きまくるときは、さし迫っていると思う。そのとき、これが日本人の胸中に吹きおこすものはないであろうか」。「今日韓国人に『シンパラム』をさえぎっているのは、再び日本であり、韓国の最終的解放は、〔……〕排日感情という推進力によって達成されようとしている」。まもなくこの人は、韓民統（韓国民主回復統一促進国民会議）の機関紙『民族時報』の編集長に迎えられる。

一九六五年から八年も経っているのに、私たちは韓国で起こっていることについて、韓国と日本の関係について、そして韓国人が私たちに語りかけている言葉について、何も知らなかったのである。このことにあらためて気づき、私は愕然とした。

韓国では、一九六一年の軍事クーデターで政権を握った朴正熙将軍の政権がつづいていた。日韓条約とベトナム出兵によって得た経済協力と資金で経済開発を推進し、成長を遂げていた。一九七二年には、ベトナムでの敗北から軍隊を撤退させ、敗戦の印象を打ち消すために、接近を求めてきた北朝鮮と交渉し、自主的平和統一をめざす7・4共同声明を出すにいたった。そして、内部体制を固めるとして、一九七二年一〇月に維新クーデターを決行し、大統領直接選挙制を廃止し、永久政権をめざしたのである。

一九七一年の大統領選挙に野党候補として出馬し、四大国による平和保障、南北和解と交流、平和統一の政策を掲げて闘った金大中氏は、得票率四八%、票差九四万票というところまで朴正熙を追い詰めた。維新クーデターがおこると、日本に滞在していた金大中氏は、このクーデターを認めず、亡命して闘うとただちに宣言した。

一九七一年の大統領選挙で不正が行なわれなければ、自分が勝利していたはずだという確信が彼を支えていた。彼は在日韓国人の組織、民団内の急進派と結びつき、いわゆる韓民統運動をおし進めたが、日本の政治家・言論人とも広く交流しており、自らの反維新独裁闘争への支持を積極的に求めた。その中でもっとも重要な存在は、自民党代議士で、ＡＡ研（アジア・アフリカ問題研究会）の中心に立つ宇都宮徳馬氏であり、岩波書店の総合雑誌『世界』の編集長・安江良介氏であった。安江はすでに金大中に雑誌の誌面を提供していた。金大中の『世界』への最初の寄稿は、維新クーデターの前の一九七二年三月号の「統制されない権力は悪である」であり、二番目は一九七三年一月号の「憤りをもって韓国の現状を訴える」であった。

ベトナム戦争と闘う市民運動をしてきた私たちは、金大中氏の闘争宣言のことも知らなかったし、氏の『世界』への寄稿も読んでいなかった。そもそも『世界』は保守的にすぎると見られていたのである。だから、『世界』へ三度目に登場した金大中氏の声を初めて聞いて、衝撃を受けたのは私だけではないはずだ。

あとから考えれば、金大中拉致事件は、反維新民主革命の運動を初発のうちに叩きつぶそうという朴大統領側の先制攻撃であったのである。東京には金大中氏の運動の他にも韓国民主化運動の一翼を担う、もう一つの動きがはじまっていた。それは朴政権に対して批判を強めていた韓国のキリスト教会の中からはじまり、日本のキリスト教会の中にもそれに対応する動きが出ていたのである。前年、一九七二年の秋の終わりに東京に駐在していたアジア教会協議会幹事・呉在植（オジェシク）を中心に韓国の民主化運動の情報ネットワークを作ることが構想された。これには日本のキリスト教協議会（ＮＣＣ、幹事・東海林勤）、日本キリスト教団（総幹事・中嶋正昭）らが協力するようになった。他方で、呉は在日韓国人の教会の牧師・李仁夏（イイナ）らを誘い、そして東京に亡命していた元『思想界』編集幹事・池明観（チミョングワン）をも仲間に誘った。そして、呉のグループは「民主同志」と称する秘密グループとなったのである。

池明観は評論家、文章家であった。彼は朝鮮北部の出身で、同郷旧友の『朝鮮日報』の大物記者・鮮于煇（ソヌフィ）の紹介で安江良介に会った。安江は池を『世界』に寄稿させ、池は金淳一（キムスンイル）のペンネームで寄稿をはじめた。最初の寄稿は一九七三年三月号の「ベトナム戦争と韓国」であり、第二回が五月号のインタヴュー「軍政からファシズムへ——朴政権一二年の軌跡を語る」であった。安江と池明観の出会いから、呉在植のネットワークの成果を生かして、池が執筆し、Ｔ・Ｋ生「韓国からの通信」として、『世界』に連載することがはじまった。この通信の第一回は一九七三年五月号に載り、第二回は七月号に載った。いずれも金大中拉致事件以前である。

これも私たちは読んでいなかった。金大中拉致事件があって、雑誌『世界』の意義を認識した私たちは、T・K生の「韓国からの通信」を発見し、九月からは毎月載るようになったその通信を読むために『世界』を購読するようになったのである。T・K生のこの通信は、隠れた献身的な協力者の努力で、韓国の情報機関の厳しい追及をかいくぐって運び込まれた情報資料にもとづいて執筆され、一五年の長きにわたり発信しつづけることになる。

朴正熙大統領の命令で金大中氏を拉致したKCIA部長・李厚洛（イフラク）の部下たちは金大中氏を神戸で船にのせて、日本海へ連れ出した。そこで海へ沈めて殺せという命令を実行しようとしていたのかどうかは確定していないが、金大中氏は、重りを両足につけられ、殺されると覚悟していたのは確かである。氏は船上にどこの国のものかわからない飛行機が飛来したあと、殺される心配はなくなったと述べている。拉致実行犯が海上で金大中氏の殺害を断念したのはそのときであったろう。

金大中氏は五日後の八月一三日、ソウルの自宅付近の路上で犯人グループに置き去られ、自宅に帰った。テレビの中の金大中氏は痛々しい姿で、泣いていた。殺されなかったことはよかったが、金大中氏の敵の行為の恐ろしさに私たちはあらためて慄然とした。それとともに日本の政府警察が東京から神戸までの高速自動車道でなぜ犯人の自動車を止められなかったのか、疑いを深めた。

金大中氏の原状回復を求めて

ベトナム戦争反対の市民運動をしてきた人々はこの事件に敏感に反応し、八月二三日に金大中氏の拉致事件に関する声明を出す企てが呼びかけられ、私も加わった。この声明を記者会見で発表したのがジャーナリストの青地晨氏であった。私は記者発表には出ていない。署名者七八人の多くは、飯沼二郎、小田実、久保圭之介、小中陽太郎、鶴見俊輔、吉川勇一、そして私を含めベ平連とベトナム戦争反対の市民運動をしていた人たちであった。鶴見さんはメキシコから帰ったばかりであったが加わっていた。それ以外にはジャーナリストの藤島宇内、森恭三、文学者の大江健三郎、大岡昇平、岡部伊都子、中野好夫、中村武志、弁護士の佐々木秀典らが名を連ねていた。声明は、この事件は「人間の自由に対する公然たる挑戦でなくてなんであろうか」として、金大中氏誘拐の経過を日本の警察は明らかにせよ、日本政府には韓国KCIAの活動を日本国内においていっさい許さないこと

を要求する、韓国政府には金氏とその家族の安全を確保することを要求する、両政府は金氏の「来日を早急に実現するように配慮することを要求する」としていた。

金大中氏は、自分が議長となって韓国民主回復統一促進国民会議日本本部を結成する前夜に拉致された。議長を失った人々は組織を結成して運動を開始した。略称「韓民統」と呼ばれたこの組織の中心には、在日韓国人の活動家である裵東湖、金載華、鄭在俊、趙活俊、郭東儀の各氏、金大中氏の同郷の友人・金鍾忠氏、金大中氏のボディガードであった金君夫氏などがいた。この人たちの日本人への働きかけが大きな役割を演じた。

青地晨（左）と金大中

リベラルなアジア主義者の自民党国会議員・宇都宮徳馬氏は金大中氏の友人として積極的に動いた。社会党議員の田英夫氏も同様だった。プロテスタント系の日本キリスト教団総監事・中嶋正昭氏、ＮＣＣ（日本キリスト教協議会）の東海林勤氏らはすでにこの年の一月に金大中氏に会っていた。先の声明の署名者にそうした人々が加わって「金大中氏を助ける会」が生まれた。九月五日になると、警視庁が金東雲一等書記官の指紋を現場から採取したと発表した。拉致はＫＣＩＡの犯行だということが公然たる秘密となった。

「助ける会」は金大中氏拉致事件の真相究明、氏の原状回復、再来日の実現といった要求を提示した。韓国の公的機関が日本の中で拉致を行なうというのは、日本の主権侵害になる。だから、拉致された人の原状を回復せよというのである。こう言うと、朝鮮の国権をかつて奪った日本が自分の主権を侵害されたと言い立てることがおかしい、という意見も出てきた。他方で、日本社会の中には、韓国をひどい国だと言い立てて、低く見る態度も現われた。

ところで日韓関係に注意を集中させていた私たちは、九月に日本政府が北ベトナムと国交を樹立したことに眼もくれなかった。

だが、朴正煕政権の鉄腕で完全に抑えられていたと見えた韓国で、学生たちが立ち上がった。一〇月二日、ソウル大学校文理科大学の学生三〇〇人が集会し、決議文を発表した。「今日、われわれは全国民大衆の生存権を脅かすむごい現実をこれ以上見るに忍びず、自らの良心の命令に従い、憤然と立ち上がった」。「学友よ、自由と正義、そして真理〔……〕。今日、われわれは、あまりにも悲痛で、むごい祖国の現実を直視し、社会にまんえんしている無気力と挫折感、時の権力にあやかり、無事安易主義、そして屈従の自己欺瞞を断固一蹴し、悪と不義に抵抗して、この地に正義、自由、そして真理を必ず実現させる歴史的な民主闘争の初の松明に火をつける」。

私たちは、この韓国の学生たちの精神の強さに心の震えるのを感じた。

一〇月九日からは、宇都宮議員が委員長を務める衆議院決算委員会は、日韓癒着にメスを入れはじめた。その内容はセンセーションを呼んだ。一〇月二六日、「助ける会」はべ平連の作家・小中陽太郎氏を韓国に送り、金大中氏の再来日を求める声明を中央政庁に届けた。

だが一一月二日、金鍾泌（キムジョンピル）首相が来日し、当時の田中首相と会談し、金大中事件に幕を引いた。金首相は謝罪を表明し、金大中の在外活動をこののち罪に問わないということを約束した。もちろん金大中の出国は認めないとの回答だった。日本政府はそれを受け入れた。いわゆる政治決着である。助ける会では、この日、青地・小中・吉川氏らと私が抗議文を首相官邸に持っていった。一一月一八日には、政治決着に抗議し、金大中氏の再来日を実現させる国民集会が開かれた。助ける会のほか、金大中事件の真相を究明する会、金大中事件を考える法律家の会、金大中問題を考えるキリスト者の会、金大中事件を考える学生の会などが協賛した。読売ホールに約五〇〇人が集まった。しかし、集会の決議文が用意されていなかった。私は集会の準備を手伝ってくれていた韓青同（在日韓国青年同盟）の顔見知りの青年に「声明はどうなっているのだろう」と聞いてしまい、「そんなことは、われわれは知らないよ」と言われて、顔から火が出るように恥ずかしかった。韓民統、韓青同に助けてもらって集会を開くのではダメだということがはっきりした。

政治決着をはかった田中政権は、一二月末に日韓閣僚会議を再開しようとした。これに抗議する国民集会が一二月一四日に読売ホールで開かれた。集まったのは三〇〇人であった。今度は田英夫議員を連絡先とする「金大中氏の再来日を実現させる国民協議会」が主催者になっていたが、この組織も看板だけのものであった。もっとも今度は私が原案を書いた集会決議が採択された。

「ここで約束される経済援助は、従来にもまして韓国民衆の闘争を鎮圧するための資金の性格をもつものである。それは、対韓援助から甘い汁をすう一部の政治家と企業、韓国に進出している三〇〇に近い企業、韓国女性を辱める日本人観光客がのぞむ行為であるかも知れない。しかし、民主主義と自主的発展をもとめて立ち上がった韓国民衆とともに、日韓関係を正すことを願う日本国民の立場からすれば、断じて容認されうるものではない」。

「今日、問われているものは、われわれの国のあり方であり、日本人の国民的品性の問題である。われわれは、日韓閣僚会議に反対するために、のこされた期間、全力をあげて、運動することをここに決議する」。

一二月二六日になって、日韓閣僚会議が開催されるのに抗議して、日比谷公園に集まった人は七人だった。青地晨氏と私はこのデモで一緒に歩いた。

注目されるのは、一二月一九日、梨花女子大生が金浦空港で売春観光を即時中止せよ、というデモを行なったのに応えて、日本基督教婦人矯風会の高橋喜久江、ＮＣＣの山口明子、土井たか子議員の秘書・五島昌子らが結成した「キーセン観光に反対する女たちの会」がビラ撒きをしたことである。一二月二五日、五〇名の女性が羽田空港で韓国に向かう男性観光客に買春観光反対の最初のビラを渡した。そのビラには韓国女子学生の訴えが引用されており、かつて日本が多くの朝鮮の娘たちを従軍慰安婦として狩り出したことが指摘されていた。「その同じ地に、今日では金さえ持てば何をしてもよいとばかりに、集団をなして、隣国の女たちを辱めに行く」。

私の清水の高校の同級生が、旅行会社大手の近畿日本ツーリストに勤めていたが、「和田君たちの運動には困ったよ」と何度か同窓会で言っていたので、「女たちの会」の運動が現実的なインパクトを与えたことがわかった。この女性たちの行動が日韓連帯運動の歴史を開いたと言っていい。「女たちの会」は八六頁のパンフレット『キーセン観光――性侵略を告発する』を翌年四月に出した。これも最初のパンフレットである。

ソルジェニーツィンを救え

年が開けて、一九七四年の二月、今度はソ連からたいへんなニュースが伝えられた。かねてより権力と対峙していた作家ソルジェニーツィンが、ついに二月一二日逮捕され、一三日に市民権を剝奪されるとともに国外追放処分を受け、ドイツに出国させられたのである。

ソ連社会はブレジネフ書記長の下で安定を保っていると見えたが、六〇年代末になると、小説『イワン・デニーソヴィチの一日』でデビューしたラーゲリ帰りの作家ソルジェニーツィンが、当局と作家同盟の圧力に抗して次々に作品を書き上げ、国外に原稿を送って、公然と出版するにいたった。長編小説『ガン病棟』は一九六六、六七年に完成され、日本でも六九年に新潮社から小笠原豊樹訳で出版された。それとともにソ連で出版したいというソルジェニーツィンの希望と、それを許さない力の激突を知ったのである。

ソルジェニーツィンはそのような闘争を経る中で、ソ連の共産党国家体制を根底的に批判することをめざして、大作『収容所群島』の執筆にかかり、一九六八年にはこれを完成していた。その原稿の一部は日本の木村浩氏に届けられ、木村氏はその翻訳を進め、内容の紹介をはじめていたのである。

同じように、ソ連社会内部の「異論派（dissidents）」と呼ばれる人々の自主的な言論執筆活動の成果、「サミズダート（samizdat、自主出版物）」も国外に持ち出され、欧米で出版され「タミズダート（tamizdat、国外出版物）」となる動きが進んでいた。日本では、自身がシベリア抑留後に服役させられた経験を持つ内村剛介氏の編集で、異論派の文献の翻訳紹介が進められ、『現代ロシヤ抵抗文集』全八巻が一九七〇年から勁草書房で出版されはじめた。私も、アムステルダムのゲルツェン・フォンドから刊行された、ガランスコフ、ギンズブルクらの裁判資料集『四人の裁判』（一九七一年）やグリゴレンコ『一狂人の思い』（一九七三年）などを入手して、読むようになっていたのである。

その中で、一九七三年九月、ロイ・メドヴェージェフの地下出版本『歴史の審判をもとめて』（一九六八年）の、英訳版『*Let History Judge*』（New York, 1972）からの翻訳が石堂清倫訳で三一書房から刊行された。上下二巻の大著であった。『共産主義とは何か』という馬鹿げたタイトルが付けられていたが、ソ連の異論派歴史家が書いた真剣な本であった。彼は六〇年代にソ連国内で刊行された文献を細かく見て、古参ボリシェヴィキからの聞き取りと合わせて、スターリンの一九三七年の大テロルを総合的に描き出した。この書を読んで、私はソ連の公式出版物の読み方にあらためて目を開かれた。

和田あき子は資料を集めて、ソ連の異論派の活動の年表を作成し、この年一〇月のロシア史研究会で報告した。この年表はさらに改良されて、翌七四年四月、『ロシア史研究』（二二号）に発表された。

まさにこのタイミングで、日ソ歴史学シンポジウムが東京ではじまった。一九七〇年のモスクワでの国際歴史学会議の折に、日本の歴史学国内委員会の委員長・和歌森太郎氏が国際歴史学会委員・高橋幸八郎氏とともに、ソ連側委員長ジューコフと話し合い、日ソ歴史学シンポジウムの定期開催を取り決めたのであった。私はモスクワでの話し合いに同席し、この企画を支持したので、以後この企画の日本側実行委員会を法政大学の倉持俊一氏とともに担うことになったものである。

第一回のシンポジウムは、東京で七三年一二月二日と三日に開くことになった。テーマは三つ、ロシア一〇月革命と日本の社会運動、日本とソ連における近現代史研究、革命的ナロードニキ主義と決められた。ソ連からは第一テーマはトペハ、第二テーマはナロチニツキーが報告者に上がったのは無難な人選だったが、私が提案し私が日本側報告者になることになっていた第三テーマのソ連側の報告者として、ナロードニキを研究していないソ連学界の長老マクシム・キムを通告してきたのには、ショックを受けた。ソ連の朝鮮族であるキム氏は、ソ連の「文化革命」の研究者として知られ、一九五七年創刊の歴史雑誌『ソ連史』の初代編集長を務めたほどのソ連歴史学界のボスの一人であってみれば、彼を日本に派遣することが決められていて、あとからナロードニキのテーマを割り振られたということだったのであろう。もともとはソ連からは外交官の中国史家チフヴィンスキーが団長格で来ることが伝えられていた。

さらに悪いことが重なるもので、当日の開会時間までソ連側の代表団は到着せず、しかもトペハとチフヴィンスキーは来られないことになったとの連絡があったのである。散々な船出であった。トペハの出国が不可能になった理由は説明されなかったが、彼の娘が東洋学研究所の所員で、異論派の声明に署名したことをのちに私は知った。そのことが父親の出国を妨げたのかもしれない。あるいはまったく別の理由だったかもしれない。

シンポジウムで私は、ニコライ・ラッセルについて報告したが、ソ連側の反応ははっきりせず、キム氏の報告は通り一辺のソ連の大学生のレポートのようなもので、得るところはなかった。

日ソ・シンポジウムは隔年に日本とソ連で交互に開くことになった。こうして私たちは、二つのチャンネルからソ連の歴史家たちの精神世界をのぞき見ることをはじめたのである。日ソ歴史家シンポジウムは公式の表側のチャンネルを通じる対話であり、ロイ・メドヴェージェフを手掛かりに公式のテキストの行間を読む努力がもう一つのチャンネルを見つける努力であった。

後者の作業の手はじめとして、私は、一九七四年四月のロシア史研究会例会で「スターリン死後二一年とソ連の歴史家たち」という題で報告することになる。私は一九五六年、スターリン批判の年における『歴史の諸問題』誌の精力的活動、それが弾圧された状況、一九六二年、第二次スターリン批判の中でのブルジャーロフらの再生、六四年のフルシチョフ打倒後の反動、歴史学界の中での後衛戦を闘うゲフテルたちといった流れを念頭に置いていた。

そのようなソ連の歴史家の動きに関心を抱きながら、韓国の民主政治家・金大中の拉致事件以後、韓国の民主化運動に連帯の意思表示を行なうことに集中していた私の心に大きな衝撃を与えたのが、七四年二月のソルジェニーツィン追放処分であった。ソ連当局はソルジェニーツィンを許さず、国外追放の処分を取ったのだが、結果的には虎を野に放つことになったのである。抗議の声は全世界で上がった。

ソ連政府の措置が発表されると、木村浩氏と友人の原卓也、江川卓両氏が中心となって抗議声明が起草され、二月一三日、ただちに発表された。署名者一四名の中に、井上光晴・大江健三郎・埴谷雄高・長谷川四郎氏ら作家も入ったが、ロシア研究者の菊地昌典・松田道雄、そして私も加わった。内容は、(1)ソルジェニーツィンの市民権を回復し、帰国を認め、ソ連国内での自由な市民生活・作家活動を保証せよ、(2)『収容所群島』にいたるまでの全作品の出版、公開を認めよ、(3)ソ連で言論・表現の自由で抑圧されているすべての人に憲法第一二五条・一二七条によってその活動と安全を保証せよ、という厳しいものであった。

この声明には、さらに署名者を募り、遠藤周作・小田実・安岡章太郎・李恢成(イフェソン)らの作家、金子幸彦・庄野新・外川継男らロシア文学者・歴史家たちなど、三八名の追加署名を得て、二月末に発表された(『世界』四月号に掲載)。

この声明に署名し、ソ連政府を批判するにあたっては、ソ連入国を拒否されることもありうると心配しなかったと言えば、嘘になるだろう。私は、ソ連にまだ一九七〇年のただ一回しか訪問していない。しかし、ベトナム戦争に反対し、いまは金大中氏の白昼拉致を批判した者として、この声明に加わることは私の義務であった。この声明を出した人々はグループをなして、以後、運動をつづけていく。グループの名称は「ソルジェニーツィンを守る会」ということになった。私はこの会に一貫して参加していった。

『週刊朝日』は、『ニューヨーク・タイムズ』に載った『収容所群島』の抄訳を当時連載していたが、その連載が終わった三月一日号にはソルジェニーツィン問題の特集が組まれ、木村浩・佐藤経明の二氏と私の鼎談を載せた。私は「ソルジェニーツィンが『レーニンのところから考え直せと』という、ロシアにとって神聖なものとされてきたもの、そこから考え直していく必要があるということを出しています」と述べ、タムボフの農民反乱について書き、独ソ戦争の際の対独協力者ヴラーソフらについても取り上げていることに注目している。最後に「非常に多くの政治犯はこの世の中にみちみちておりますね。金大中氏の問題もあるし、韓国で次々に捕らわれている問題もある」と述べ、「いま世界で政治的信条の故に不当な抑圧されている人達の問題にとって、この書物がプラスになることに期待したい」と結んでいる。

声明を出したグループは、六月に千駄ヶ谷の紅葉ホールで「ソルジェニーツィンをめぐるティーチ・イン」を開いた。会場には立っている余地もないほどに多くの聴衆が集まった。江川・木村・原・菊地氏らとともに私も登壇し発言した。しかしこのときには、私は韓国民主化運動に連帯する動きの中心に立って、たいへんなことになっていたのである。

日韓連帯連絡会議結成

一九七四年に入ると、韓国問題でも自立した市民運動がなければならない、そのためには中心と組織が必要だという気持ちが関係者の間で、ますます強くなった。

一月一五日には、プロテスタントの日本キリスト教団総幹事・中嶋正昭氏、日本キリスト教協議会幹事・東海林勤氏らが信濃町教会で韓国問題キリスト者緊急会議を開き、日韓条約締結時に日本の植民地支配に対する反省と謝罪を求める韓国キリスト者の声に応えられなかったことを認め、日本のアジアへの経済侵略に反対し、政財界の大国主義と自らの内なる差別意識と対決するという重要な決議を採択した。以後、これらの人々は、この韓国問題キリスト者緊急会議を常設の組織に転化させ、機関紙『韓国通信』を発行し、韓国の運動の文書を紹介していくことを開始した。

三月二八日、参議院議員会館で、韓国民主化運動に連帯する運動体を作るための集まりが開かれた。金大中氏を助ける会の関係者の他、宇都宮徳馬・田英夫議員とその秘書、緊急会議を作ったキリスト者、弁護士、学生などが参加した。私もそこにいた。

二つの意見が対立した。「日本の対韓政策をただす」連絡会議にすべきだと主張したのは、宇都宮議員の秘書・村上氏であった。問われているのは、私たちの国のあり方ではないか。誰かのために、誰かに頼まれたからやる運動ではない。この恥ずべき状態をただすために、私たちの名誉のためにするのだ。この意見の裏には、左翼の連帯・友好運動への批判があったのだろう。主張は正しかった。他方で「韓国民主化運動と連帯する」日本連絡会議を主張した意見にはいろいろな考えが含まれていたと思うが、やはり韓国民衆の闘いが私たちに強烈な印象を与えていることが、この意見の共通の基礎をなしていた。長い議論の末に、「日本の対韓政策をただし韓国民主化闘争に連帯する日本連絡会議」という長い名称が決まった。

これは、私たちが起こそうとしている運動の思想を表現したものだった。のちに『日韓連帯ニュース』の第一号に青地氏が書いたように、韓国の闘いに連帯する私たちの運動は、日本の韓国政策に反対する運動とならないわけにはいかない、二つは密接に関連し切り離せないというのが、みんなの意見だったのである。四月一八日に結成集会を開くことも決められた。

まさにそのとき、一九七四年四月三日、朴政権は、全国民主青年学生総連盟（民青学連）が決起を図ったので、これの鎮圧のため大統領緊急措置第四号を発したと発表した。この措置は、最高刑は死刑とすると規定して、この組織、決起に参加した学生指導者、背後操縦者たちに厳罰を課するとしていた。民青学連の決起宣言、「民衆・民族・民主宣言」が出され、詩「民衆の声」も配布されたとした。その日のうちに、民青学連の指導者、参加者として全国で多数の学生たちが逮捕された。懸賞金付きで指名手配された三人のリーダーも数日後にすべて逮捕された。そのニュースの衝撃の中で、四月一八日、予定通り私たちの結成集会が全電通会館で開かれた。集会は私の書いた結成宣言を採択した。

だが、不屈の韓国民衆は、このような弾圧に抗して闘いに立ち上がった。全国民主青年学生総連盟ののろし決起は、春に向かう民衆の反朴民主化闘争ののろしである。われわれは、その闘いの重い意味に心打たれる。そして、ふたたびくばられたビラが、韓国をくいものにしている日本人への批判をふくんでいることに注目する。

日本のカネは韓国民衆の血と汗を吸ってふくれあがり、日本に還流している。〔……〕岸信介や矢次一夫のようなロビイストがその間に暗躍している。キーセン観光に出かけ、韓国女性をカネの力で凌辱する日本人は、日韓両国政府の共犯者である。〔……〕

一四年前の明日、四月一九日は、李承晩独裁を打倒した四月学生革命の記念日である。流された血のおびただしさに痛みをおぼえつつ、われわれは、時のふたたびめぐり来ることを予感する。そのときにあたり、韓国民衆にかかる重圧を、日本を変えることによってすこしでも減らすことは、われわれの義務であろう。そのことはわれわれが生まれ変わるために何よりも必要なのである。われわれは、新たな決意のもとに、今日ここに集まった。われわれは「日本の対韓政策をただし、韓国民主化闘争に連帯する日本連絡会議」を広く組織し、持続的な運動に取り組む。

だが集会の席では、なお誰が新組織の代表になるのか、事務局長になるのかが発表されなかった。決められなかったからである。集会後、私は喫茶店で青地さんに代表就任を求めた。青地さんは、私が事務局長を引き受けるなら、代表になると言われた。私は承諾せざるを得なかった。

青地さんは、そのとき六五歳であった。佐賀県の出身で、父親は日露戦争の旅順の戦いにおいて退却を知らない猛将、櫻井忠温の戦記文学『肉弾』に描かれた青木連隊長であった。その父への反発から、反骨を養った青地さんはジャーナリストになり、戦前に『中央公論』編集次長をつとめた。一九四四年一月、ジャーナリストたちの集まりを共産党再建陰謀にでっち上げた横浜事件で逮捕され、虚偽の自白をさせられた。獄中で拷問に屈しない朝鮮人の青年に会い、強い印象を受けたという。戦後、独立ジャーナリストとして生きた青地さんの関心は「冤罪」問題に向けられた。そういう人が韓民統の依頼もあって、韓国に金大中氏を数回訪問し、『世界』にソウル訪問記も書いたのである。

青地さんはものを書かなければ収入はない。そのとき青地さんは魅力ある企業家・大原孫三郎の伝記の執筆を引き受けていた。しかし、この運動の代表になったら、書いておれないとして執筆を辞退され、受け取っていた印税の前払い分を返された。そのときから七五歳で亡くなるまでの一〇年間、青地さんは一度はじめたこの運動から退くことがなかった。私の日韓連帯運動は、青地さんとともに歩む、青地さんとの共同の事業としてはじまった。青地さんは愛用車スバルに乗っていた。家が同じ練馬区の同方向だということで、帰りはいつも青地さんが車に私を乗せて、家まで送ってくれた。

世話人は、べ平連の小中陽太郎、大泉市民の集いの清水知久（日本女子大学教授）、それに倉塚平（明治大学教授）、甲斐良一（出版社社員）、川田泰代（アムネスティ）といった人々であった。事務局を構成したのは、べ平連から来た持田直人、一橋大学全共闘からべ平連に加わった井上澄夫、徐兄弟救援運動からきた平井久志、文学青年の愛沢革らであり、とくにニュースの編集を担ったのは、もっと若い世代の人たち、高校生のときから神楽坂べ平連で活動をはじめた中部博・小林たけし・国田敬子・岡本和之らであった。一九七四年に解散したべ平連に残っていた若いエネルギーが日韓連帯運動に流れ込み、支えてくれることになったのである。立派に印刷された『日韓連帯ニュース』の創刊号は一九七四年六月一日に刊行されたが、連絡先は青地晨宅となっている。二号から一一号までは旧べ平連の神楽坂事務所が連絡先だった。

金芝河を殺すな

民青学連の指導者の逮捕の報道が続く中で、日本人の早川嘉春・太刀川正樹氏の逮捕のニュースも伝わった。早川氏は語学留学中の研究者であり、太刀川氏は週刊誌の記者であった。日韓連帯連絡会議はいちはやく五月八日に、民青学連の弾圧、早川・太刀川両氏の逮捕についての抗議声明を出した。六月七日には、私たちは、二日前にはじまった金大中氏の選挙違反事件裁判に抗議するとともに、民青学連事件逮捕者の釈放を求めるデモを韓国大使館に向けて行なった。この最初のデモの参加者は一〇〇人であった。

六月一五日、民青学連事件裁判がはじまった。軍事法廷に出た被告の中に詩人キム・ジハが入っていることが伝えられた。それと同時に私たちは、民青学連の決起の際、配られた長詩「民衆の声」の全文を入手した。原文はワラ半紙三枚にハングル文字のタイプ謄写で印刷されており、署名・日付けはない。連帯会議では、在日朝鮮人の詩人・姜舜（カンスン）氏に依頼して訳文を得た。この詩は、潜行中の活動家・張琪杓（チャンギプヒョ）氏が書いたものであったが、このときは、背後操縦者として逮捕され、裁判の被告となっていることがわかった詩人キム・ジハが書いたものではないかと考えられた。もちろんわれわれは、キム・ジハ氏への影響を考えて、そのような想定をすることを控えていた。しかし六月一六日、この詩を彼の作と断定する『ガーディアン』紙の記者ロバート・ワイマント氏の記事が、『読売新聞』に「金芝河氏の新作、ひそかに東京へ」との見出しつきで掲載された。

キム・ジハは、その作品『五賊』や『蜚語』によって韓国政府に迫害を受けた詩人だと知られていた。作品集キム・ジハ『長い暗闇の彼方に』は、すでに一九七一年末に中央公論社から出ていた。だからと言って、日本の中でもそれほど知られていなかった詩人だが、詩人が学生運動の背後人物として逮捕裁判されるということが、われわれに衝撃を与えた。しかも、その人が行動のために書いた詩が日本の私たちに届いた。キム・ジハに「金芝河」という漢字名を与えたのは、このときの日本の新聞であった。私たちは混乱のうちに、キム・ジハの問題を〝金芝河の問題〟として取り組むことになった。[◆1]

日韓連帯連絡会議は、六月二一日に記者会見を行ない、金芝河の作かもしれないとして、「民衆の声」全文を発表した。この詩は韓国民衆の怒りを表現し、朴政権を全面的に告発し、糾弾する煽動詩であった。翌日、各紙が取り上げてくれた。朝日は「金芝河作か」と報じたのに、読売は金芝河作として大きく扱い、『週刊読売』は全文を掲載してくれた。

朴政権は、「民衆の声」が朝鮮民主主義人民共和国でしか用いられない言葉を用いていると宣伝し、四月決起が韓国の外から誘導された動きであるかのように主張する根拠の一つにしたが、われわれの見るところ「民衆の声」は、金芝河を含めて韓国民衆の心の底からの怒りを表現した、朴政権に対する全面的な告発、糾弾の一文であり、朴軍事独裁政権を激しく刺し貫く言葉の刃であった。

この詩は金芝河が書いたものとして、注目を集め、六月二七日の全電通会館での日韓連帯連絡会議主催の最初の集会では、俳優の佐藤英夫氏によって朗読され、強い印象を作り出した。佐藤氏は朗読しやすいように、ところどころを直して、町の通りで集まってきた人の輪の中で演説するような調子で、真情を込めて朗読してくれた。それを聞いていて、私も、語られているのが日本のことであるように感じた。GNPを上げることばかりを考えて、暮らしが破壊されているわれわれの現実が、韓国ではもっと恐るべき状態に進められているということではないか。民衆に立ち上がれと呼びかけている詩人の言葉は、まさにわれわれに向けられているような気がした。

六月二九日、日韓連帯会議は、芝公園二三号地より韓国大使館へ向けて二度目のデモをしたが、人数は六〇名ほどであった。終わってから渋谷へ出て、「徐君兄弟をたすける会」のデモと合流した。七月四日、一九七二年に金芝河氏救援に動いた小田氏や真継氏が中心となって、大江健三郎・柴田翔・宮原昭夫の三氏を誘い、五名で共同声明を出したが、新聞はほとんどこれを黙殺、読売一紙だけが報道してくれただけだった。

そうこうしているうちに、七月九日、金芝河を含めた民青学連事件の被告一四人に、死刑の求刑がなされたという知らせが入った。学生の最高指導者として、李哲(イチョル)、柳寅泰(ユインテ)、金秉坤(キムビョンゴン)、羅炳湜(ナビョンジェ)、呂正男(ノジョンナム)、背後操縦者として、金芝河と旧人民革命党八氏、都礼鍾(トイェジョン)、李賢培(イヒョンベ)、徐道源(ソドウォン)、河在完(ハジェワン)、宋相振(ソンサンジン)、李銖秉(イスビョン)、禹洪善(ウホンソン)、金鏞元(キムヨンウォン)である。人民革命党事件とは、一九六四年に日韓条約反対運動をつぶそうとした朴政権が、人民革命党を組織したとデッチあげて反共法違反で投獄した事件である。この人々は三年間ほど投獄され、出獄したあとは普通の市民生活をしていた。それが、慶南大の学生運動指導者・呂正男(ノジョンナム)と関係があったとして、ふたたび背後操縦者にデッチ上げられたのである。

このニュースを聞いて、小田実、青地晨、鶴見俊輔、吉川勇一、久保圭之介、中井毬栄、それに私が夜のうちに動き出した。鶴見氏は、この夜、ボストン大学の政治学者のハワード・ジンに国際電話を入れた。サルトルにも連絡の手が伸ばされた。一九七二年の活動の経験が生かされたのである。明けて一〇日の午後、渋谷の山手教会で、金芝河らを助ける会の発足の記者会見が行なわれた。日本人と在日朝鮮人・韓国人とが一緒に活動することは、自然に生じた。記者会見には、大江、小田、柴田、真継、宮原、青地、鶴見、日高六郎、藤島宇内、小中陽太郎、平山照次、金達寿(キムダルス)、金石範(キムソッポム)、李進熙(リジンヒ)、鄭敬謨、尹学準(ユンハクチュン)、金慶植(キムギョンシク)、ニコラ・ガイガー、それに私が出席した。中井毬栄氏は出席したが、名前は出さなかった。ガイガー女史は、クェーカー教徒の活動家で、金芝河の友人である。鶴見氏が起草した「訴え」が読み上げられた。

「『五賊』『蜚語』『銅の李舜臣』などの作品を通じて彼に対して敬意をもった私たちは、この詩人が極刑に処せられることに抗議する。彼はカトリックの信者であり、キリスト者として、また人間としての自分の信条にもとづいてこれらの作品を書き、また教会運動に身を投じた。彼の同志もまた、今日の韓国の状勢において、貧困と圧迫からの自由を求めて、人間としての当然の抗議の声をあげたものと思う」。

金芝河とその仲間を釈放せよ――これが要求であった。この「訴え」には、すでに、チョムスキーとハワード・ジン、サルトルとボーヴォワールの署名もあった。

七月一三日の朝、金芝河氏に対し、死刑の判決が出された。午後、神楽坂の旧べ平連事務所に人々が集まった。やりきれない思いが、みんなの心にあった。大江氏は、先日の「訴え」には、日本政府への抗議がないとして、「いわゆる経済援助というかたちで韓国政府を支えている日本攻府のありようを考えれば、とくに日本人として金芝河を救うために働く責任と義務がある」と書き加えた。真継氏がハンストをする意志を表明した。それら聞いていた金石範氏が、「真継さんがするのなら、私もやります」と言った。

七月一六日、真継氏の言い出したハンストに、金石範・金時鐘(キムシジョン)・南坊義道氏らが同調して、夕方六時より数寄屋橋公園で、ハンストに入った。取材旅行から帰った

◆1 「キム・ジハ」はペンネームであり、本人はハングル表記しかしていなかった。しかし、ジハは本人の気持ちでは「地下」のハングル読みであった。後年、最終的に出獄した彼は、私たち日本の支援者に蘭の花の絵を贈ってくれたが、それには「地下居士」とサインを入れてきたのである。

ばかりの李恢成氏が駆けつけて、そのままハンストの仲間入りをした。われわれは、ハンストについてはまったくの素人であり、靖国法案に抗議してハンストをしたキリスト者の青年から、ハンストのため公園の使用許可を申請して、認められるということはありえない、無届で強行するしかないのだということと、テントを張るのに杭が打てないので、ブロックを持っていくことが必要だ、ということを教えてもらっただけであった。筑摩書房から借りたテントの中に五人が座り、ハンスト決行中の立看板を出したが、準備が実務的にはじまったのは、ハンストが開始されてからであった。韓国青年同盟が畳とテントを貸してくれた。ともあれ、あのコンクリート張りの公園の一隅、とめどもなく人が流れていく道端に、二人の日本人と三人の朝鮮人が食を断って座り、応援の若者がビラを配り、署名とカンパを集めはじめると、人々の心に変化が生じた。「金芝河らを殺すな」という訴えに人々は心を開き、若者たちの署名の前に足を止めたのである。

ハンストは一九日に終わったが、三日間で集まったカンパは一〇〇万円を超えた。その日の韓国大使館へのデモには、今度は一〇〇〇人が参加した。この日に向けて日韓連帯連絡会議は、ニュース号外を出した。表面には、一審の被告と判決を載せた。死刑判決を受けた中には李哲・柳寅泰、人民革命党の人々がいて、無期懲役の判決を受けた中にはのちに知り合う金孝淳（キムヒョスン）（『ハンギョレ新聞』前編集局長）、徐仲錫（ソチュンソク）（成均館大教授）氏の名も見える。裏面には、鶴見俊輔氏の文章「金ジハ、最初の言葉」である。

「〔金芝河の〕部屋に入ってから、私たちは、訪問の目的をはなし、金芝河の釈放を要求する署名運動のことをはなした。すると、彼は、それに感謝すると言い、こんなことを言いそえた。“Your movement cannot help me. But I will add my voice to help your movement.” 初対面の外国人から今きいたばかりの運動について即座にこ

号外
日韓連帯ニュース
日本の対韓政策をただし韓国民主化闘争に連帯する日本連絡会議
韓国非常普通軍法会議一審判決
朴と田中による殺人を許すな
この怒りを行動へ！
緊急アピール

『日韓連帯ニュース』号外（1974年7月10日）

のように答えるというのは、どれほど彼がお座なりの言葉から自由であるかを示している」。

日韓の運動の関係についてのこの言葉は、私たちの運動の精神となった。金芝河のために運動することは、韓国の人々を救うためにするのではなく、自分たちのあり方を見直すため、つまりは自分たちを救うために運動することなのだ、と考えることであった。

七月二〇日、金芝河ら五被告は無期懲役に減刑となった。二三日に、日韓連帯連絡会議、金芝河らを助ける会の合同記者会見が、山の上ホテルで行なわれた。記者会見で、小田氏より国際的支持の広がりについて報告がなされた。アメリカでは、ジョージ・ウォールド、S・ルリア、セント＝ジェルジらのノーベル賞受賞者、J・コーエン、E・ライシャワーらのアジア学者、P・ベリガン神父、D・デリンジャー、ドン・ルースらのベトナム反戦運動の活動家。タイからは、プーイ・ウンガホルン首相顧問ら五人、それに国会議員が二五人。西ドイツからは、ウィリー・ブラント。イギリスからは、ケンブリッジのニーダム教授と労働党全国執行委員会のメンバー四人。ノルウェーからは、平和研究所のヨハン・ガルトゥング。このような人々が金芝河らを助ける国際委員会への参加を表明してきたのである。青地晨さんが民青学連事件被告の法廷陳述要旨を発表した。金芝河は述べている。「維新独裁打倒のみが、この民族を救う道である。学生だけが希望である。〔……〕学生運動を助けることならば、どんなことでもしてやりたい」。学生たちは自らの信念を披歴していた。

七月二五日、読売ホールで日韓連帯連絡会議と金芝河らを助ける会の共催で「金芝河ら全被告を釈放せよ、殺すな」集会が開かれた。一二〇〇人入る会場は満席であった。大江健三郎氏は、この集会で金芝河の詩を二篇朗読した。大江氏は「黄土の道」の結びの部分を一〇枚の色紙に書いて私に渡し、これを売って運動の資金にしてほしいと言われた。

ああ、あの日の万歳は十年を経たが
針金のくいこんだ肌に、息づかいに
あなたの声を感じ、むせび泣きつつ
私はゆく、父よ
あなたが斃（たお）れたところ
プジュンモリ河口のほとり、ぼら跳ねるところ
筵（むしろ）に覆われてあなたが死んだところ

七月二七日、数寄屋橋公園で、第二次のハンストがはじまった。鶴見俊輔・金達寿・針生一郎・李進熙の四氏である。今度は、K君の総括する支援グループの準備も

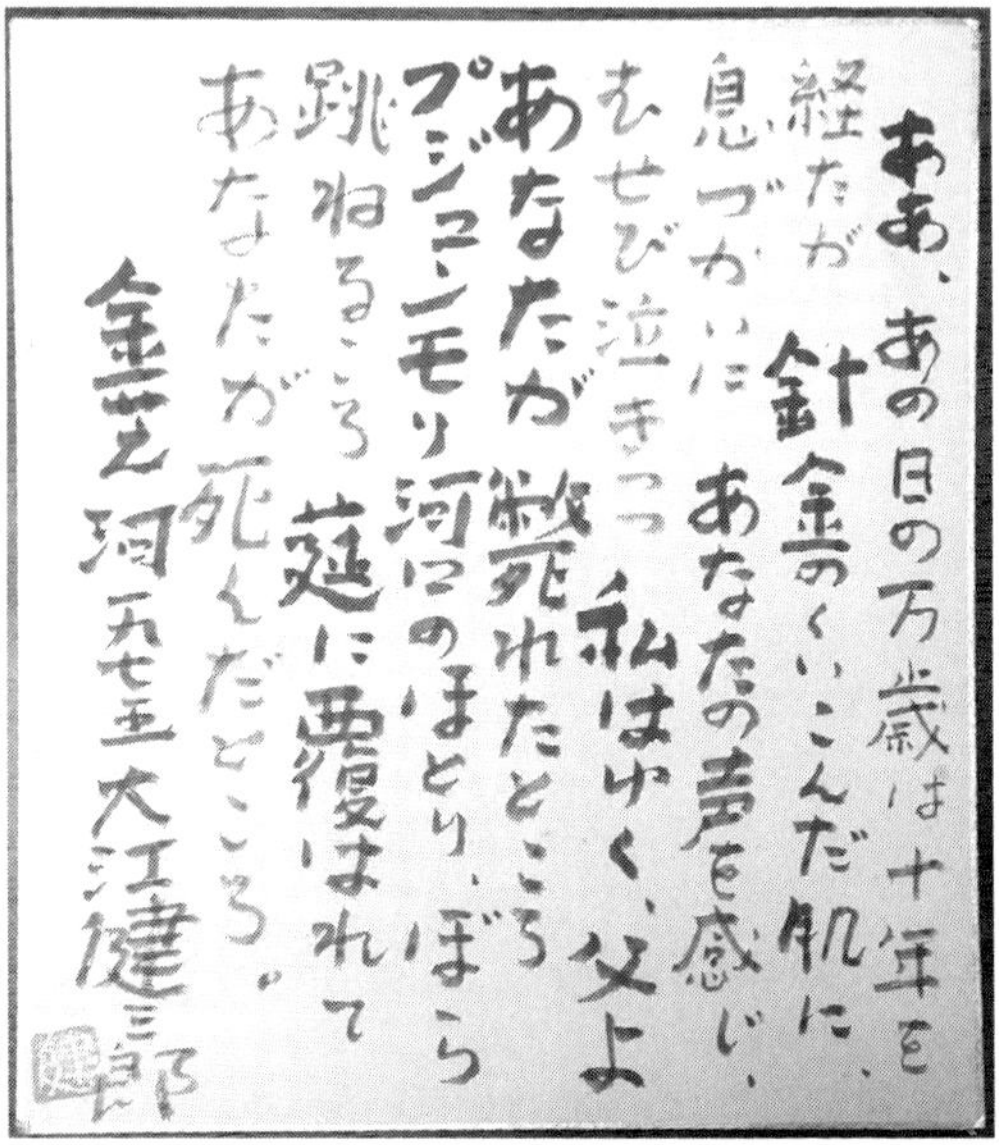

大江健三郎が金芝河の詩篇の一節を書いた色紙（1974年7月）

順調で、雨に弱い畳に代えて発泡スチロールを買い込んで床にした。これは、地下道で寝ている人々から学んだ民衆の知恵である。前回もそうであるが、この第二回のときも、支援組として参加してくれた青年たちの献身ぶりは賞賛に値した。

七月三〇日、ハンスト終了。カンパはこの期間も、やはり一〇〇万円に達した。夜、祖国統一在日知識人談話会と日韓連帯連絡会議共催の「民族詩人金芝河の夕べ」が読売ホールで開かれた。ふたたび満員。鄭敬謨氏が開会の辞の中で、軍法会議で裁かれている金東吉（キムドンギル）教授の逮捕直前の演説のテープを聞かせてくれる。ハングルはわからないが、人々の爆笑が聞こえる。抑圧者を笑いとばす、その気力に感服した。ハンストを行なった四人の人人が、壇上に上って挨拶した。鶴見氏が「この調子で生涯の終りの日まで歩いていきたい」と心に沁みる話をされた。

八月八日、金大中氏拉致の一周年である。この日の昼、金芝河らを支援する国際委員会訪韓団が、一万七〇〇〇人の署名簿を持って羽田を出発した。日高六郎氏が団長で、女子学院院長・大島孝一、編集者・藤枝澪子、アメリカ人のノーベル賞受賞者ジョージ・ウォールド教授と平和運動家のフレッド・ブランフマンの四人が団員であった。私は羽田へ見送りにいったが、訪韓をやめさせようとやってきた韓国大使館員は、蒼ざめた顔の汗が不気味だった。

午後二時、金大中氏が拉致されたホテル・グランドパレスで、竹入義勝・公明党委員長、成田知巳・社会党委員長、宮本顕治・共産党委員長と、青地晨・小田実両氏の五者会談が開かれた。すべて小田氏の働きかけによるものであった。小田氏が用意しておいた「共同の訴え」案に対する各党首からの修正意見が盛り込まれて、記者会見で発表された。

「韓国の政治のありよう」は、「世界の人間すべての問題」だが、朴政権を援助している田中内閣と大企業をかかえる「日本の人間にとって過去の植民地支配とあいまって、これはまさしく他人ごとではない」。だから、われわれは「イデオロギー、人種、年齢、性別のちがいをこえ、人間としての原理にもとづき」、全政治犯の釈放、対韓援助の根本的再検討を要求するのだ。そのための第一歩として、九月中旬に集会とデモをしよう。八月八日に、ホテル・グランドパレスでこのような声明が出たことは、やはり画期的なことである。

ソウルに行った日高団長の国際委員会は、金大中氏宅を訪問し、咸錫憲（ハムソクホン）氏と会い、金東祚（キムドンジョ）外相に署名を渡して帰国してきた。大成功のミッションであった。この一部始終は、日韓連のパンフレット『訪韓報告』（九月刊）で公表された。日韓連はこのあとも、パンフレット『資料「人革党事件」――家族の証言』（一一月刊）を出している。いずれもニュース編集部の手際よい仕事であった。

文世光事件の波紋

その一週間後、一九七六年八月一五日、韓国の光復節式典会場で、在日韓国人の青年が朴大統領をピストルで狙撃するというたいへんな事件が勃発した。どういう経過であったか不明だが、朴大統領は無事で、大統領夫人陸英修（イクヨンス）氏が被弾し死亡した。文世光（ムンセグワン）というその青年の背後関係についても、さまざまな憶測が流れたが、真相はいまも明らかではない。韓国の世論は激高して、反日デモが荒れ狂った。

私たちは当惑したが、自分たちの運動を進めなければならなかった。三党と韓国民主化運動連帯派市民の集会とデモを準備する折衝は、私に任された。社会党の国民運動局長・伊藤茂氏と共産党の統一戦線部長・津金佑近氏を相手に困難な協議を行なった末に、九月一九日に明治公園で国民大集会を開催することにこぎ着けた。当時の共産党は新左翼諸党派のヘルメット・デモ隊を排除することを、統一行動の原則にすることを主張していたので、それを回避して何人も排除しないという原則を貫いて、話をまとめることが私の課題であった。何とか排除原則を立てることは回避できた。デモの届け出は私にまかせてほしいとして、私一人で警視庁に行って届けを出した。当日は約三万人が集まった。デモ隊の先頭を、竹入・成田・宮本の三党首と小田・青地両氏が歩いた。

この二か月間の疾風怒濤の運動は、べ平連を中心とするベトナム反戦市民運動が創り出した力が、韓国問題という新しい土壌で花を咲かせたものであり、日韓連帯運

1974年9月20日（金曜日）

朴政権に全政治犯の即時釈放を求め、政府・財界に対韓政策の根本的転換をせまる　9・19国民大集会

九・一九国民大集会で採択されたアピール

9・19 韓国民主化運動連帯・国民大集会のデモを報じる『赤旗』（1974 年）

動が運動として離陸することを可能にしたものであったと評価できる。

在日韓国人政治犯問題への関心

金大中・金芝河に対する抑圧・裁判・死刑判決に対して、日本の世論が敏感に反応し、救援運動がかつてない高まりをみせたとき、同時に起こったのが、在日韓国人がスパイとして捕らえられ、死刑を求刑されるという事件である。もちろん、一九七一年四月に発表された徐兄弟（徐勝・徐俊植）の事件がはじまりであるが、七三年六月には浦項製鉄理事・金鉄佑、北大助手・金喆佑兄弟の事件が起こり、つづけて東大を卒業した崔昌一氏の事件も報じられた。金鉄佑氏は東大の生産技術研究所の技官であった人なので、生産技研はこの兄弟の救援のために行動を開始した。私は日韓連の運動を開始してから、金兄弟の事件を知ったのだが、この兄弟は私の郷里である静岡県の清水市の出身であることがわかった。東大に留学した韓国人学生としては、東大法学部大学院の坂本義和ゼミで学んだ金栄作・崔相龍の両氏が、一九七三年二月に逮捕されるという事件も起こっていた。「東大には赤門がある。そこをくぐると、みなアカ（パルゲンイ）になる」と韓国で言われているということを聞いて、私は生産技研の金鉄佑救援会と、法学部で金氏・崔氏の救援をしているグループの大沼保昭氏と連絡を取り、実行委員会を結成して、一九七四年一二月八日、経済学部の教室で、講演集会「今日の日韓関係とわれわれ」を開催した。両救援会から事件の概要、裁判の状況などを話してもらい、学内に知らしめたのである。

一九七五年に入ると、三月には在日韓国人でスパイとして逮捕された、松戸のパチンコ店主・崔哲教氏が第二審で死刑判決を受け、五月には大法院で死刑が確定するという事態となった。他方では、四月一日には元民団東京の副団長であった陳斗鉉氏への一審死刑判決が出るというような、司法テロリズムが演じられた。崔さんについては地元松戸で救援の動きが起こり、陳さんには息子の学ぶ東京教育大附属駒場高校の生徒たちが立ち上がっ

郵便はがき

料金受取人払郵便

麹町支店承認

6246

差出有効期間
2024年10月
14日まで

切手を貼らずに
お出しください

102-8790

102

［受取人］
東京都千代田区
飯田橋2―7―4

株式会社 作品社
営業部読者係　行

【書籍ご購入お申し込み欄】

お問い合わせ　作品社営業部
TEL 03(3262)9753／FAX 03(3262)975

小社へ直接ご注文の場合は、このはがきでお申し込み下さい。宅急便でご自宅までお届けいたしま
送料は冊数に関係なく500円（ただしご購入の金額が2500円以上の場合は無料）、手数料は一律300
です。お申し込みから一週間前後で宅配いたします。書籍代金（税込）、送料、手数料は、お届け時
お支払い下さい。

書名	定価　円	
書名	定価　円	
書名	定価　円	
お名前	TEL　（　　）	
ご住所 〒		

フリガナ
お名前

男・女　　　　歳

ご住所
〒

Eメール
アドレス

ご職業

ご購入図書名

●本書をお求めになった書店名

●ご購読の新聞・雑誌名

●本書を何でお知りになりましたか。

イ　店頭で

ロ　友人・知人の推薦

ハ　広告をみて（　　　　　　　　）

ニ　書評・紹介記事をみて（　　　　　　）

ホ　その他（　　　　　　　　）

●本書についてのご感想をお聞かせください。

ご購入ありがとうございました。このカードによる皆様のご意見は、今後の出版の貴重な資料として生かしていきたいと存じます。また、ご記入いただいたご住所、Eメールアドレスに、小社の出版物のご案内をさしあげることがあります。上記以外の目的で、お客様の個人情報を使用することはありません。

た。その一人、高校一年の生徒会副会長が後年、韓国朝鮮問題の研究者で立教大学教授になる石坂浩一君である。

日韓連は、この家族・知人らの救援運動に協力したが、その運動を自分たちの課題としては取り上げなかった。のちに崔さんの救援会の中心になっていた吉松繁牧師が呼びかけて、在日韓国人〝政治犯〟を支援する会全国会議を、一九七六年六月二〇日に結成した。代表には明治大学教授・宮崎繁樹氏が就任し、吉松氏が事務局長になった。このときはすでに在日韓国人政治犯七人に死刑判決が出ていた。しかし、幸いなことに運動の働きかけの効果もあったか、朴政権は朴大統領狙撃犯の文世光をのぞいて、在日韓国人への死刑判決を執行しなかった。

富山化学の公害輸出に反対する

韓国で抑圧される人々に対する救援の運動や、日韓関係の歴史を学ぶ活動ともまったく異なる、新たな運動もはじまった。

一九七四年四月、富山化学という会社が住民の声に押されて、水銀を使う赤チン（殺菌剤マーキュロクロムのこと）製造工場を閉鎖し、そのまま韓国へ持っていこうとした。これに反対する青年たちが、「富山化学の公害輸出をやめさせる実行委員会」を結成し、四月二七日に本社前で最初のデモを行なった。東京大学の工学部の助手・宇井純が、一九七〇年一〇月から自主講座「公害原論」を大学の中でつづけており、公害反対の市民運動に取り組む青年たちを育てていた。富山化学の問題に取り組んだ青年たちもそこから出た人々であった。運動がはじまると、会社は四日後に計画の中止を発表した。青年たちは喜んだ。しかし、その喜びも束の間に終わり、今度は日本化学という企業が重クロム酸ソーダを製造する工場を、蔚山（ウルサン）に造ろうとしていることがわかった。それで、富山化学の公害輸出をやめさせる実行委員会は、一九七四年九月二八日以来、江東区亀戸にある日本化学本社に向けて、蔚山工場をつくるなというデモを開始したのである。この運動の中心には元ベ平連の井上澄夫氏がいて、この運動を日韓連帯会議と結びつけた。青山正・山岸順子君ら学生たちが運動を担っていた。日韓連帯会議もこの運動に関心を払い、協力の関係にあった。二人は運動が終わったあとに結婚して、青山君はリンゴ生産農家である長野県の山岸家に入って、二人で一家を支えるようになる。青山氏はのちにプーチンのチェチェン作戦を批判する運動をはじめた。

この運動が熱心につづけられているうちに、日本化学が本社工場の周辺、亀戸・大島・小松川に猛毒のクロム鉱滓を無処理のまま放棄してきたことが暴露されるにいたったのである。この暴露は、工場周辺の住民に影響を与え、ついに一九七五年七月に墨東から公害をなくす区民の会が生まれ、公害輸出反対の運動に協力するようになった。これが東京都の秘密調査報告の暴露にいたり、六価クロム公害が社会問題と化し、日本化学の元労働者も「被害者の会」を結成するにいたったのである（井上澄夫「ばばぬきの論理をこえて」、『展望』一九七五年一二月号）。

つまり、韓国への公害輸出に反対する運動があってはじめて、日本の中で公害の被害を受けていた周辺住民が立ち上がることが可能になり、ついには工場の中で生命身体の危険にさらされながら、何も抵抗できなかった労働者が立ち上がることが可能になったのである。その意味で、大きな啓示を与えた運動であった。

ヴェントゥーリ先生の来日

一九七四年九月、イタリアからフランコ・ヴェントゥーリが夫人とともに来日した。社会思想史の水田洋教授が招かれたもので、私に連絡があった。私は一九五八年に彼の大著『*Il populismo russo*』（Torino, 1952）を読了して以来、ヴェントゥーリという人を師とも仰いでいた（和田『ある戦後精神の形成』、二六六〜二六八頁）。だから、この来日を大いに喜んだ。私は彼に会うなり、すぐに言った。

「私は、あなたの本を読むためにイタリア語を学んだのです。あなたが書いたデカブリストになったイタリア系ロシア貴族ポッジオ兄弟についての本も読みました。その後はずっとイタリア語を使わないで、今では忘れてしまいました。しかし、あなたのことはナロードニキ研究の師と思ってきました」。

ヴェントゥーリには思いがけない言葉だったろう。彼もとても喜んだようだった。一〇月二五日、本郷の学士会館で「ナロードニキ研究の現局面」と題して講演した。それは『ロシア史研究』（二三号）に掲載された。一一月二日には、東大駒場で「イタリア・レジスタンスの諸問題」と題して講演した。自身のレジスタンス運動への参加の経験についても語ったのである。私はこちらの講演会には出席できなかった。私の畏友・三宅立（たつる）の夫人・戸田三三冬（みさと）が、その講演の記録を『現代史研究』（二八号）に載せるとともに、ヴェントゥーリのレジスタンス参加について調べて、書きそえた（戸田三三冬「レジュメ・ノート」「ヴェントゥーリ断片」、『現代史研究』二八号、一九七六年五月）。それを読んで、新しいことを知った。

フランコ・ヴェントゥーリは一九一四年生まれで、父は文化史の大家で、トリノ大学教授であった。父ははっきりした反ファシストで、一九三一年、ムッソリーニ政府への忠誠宣言を拒否して、フランスに亡命した。父についてパリに移ったフランコは、勉学に励むかたわら、ロッセルリの「正義と自由」運動、反ファシズム革命の運動に加わった。一九四〇年にパリがドイツ軍に占領されると、スペインに逃れたが、逮捕され、イタリアに送還された。イタリアではムッソリーニ政権によって、三年ほど南イタリアの山中に幽閉されていた。ムッソリーニが逮捕されると、解放され、北部のトリノに戻り、「正義と自由」の系統の党、行動党の結党に参加した。行動党は、ピエモンテやピネロロ地方で反ナチのパルチザン活動を組織した。ヴェントゥーリはクネオ地区でのパルチザン部隊の政治委員、行動党のレジスタンス部隊の政治将校となった。のちに国民解放委員会傘下のピエモンテ・パルチザン部隊の軍事視察員となった。夫人はパルチザンの同志である。

ヴェントゥーリは東大で語った。「パルチザン戦争は、ほんとうに恐ろしい戦争でした。レジスタンス側の死者は、七万人に達しました」。「よりすぐれた人々が死んでしまったということです」。

戦後の一九四七年、彼はイタリア共和国のソ連駐在大使館の文化アタッシェとなり、五〇年までソ連に滞在して、ソ連では禁じられていたナロードニキ主義について研究した。二〇年代から三〇年代前半に出された豊富な文献を使って、ナロードニキ主義の思想と運動の全史を書いたのである。それはソ連社会主義体制に対する静かな批判であり、ロシアの社会主義運動の中にあった別の可能性を提示することであった。一九五二年に出されたこの本はスターリン批判以前に書かれたことになる。スターリン批判後のソ連の歴史家の仕事は、ヴェントゥーリの本を激賞するところからナロードニキ研究の再開をはかることであった。

このような経歴の持ち主である人にもかかわらず、六〇歳のヴェントゥーリ先生は、じつに穏やかな西洋紳士であった。私は日韓連の運動で多忙であったため、あまりおもてなしもできなかった。一度だけ東大に案内して、夕食をともにしただけであった。先生が帰ってから、私は論文「フランコ・ヴェントゥーリとナロードニキ研究の現段階」を『思想』(一九七四年一二月号)に発表した。

ヴェントゥーリはのちに一九七六年になって、彼が編集長を務める雑誌『リヴィスタ・ストリカ・イタリアーノ(イタリア歴史雑誌)』に原稿を書いてほしいと依頼してきた。私は、論文「ナロードニキと日本人」を書いて送った。論文は同誌の一九七七年第二号に掲載された。それは「日本歴史家特集」ということで、家永三郎・水田洋・隅谷三喜男・北原敦氏らも執筆していた。私とヴェントゥーリとの交渉は、その後もながくつづいた。

「エセーニンとマフノ」

私は学生時代、柴田三千雄先生のフランス史の講義を聴き、卒業したあとも先生のフランス革命の研究から多くを学んだのだが、とくにジョルジュ・ルフェーヴルの複合革命論の紹介に魅せられた。

一九七〇年に『岩波講座 世界歴史』の第二四巻、『現代1』に編者の柴田先生からロシア革命について書けと命じられたとき、私はルフェーヴルの複合革命論を取り入れて、都市の労兵革命と農村の農民革命の並列的進行という一〇月革命像を打ち出した。

ロシア革命は、首都の労兵革命とブルジョアジーの革命が結びついて、専制君主制を打倒した二月革命からはじまった。専制君主制が打倒されると、全国的に権力機構が末端まで壊れ、農民たちが動き出し、農民革命が登場する。一〇月革命では、世界戦争に反対する労兵革命がブルジョアジーの政府である臨時政府を打倒し、平和に関する布告と土地に関する布告を打ち出したのだが、後者は農民革命に助けられた労兵革命は農民革命の志向や実践には干渉しない、それを尊重する、という姿勢を表わしたものであった。だが、このとき同時に実現された兵士革命の課題、軍隊民主化の実現は軍隊の解体をもたらし、結果として革命的兵士集団が消滅した。労働者革命に基礎を置くソヴィエト政権が都市に孤立し、自らの革命に満足した農民が穀物を都市に提供しなくなる中で、一九一八年春の食糧危機が現出する。都市の労働者革命と農村の農民革命は軍事的に衝突することになる。私はそれをロシア革命の矛盾として指摘した。

私たちが見ていたベトナム戦争は、ホー・チ・ミンの党に率いられた農民ゲリラの戦いであった。一〇月革命では、レーニンの党が農民革命と敵対するようになったのはなぜなのか、私は問題を提起したつもりであった。眼を韓国の民主化運動・民主革命に転じれば、この運動は前衛政党が指導するというようなものではまったくなく、本来それぞれの自律的な多様な運動の複合的結びつきからなっているもの、と見えた。革命の複合的な構造に革命の成功の根もあり、革命の危機の根もあるのであろう。

まさに農民革命こそ、ロシア革命の核心的な問題である。そう考えた私は、研究所の中でのグループ研究、岡田与好（ともよし）氏が主宰する近代革命の研究に参加して、「ロシア革命における農民革命」という論文をまとめることに決めた。研究成果の論文集は一九七三年に出た。

私は、一九一七年の共同体を中心にした自立的な農民革命を描き、都市の労働者革命からする農民革命への攻撃の形として「食糧徴発軍」と「貧農委員会」を調べ、帰結として一九二一年のタムボフ反乱と食糧税を論じた。

タムボフ県のアントーノフ反乱については、『トロツキー文書集』の中にあるアントーノフ＝オフセエンコのタムボフ反乱鎮圧報告書（一九二一年七月二〇日）を使った。これはじつに冷静な報告書であるが、書かれていることは恐るべきことであった。タムボフ県では五つの郡でソヴィエト権力が農村には存在しない。共産党員一〇〇〇人が殺され、すべて都市に逃げ出すという状況であった。このような農民戦争に対して立ち向かうために、トゥハチェフスキーが率いる鎮圧軍は二つの命令を出した。命令一三〇号は、村を占領し、「匪徒村」と宣言し、村の男子すべてを軍事裁判にかけるとし、家族を人質にして収容所に入れ、男性が二週間以内に投降してこなければ、家族は県外追放、財産は没収する、というものだった。命令一七一号は、「匪徒とその家族に対するわれわれのテロルを深める」とだけしか書かれていないが、武器が発見されればその農家の家長を銃殺する、匪徒を匿う農家の家長は裁判なしに銃殺する、というものであった。ベトナム戦争の時代にこのような資料を読むことは、じつに暗澹たる思いにさせられることであった。

この論文集『近代革命の研究』は東京大学出版会から出た。編集担当の渡邊勲氏がこの論文を支持し、このテーマを書き足して本にすることを勧めてくれ、私は大いに激励された。

農民革命について、さらに調べようにも資料がない。私は文学に目を向けた。金芝河という詩人の運命に強い関心を向けていた私が、エセーニンというソ連の異端の詩人に興味を抱いたのは自然なことであった。エセーニンは農民詩人と呼ばれている。日本でも人気があり、三種の詩集が出ていた。私は『エセーニン著作集』全五巻（モスクワ、一九六六～六八年）と、ベロウーソフの『エセーニン年譜』全二巻（モスクワ、一九六九～七〇年）を入手した。これらの本から私は、エセーニンが「ノマフ」という農民反乱指導者を登場させる詩劇「ろくでなしの国」を書いていることを知った。ノマフは、実在の農民反乱の指導者マフノをモデルにしていることは明らかだった。これで、マフノとエセーニンをからませて、書くことができる、という目途がついた。

そのころ、社会思想社の田村研平氏が訪ねてきた。氏は、『知の考古学』という隔月刊の雑誌を出すことを計画している、ついては、部門を超えるような論文を連載してくれないか、と依頼してきた。私がエセーニンとマフノを論じて、最後は詩劇「ろくでなしの国」にいたるというような仕事はどうかと言うと、それは良い、ぜひやってくれということになった。できた論文を、一九七五年春の創刊号から第三号まで連載することになった。

「エセーニンとマフノ――ロシア革命における農民の運命」である。

当初は一〇月革命を讃えたエセーニンは、内戦の過程では、農民から武力で穀物を取り立てるソヴィエト権力を告発した。一九二一年の「穀物の歌」は、もっとも激しい告発の詩である。

これこそ厳しい残酷な仕打ち
その意味は人々の苦しみにつきる
鎌が重たげな穂を切る
白鳥の喉元をかき切るように
藁が肉体でもあるということは
誰も思いつかないのだ
人食鬼の粉ひき機は　歯をむき出して
小骨を口の中にほおばり　嚙みくだく
国中にひゅうひゅうと鳴る　秋のように
ペテン師　人殺し　悪党
鎌が穂を切るせいだ
白鳥の喉元をかき切るように

アナーキストのマフノの農民革命軍は、白軍を打ち破る内戦において赤軍に協力した。一九二〇年一一月、ヴランゲリ軍が総崩れになると、赤軍司令官は手の平を返して、マフノ軍を「ソヴィエト共和国と革命の敵」と呼び、攻撃を加えはじめた。エセーニンは、一九二一年三月、詩劇「プガチョフ」を書いて鎮魂歌とした。一九二二年、彼はアメリカの舞踏家イサドラ・ダンカンと再婚して、アメリカへ旅行し、その旅のさなかに、詩劇「ろくでなしの国」を書き上げた。

農民反乱軍の指導者ノマフことマフノは言う。

君らはみんな羊の皮をかぶっている
肉屋が君たちのために包丁をといでいる
君らはみんな家畜の群だ
〔……〕
わからないのか　理解しないのか
こんな平等など必要ないということが
君らの平等は欺瞞と虚偽だ

ノマフはさらに言い切る。「私は貧しいもののために祭りをしたいのだ」。「おれは今日やるのだ」。

共産党員のコミッサールは、農民に対する鎮圧作戦に嫌気がさしている。

党の命令に対する答えとして
農民の労働に対する課税に対して

国中で匪徒が荒れまわっている
権力の意志を鞭とみなして
誰を責めることができようか
あの慎重な農民たちがかくもマフノを愛するのを
　みないように
窓をしめてしまえようか
〔……〕
率直に　公然と　言わなければならない
われわれの共和国はブラッフだ
友よ、われわれは糞みたいなものだ

これに対して、もう一人のコミッサール、アメリカ帰りの共産党員は言う。

ロシア全体が空なるところ
ロシア全体が風と雪ばかりだということを
〔……〕
奥行きは一万ヴェルスタ
間口は約三千の国家
ここで唯一必要な治療薬は
街道と鉄道のネットワークだ
必要なのは木の代わりに石
瓦、コンクリート、トタン
都市は手でつくられる
〔……〕
待っていたまえ
鋼鉄の浣腸器を
この国にかけさえすれば
匪徒活動は終わりになる
仲間殺しは終わりになる

エセーニンが、共産党員の二つの反応を書いたのは、マフノの意志とこれを否定するソヴィエト政権側の思惑との二つの立場にロシアが引き裂かれている、と感じはじめたからであろう。エセーニンは一九二四年にレーニンが死ぬと、突如としてレーニン讃歌を書きはじめ、そして、その一年後、レニングラードのホテル「アングルテール」の一室で自殺してしまうのである。私はこのエセーニンの揺れ動く精神の軌跡に、ロシア農民革命の悲劇を重ね合わせて、論文を書き上げた。論文の末尾に、ルーマニアの異論派作家ゲオルギウが、一九七四年にソウルで発した言葉をT・K生の「韓国通信」から引用した。

「詩人が苦しめば、その社会は病んでいるのだ」。

総合雑誌に書く

　この秋、私は総合雑誌の依頼を受け、日韓連帯運動の意義についてはじめて書く機会を得た。筑摩書房から『展望』の編集者の勝股光政氏が連絡してきた。とても控えめな人だったが、私をはげまして書かせてくれた。私に『思想の科学』に書いた文章を発展させて、書いてくれないかと言ったのである。それで私は思い切って、一九七四年の経験に意味づけを与える論文を書いたのである。この論文が、一二月号に掲載された「韓国民衆をみつめること――歴史のなかからの反省」である。

展望

12

日常性・主体・歴史　阪上孝
遠ざかるノートル・ダム　森有正
世の中クルッテルという感じ　なだいなだ
怪物としての自然　芦津丈夫
豊玉姫考　谷川健一
韓国の民衆をみつめること　和田春樹
シオニズムからの脱却　U・ディヴィス
クリエイティブ・マインド　藤田省三
ぼくと花田清輝との戦争時代　関根弘
トムさんばなし　大岡信
「世界文化」のこと　新村猛
亀裂　秦恒平
1974年12月　第192号
筑摩書房

『展望』（1974年12月号）

「人間は自分がなにをしているか、わからずに罪を犯すことがあるし、長い間つづけてきたことがたいへんな罪であったことが客観的に明らかになっているのに、それに気づかないということもある。しかし、もっとも深刻なのは、自分のしたことを反省せぬままに、同じことをくりかえすことである」。

　私はまずそのように主張した。韓国の民主化運動の驚異の展開に接してわかったことは、これは日本人が「侵略と収奪の歴史を否定して、朝鮮半島の人々との新しい関係を創造していくチャンス」である、ということであった。しかし、それは三度目に与えられたチャンスである。これまでそのようなチャンスは二度訪れたが、私たちはいずれのチャンスも生かすことはできずに終わった。だから現在、与えられた第三のチャンスを逃してはならないのだ。

　第一のチャンスは、敗戦当時、一九四五年八月一五日にきた。しかし、敗戦に打ちひしがれた日本の国民は、独立の喜びに震える朝鮮人たちに圧迫感を感じるばかりであった。知識人が『世界』誌に載せた唯一の朝鮮問題の論文は、同化主義を取ったのが間違いだったとする元京城帝大教授鈴木武雄の論文「朝鮮統治への反省」だった。戦後のイデオローグとなる矢内原忠雄も東大に戻り、自分の講義題目を「植民政策論」から「国際経済論」に変え、植民地支配の反省を一度も提起しなかった。

第二のチャンスは、一九六五年の日韓条約締結時に訪れた。日本政府の姿勢を示す言葉として、ここでは久保田貫一郎発言でなく、高杉晋一全権のこの年の発言を引用した。そして同年七月一日の韓国キリスト教牧師・教役者の声明から、日韓条約は「韓日間諸条約の無効化時点を曖昧にすることによって、日本側に国権強奪行為を合法化する口実を与えた」という批判を紹介した。これに対して、佐藤首相が批准国会で述べた言葉として、「〔韓国併合条約は〕条約であります限りにおいて、両者の完全な意思、平等の立場において締結されたことは、申し上げるまでもございません。これらの条約はそれぞれ効力を発生してまいりました」を引用した。一一月に出た東大教授有志の声明には、この点を批判的に見る主張が含まれていないことを指摘し、一九六五年の少数意見として「今日、日韓条約を推進する日本政府は過去の日本帝国主義の朝鮮支配を肯定している」と述べた、私が起草した歴史学者の集いの声明を引用した。われわれは第二のチャンスも逸したということになる。

そこで、金大中拉致事件に触発された目下の運動の局面こそ、第三のチャンスを与えてくれているというのが、私の主張であった。安易な連帯を振りまわす者の尊大さを批判する右派の論客・葦津珍彦氏の言葉に敬意を払いながら、「日露戦争に反対し、日韓併合に反対したその一点で、明治の社会主義者は正しかった」と述べ、その立場を受け継ぎながら「韓国の民衆を見つめ、人間的にふれあい、その主張と闘いに学ぶことによって、われわれは生まれかわるための連帯」を求めていく、第三のチャンスを必ず生かすつもりだという決意を述べた。

この論文は、のちに一九八一年に刊行した私の最初の韓国問題評論集の冒頭に置かれ、評論集のタイトルとなった（『韓国民衆をみつめること』創樹社、一九八一年）。

鶴見俊輔さんの学校に入る

このころ私は、初めて鶴見俊輔氏と親しくなり、教えを受けることになった。鶴見さんは、五三歳、私は三七歳であった。

私は、高校二年生のときに『思想の科学』を購読した際、鶴見俊輔という人の思想に触れた。それから一五年を経て、ベトナム戦争反対の市民運動をはじめたとき、ベ平連の中心人物である鶴見さんに注目することになった。しかし、ベ平連と密接な協力関係にあったが、狭い意味でのベ平連のメンバーではなかった私は、鶴見さんとは個人的に話をしたこともなかった。もっとも『思想の科学』には三回は寄稿させてもらっていたが、鶴見さんの方は、一九六九年に私の文章を読んで、わだつみ世代の老教授だと考えていたありさまで、まったくわかっておられなかったのである。

ジャテックの運動で、たいへんな人生の時期をすごした鶴見さんは、一九七二年夏からメキシコにわたり、一年間、エル・コレヒヨ・デ・メヒコで講義をされて元気を取り戻された。一九七三年夏に帰国されると、金大中事件が起こり、その最初の声明にすでに加わっておられた。どういうきっかけで鶴見さんが私に目を向けてくださったのかはわからないが、べ平連が終わったとき、一緒に仕事をしようと誘って下さったのは、やはりベトナム反戦の運動の仲間として認識されたのだろう。

鶴見さんは、朝日新聞の論壇時評を一九七四年一月から引き受けられ、二年間されるということだった。論壇時評は一人で執筆するのだが、何人かの助手がつく。鶴見さんは立教大学の高畠通敏氏、早稲田大学の西川潤氏の他、べ平連の吉川勇一さんと私を助手に望まれた。私は喜んで承諾した。それから一九七五年の年末まで、二年間、毎月一回、武蔵関にある鶴見俊輔さんの姉である鶴見和子先生の家で、鰻丼とビールをご馳走になり、その月の重要な論考をそれぞれが推薦して意見を述べた。私にとって、これは鶴見さんの学校であった。

私の意見が鶴見さんの原稿にどれほど役立ったのかどうかは疑わしいが、鶴見さんが私の勧めた論文を取り上げてくれたことは幾度かあった。記憶しているのは、児玉誉志夫の「わたくしの内なる天皇」（『正論』一九七五年八月号）である。児玉は、「私は、法的な開戦の責任所在など、どうでもよいと思っている。天皇が我が日本民族の心の中心であったのだ。だから、陛下に戦争の責任をとっていただきたいなどと言うつもりはない。ただ、陛下に天皇としての責任を明らかにしていただきたかったのである。具体的に言うならば、それは天皇の御退位を願いたかったと言うことだ」と述べていた。鶴見さんは児玉が、天皇にヨーロッパに訪問するより、台湾訪問を選んでほしかった、蔣介石総統に敗戦の折に世話になったお礼を述べてほしかった、靖国神社参拝とともに南の島々に残る日本人の遺骨を日本に帰国されることに骨折ってほしい、と述べていることに注目した。「真の血の通った人間天皇に在らせられるんなら、よくお判りいただける筈である」という児玉の文章を引用された。

鶴見さんは、私の書いた論文も取り上げてくれた。『展望』に書いた論文「韓国民衆をみつめること」について、鶴見さんは、和田は、アジア主義者が「連帯とは具体的な人間と人間の交渉である」と考えたのに、幸徳秋水らは「観念の上だけであっても日韓併合に反対したという一点において正しかったと言い、この立場を受け継ぎ、民権派アジア主義者の人間的なまじわりを重んじる連帯への意欲をもとう」と言っているが、そういう立場の人間は、戦前からの右翼・左翼の双方から「はさみうちにされる」と指摘した。挟み撃ちにされ、双方から叩かれることに意味があるのだ、と言ってくださったのだ。のちにアジア女性基金に入った私を激励して、ご自身も基金に加わってくださった立場がここにある。

鶴見さんは評判がよかったせいか、一九七六年も論壇時評をつづけるようになり、私もそのまま助手をつづけた。一九七六年には林鍾国(イムジョングック)の『親日文学論』を読んで、感銘を受けて推薦し、鶴見さんが、異例だが単行本を時評に取り上げて論じてくれた。私も鶴見さんも、そのようにして、韓国のことを学んでいったのである。

東亜日報支援の運動

一九七四年一〇月二四日、韓国の『東亜日報』の記者たちが、会社の中に機関員が常駐する状態に対して、これ以上認めない、従わない、という抵抗の宣言として、自由言論実践宣言を出した。会社ぐるみの闘争に発展したため、当局は『東亜日報』の広告主に圧力を加え、広告を引き上げさせた。一二月二六日より、『東亜日報』の紙面は広告欄が白紙のままで発行された。そのころ、洪承晩(ホンスンマン)・論説主幹のインタヴューがＮＨＫテレビで放映され、感動を与えた。『東亜日報』のこの抵抗闘争を支援しようという呼びかけを、京都大学の飯沼二郎氏と明治大学の倉塚平氏が発し、一二月二八日、「『東亜日報』を支援する会」が発足した。これは、みんなで『東亜日報』を定期購読することによって同社を支援しよう、という会だった。当時の韓国の新聞は漢字とハングルの混用であったから、紙面を眺めるだけで、内容の見当はついたのであるが、当然ながら韓国語を学ぶという強い刺激が、ここから生まれたのである。

だが、年が明けて、一九七五年一月二七日付の紙面より、白紙の広告欄に韓国の市民の激励広告が載るようになった。その内容が日本の市民たちに強い印象を与えた。

「倫貞(ユンジョン)の誕生日の贈り物に東亜のメダルを選びました——倫貞の父と母」

「見た、戦った、勝った——東亜日報首都圏取材班」

「うれしい春の足音が聞こえてきています——鐘路(チョンノ)二街のある家族」

「不正・不義を根絶しよう——ソウル大文理学部国史学科・東洋史学科・西洋史学科学生一同」

「すてきなひと！　東亜——某女高教師サム・チョンサ」

「将来、私たちの赤ちゃんが、自由と幸福を享受できるように、小さいけれどもこの紙面を——ある新婚夫婦」

これらの市民の広告は「東亜日報支援の会ニュース」第一号と第二号に訳載されて広められた。「支援する会」には、続々とカンパが寄せられ、そこには日本市民の手紙が付けられていた。

「憤然と凛々しく立ち上がっている東亜日報のほんの一部の（活動）の資金にでもなりますと、私のサラリーも生きてくるというものです。〔……〕末永くこの運動の灯をともし続けて下さいますように。〔……〕隣国の教訓を心に焼きつけながら、子どもたちの将来を見守る努力をしているつもりです──神奈川・女教員」

「世界の一点になりと、自由と平和がない限り、日本にも私にも真の自由と平和はありえません。まして隣国のこの事態に、微力ながら私どものできますこととして、お年玉等を支援のカンパとしてお送り致します。今日、国民投票に抗議してハンストに入ったという野党代表のことをニュースに聞きながら〔……〕──夫二千円、長男（小五）五百円、長女（小四）五百円、私二千円　神奈川・主婦」

「お恥ずかしい話、金大中事件まで、私は韓国に対して全く無関心でした。私はいわゆる戦中派ですので、現在の韓国の政治情勢が戦前・戦中の日本と余りにも似ているのに危惧を感じるのです。朝鮮に対する戦前の侵略を自己批判する人々が韓国の現状を憂え、これに反し戦争と侵略への批判を骨抜きにしようとする勢力が韓国政府を後押ししようとしているのも、必然の勢いと思われます──神奈川・研究所員」

支援のために『東亜日報』を購読した人も、漢字まじりの紙面を見ているうちに、ハングルを読むことができるのではないか、ハングルを学びたという気持ちにかられるようになった。日韓連帯連絡会議では、初級韓国語講座をこのころから開講した。寺門勝と愛沢革が講師となった。寺門勝は高崎宗司氏の仮名である。私も彼の講座で韓国語を初めて学んだ。

『読売新聞』の書評委員

ところで私は、一九七五年の初めに『読売新聞』の書評委員を依頼されて引き受けた。私は一九七二年から一年半ほどの間、『サンデー毎日』に書評を書いていた。ベトナム戦争に関連する本や市民運動に関する本を取り上げたので、運動の延長のような気分であった。一九七四年に入ると、今度は『エコノミスト』からの依頼で書評を書くことになった。それも同じような傾向の本の書評であった。半年ぐらいして、『読売新聞』文化部の依頼で、河出書房新社から出たべ平連運動の資料集の上巻について文化欄に寄稿してほしいという依頼があった。「市民運動の道標──『資料・「べ平連」運動』の意味」

は、一九七四年七月二三日付の夕刊に掲載された。私は資料集のことよりべ平連運動の意義を論じ、その新しさと同時代的世界性を主張した。当初の視野の狭さが克服されていったことも指摘した。「波は、大きな海の一部でありながら、つねに新しい情熱をもって、岩に打ちあたる。九年間にわたる歴史をとじたべ平連の運動の資料は、そこに展開される思想のみずみずしさの故に、今日、新しく何ごとかを志す人々にとって自らの道を見出す手がかりを与えてくれるように思う」。

この原稿は、読売新聞文化部の記者たちの支持を受けたのであろう。それで私に一九七五年から書評委員をやってくれという依頼がきたのである。

書評委員会は、一週間おきに火曜日に大手町の読売新聞社で会議があり、新刊書を見て取り上げる本を選ぶ。書評委員会で、宇沢弘文・小野二郎・中山茂・三木卓氏らの謦咳に接したのは幸いであった。私が最初に取り上げたのは、ソルジェニーツィン『収容所群島』であり、次に取り上げたのは、ネットル『ローザ・ルクセンブルク』（上下巻）であった。

書評委員は一年で終わったが、その間、『読売新聞』の文化部は何度も本紙に寄稿させてくれた。

この時代は、新聞社各社に私のような立場の人間に好意を持ってくれる記者がいて、そういう人々の支持を得て、ベトナム反戦運動も、日韓連帯運動も進められたのであった。『読売新聞』との関係は、ふたたび一九七八年一月から書評委員となったことで復活した。

歌をつくる

日韓連帯連絡会議は、韓民統・韓青同と協力関係にあった。一九七五年一月一九日、それらの団体からの呼びかけで、日韓青年友好連帯の集いが後楽園ホールで開かれた。一〇〇〇人が参加した活気のある集会であった。私は、日韓連帯の歌を作って行って披露した。われながら型にはまった歌だと思えるものだが、いたしかたない。

〽この海の向こうには　不屈の人々が
冬に耐え、春を待つ　正義の声あげて
この国のありようを　われらに目覚めさす
かの国の人々の　声にこたえたい
この海の向こうには　不屈の人々が
冬に耐え、春を待つ　命の声あげて

少々、演歌風の歌で、みなに気に入られなかったようで、もう一度歌うように求められる機会はこなかった。

だから後年、文益煥（ムンイクファン）没後一〇年の集まりで、べ平連ＯＢで富山化学の公害輸出をやめさせる会の代表であった井上澄夫氏が、和田の作った日韓連帯の歌だとして、この歌を歌ってくれたので真底驚いた。

日韓連帯運動では、当然に韓国の歌をうたうことになるのだが、まずまっ先に入ってきたのは「We Shall Overcome」のハングル版「ウリ・スンニハリラ」であった。

〽ウリ・スンニハリラ　ウリ・スンニハリラ　ウリ・スンニハリラ　アアア
オー　チャンマムロ　ナヌン・ミッネ　ウリ・スンニハリラ

それから「維新憲法撤廃の歌」が入ってきた。「ユシンホンポップ・チョルペハラ」である。この歌はアメリカの「ジョニーが帰還するとき」という歌の替え歌である。この歌のもとは、朴炯圭（パクヒョンギュ）牧師が付けた歌詞であり、最初は「ウリヌン・プリパダ（われらは根っこ派だ）、チヨッタチョア」だったようだ。あとは変わらない。

〽維新憲法撤廃せよ、チョッタ　チョア
共に死に共に生きよう、チョッタ　チョア
膝を屈して生きるよりは
立って死ぬのを願おう
維新憲法撤廃せよ

陽気な調子の歌だが、歌詞は深刻である。デモのたびごとに、日韓連の若者たちはこの歌を熱心に歌っていた。

一九七五年春の急変

一九七五年二月一二日は、ソルジェニーツィンの追放一周年の記念日であった。原・木村・江川氏らは、この日に「ソルジェニーツィンを考える」集会をふたたび開いた。今度は私たちの他、大江健三郎・三木卓・黒井千次氏らも登壇してくれた。私は「ロシア人の苦闘の歴史から学ぶ」という題で発言した。この集会の記録は、春に出た『すばる』第一九号に載せられ、七月には集英社から本になって出版された（『ソルジェニーツィンを考える』）。

三日後の二月一五日、緊急措置を連発して戒厳令一歩手前の政治を一〇か月つづけてきた韓国の独裁者・朴正熙大統領は、窮地に陥って、ソフト路線に転じ、金芝河らと民青学連事件の被告たちを釈放すると発表した。国際的な批判をかわそうとしたのである。

出獄した金芝河は、獄中メモ四冊を持って出てきて、そこに記した「張イルタム」の構想やマルトックなる人物像をカトリックの正義具現司祭団の会合で語り、深い感銘を与えた。新しい変革の思想が詩人の精神をいっそう激しく輝かせているのを、人々は感じた。金芝河は、民青学連の背後操縦者としてフレームアップされ、釈放されなかった人民革命党（人革党）関係者のために語らなければならない、という気持ちを強く抱いていた。彼は二月二五日から『東亜日報』に「苦行――1974」という文章を書きはじめ、人革党被告の河在完（ハジェワン）と李銖秉（イスビョン）との獄中での出会いと対話を語り、この人々が無実でありフレームアップの犠牲者であることを明らかにした。この連載は、二月二五・二六・二七日に掲載された。

　最後に金芝河は、三月一日に日本の特派員を集めて、「日本民衆への提案」を発表した。私たちのところにその文章が送られてきた。金芝河の文章は次のようにはじまっていた。

「あなたたち日本民族は、わが民族を野獣のように侵略し抑圧と搾取をほしいままにしました。しかし、あの日、私たちは、あなたたち日本民族を単に仇敵として復讐しようとしたのではなく、自らの主権と独立を非暴力的、平和的な運動形式をもって宣布することによって、被害者である自民族のみではなく、残忍無道な迫害者であるあなたたち日本民族をも同時に救うことを念じたのであります」。

「あなたたち日本民族は、そのような非道な方法をもってわが民族を非人間化することによって実はわが民族のみではなく、あなたたち日本民族自身をも同時に非人間化したのであります。にもかかわらず、わが民族は、わが民族だけでなく、あなたたち日本民族をも人間化し、救済しようとする運動をおこしたのであります。まさに、これが、わが民族とあなたたち日本民族が今日の日をかならず記憶すべき理由なのであります」。

「意味深い三・一節を迎えて、私はあなたたちに、民主主義と自由、基本的生存権と人間らしい生のための、韓国と日本、この両国の善良な民衆による共同のより強力な闘争を提案する次第であります」。

　この言葉に接して、私は驚いた。これはどういうことなのだろうかと思った。三一運動は有名な事件だから、日本で刊行されている韓国史・朝鮮史の本には必ず書かれている。しかし、このような運動であったとは、読んだことがなかった。私は三一運動について調べてみようと考えた。

　韓国当局は、このような金芝河の挑戦的かつ猛烈な行動を許せないと考えた。そして、三月一三日に再逮捕の挙に出た。今度は反共法違反の容疑だと発表した。この日、原州の自宅で獄中メモ四冊が押収された。それから連日、拷問に近い過酷な尋問が行なわれたようである。四月四日、韓国政府文化公報部は『金芝河に対する反共法違反事件関係資料』なる一〇〇頁ものパンフレットを公表した。それに「本人はマルクス主義を信奉する共産主義者であります」とはじまる金芝河の自筆陳述書が載せられた。今度は間違いなく朴政権は、金芝河を共産主義者に仕立て上げ、殺そうとしているということがわかって、私たちは慄然とした。

このとき、ベトナムでは北ベトナム軍がサイゴン政権に対する総攻撃に出ていた。サイゴン陥落の時が迫っていた。恐怖に陥った朴正熙大統領は、共産主義者は抹殺すると威嚇する暴挙をあえて行なった。四月七日、ソウルの日韓実務者会談で、日本から二三四億円の借款を供与することが合意された。その翌朝、人革党の八氏を処刑したのである。私たちは政権のあまりの残虐さに衝撃を受けた。日本政府の経済援助が決定された翌日に処刑が行なわれたことで、「日本政府がGOサインを出した死刑である」と、私たちは受け取った。

私たちは一三日から街頭で抗議活動を開始し、一八日に全電通会館で抗議集会を開いた。六〇〇人が集まった。集会の決議はかつてなく厳しいものとなった。

> 朴大統領は見せしめのため、くずれ切った虚構を守りきろうと、冷酷にもこの無実の八人を絞首台にのぼらせた。この暴挙を支えたのは、前日、日本政府代表がソウルで二百三十四億円の「援助供与」を妥結させたことである。
>
> 呂正男氏の指のなかった両手、禹洪善（ウホンソン）氏の不具にされた足、李銖秉、徐道源（ソドウォン）氏の背中に広がった青い内出血――八人の四月の死者をわすれぬかぎり、われわれは、この殺害の加担者であったわれわれの政府を憎みつづけるであろう。

翌日は、坂本公園から外務省までデモをした。四〇〇人が参加した。われわれは真底、憤激していた。

ところで、四月一八日には、金日成（キムイルソン）が北京に到着して、毛沢東主催の歓迎晩さん会で演説をした。

「ひとたび南朝鮮で革命が起これば、われわれは南朝鮮人民に対する支援を惜しまない。〔……〕もし敵が公然と戦争を起こすなら、我々は戦争をもって断固やり返し、侵略者を徹底的に消滅する。この戦争で我々が失うのは軍事境界線であって、勝ち取るのは祖国の統一であろう」。

これは、金日成とて、ベトナムのようにはいかないことはわかっているが、サイゴン陥落の前夜に韓国の為政者に精神的な圧迫を加えようとした発言であった。◆2

ベトナム人民勝利の時

ソウルでの人革党の八氏が処刑されてから二二日後、北京での金日成の威嚇演説から一一日後、一九七五年四月三〇日、ついにサイゴンが陥落した。われわれはテレビで見ていた。北ベトナムの戦車が大統領官邸の門から入ってきた。アメリカ大使館に殺到する人々。沖に停泊するアメリカ空母の艦上から海に突き落とされる米軍へリコプター。アメリカはついに敗北した。ベトナム人は勝利したのである。それに間違いはなかった。

しかし、この勝利の光景は予想しなかったものであった。解放戦線の部隊はどこにいるのか。私たちは当惑を感じていた。べ平連はすでに解散していたし、大泉市民の集いは日韓連に移っていた。ベトナム反戦市民運動の人々は、ただちには反応をすることができなかった。

ソルジェニーツィンは、五月三〇日付の『ル・モンド』に論文を寄稿して、ベトナムでの共産主義者の勝利に対する反感を表明した。私はそのことには反発をおぼえた。集英社から刊行される私たちの集会の記録に収められる私の集会発言の後ろに追記を書いた。

「スターリンの獄の中で苦しんだ経験をすべての人間の問題として提示しえた文学者が、アメリカの育てたカトリック教徒の独裁者がつくった南ベトナムの獄の中で苦しんできた多数の人々の解放の喜びをまったく理解できず、アメリカと日本の援助をうける韓国の独裁者の獄の中で共産主義者に仕立てられたカトリックの詩人が死に直面していることを想像もできないというのは、いたましいことです」。

だが、ベトナムの勝利の苦さを、われわれはやがて味わうことになる。

◆2　後年、中国の研究者・沈志華が『最後の「天朝」』下巻（岩波書店、二〇一六年）の結びで、金日成は「新しい戦争を引き起こして民族の統一を実現しようと本気で計画していた」が、毛沢東に支持されず、「肩透かしに会い、目的を達成できないまま帰途についた」と断定した（二四九頁）。もっとも本文では「これを十分に確認できる史料はない」と留保を付けてはいるのだが、秘密資料を発掘して書かれた画期的な研究だという評判のこの本の帯には「一九七五年四月、金日成は朝鮮半島の武力統一を本気で考えていた」という宣伝文句が書かれている。同時代人の感覚では、疑問がわかざるを得ない。金日成は、民青学連事件もあって追い詰められた南の指導者を脅したのではないか、と感じた。米国と和解した毛沢東に南侵戦争への支持を求めることができると考えるほど、金日成は愚かではなかろう。

金芝河のための第三次ハンスト

五月の初めは、はっきりしない状況がつづいた。八日には金鍾泌首相が来日したので、青地晨・小田実・大江健三郎氏らは六〇人の署名で、対韓政策の転換と金鍾泌首相との会談中止を求める意見書を首相官邸へ届けた。この日、日韓連は外務省アジア局北東アジア課の調書「韓国における不実企業の実態」を入手して、勝手に作った複製本を記者たちに公表した。複製は青地さんの責任でなされたというふうに明記してあるので、記者会見は私がやったのかもしれないが、記憶にない。

金芝河裁判は五月一九日に事実上初の公判が開かれると発表があったので、金芝河らを助ける会の鶴見さん・中井さん・室謙二さんと相談して、今度は自由な形で多くの人が参加できる座り込み、ハンストをやることに決め、五月一七日から数寄屋橋ではじめた。公判のはじまる一九日までやるつもりであった。鶴見さん・日高さん・真継さんらは最初から加わった。金井和子さん・藤枝澪子さんも加わり、大江健三郎・金達寿・李恢成・鄭敬謨・高史明（コサミョン）氏らも加わり、のべ三四人参加の集団ハンストとなった。参加者は、金芝河へのメッセージを寄せ書きした。

鶴見さんは、まっ先に「金芝河さんを助けようとすることで、私たちが助けられていることを感じます」と書いている。大江健三郎氏は「あなたの『政治的想像力』という言葉を理解したいと思います」と記し、富山妙子さんは「黄土のみちに　まざまざと／血の跡　血の跡について／わたしは行く／父よ　あなたが殺されたところ」という金芝河の詩の一節を書き付けた。この寄せ書き帖は、のちに機会を見て金芝河に届ける、として私が預かったが、彼に渡す機会を逸して、いまも私の手もとに残っている。

一九日の法廷では、金芝河が「裁判長は、前年の裁判で人革党の人々に死刑の判決を言い渡した人である。自分の訴因には人革党の人々と結託したということも加えられているので、忌避する」と申し立て、一五分で終わった。数寄屋橋のハンストでは三四名が署名した声明を出し、日本政府に人権抑圧をやめるように韓国政府に申し入れることを要求した（声明は『世界』一九七五年七月号掲載）。

日韓問題市民セミナー開校

六月九日、日韓連と金芝河らを助ける会は、豊島公会堂で「金芝河をおもい、日本と韓国の関係を見つめ直す市民集会」を開いた。四五〇人が集まった。

日韓連帯連絡会議は、五月一六日から日韓問題市民セミナーを毎週金曜日に開いた。信濃町の駅前にあるカトリック系の真正会館を会場として固定して開いたのである。第一回は、青地晨代表の「私の半生で出会った在日朝鮮人・韓国人」、第二回は、東海林勤氏の「解放の神学と韓国キリスト者の人権闘争」であった。第三回は、鄭敬謨氏に「韓国の歌曲について」話してもらった。毎回八〇人が集まって盛会だった。

鄭氏は、朝日新聞社から『ある韓国人のこころ』という評論集を刊行していたが、その中に韓国の歌曲についての文章があり、私の注意を惹いた。そこでお願いしたところ、二曲ほどは歌っていただけるということになった。たいへんな美声で感心した。のちに金芝河の「金冠のイエス」という詩に、朴炯圭（パクヒョンギュ）牧師が曲を付けた歌の楽譜が韓国から地下通信で伝わったとき、鄭氏に頼んで集会で歌ってもらったが、そのときの感動は言葉に表わしえないものであった。

市民セミナーは長くつづいた。第一期は一九七五年五月から七月まで一〇週連続、第二期は九月から一二月まで一〇週連続、第三期は七六年三月から六月まで一三週連続でやった。したがって全部で三三回の講義がなされたのである。韓国事情・日韓関係について、さまざまなテーマで講義が行なわれた。青地さんも私も三回ずつ講義した。金達寿・李恢成・幼方直吉・隅谷三喜男・山田昭次・宇都宮徳馬・西川潤・藤島宇内・田中宏・吉松繁氏らが話してくれた。

金芝河を殺すな、の行動に参加した在日朝鮮人の作家・学者たち、金達寿・李進熙・金石範・李哲氏らは、一九七五年春から『季刊三千里』を刊行しはじめた。この雑誌が、日本と朝鮮の歴史・文化の諸問題について日本人の意識変革に貢献したことは特筆に値する。私たちの日韓市民セミナーもその動きに呼応する形で、いささかの役割を果たしたのである。

日韓連帯連絡会議は、最初は旧べ平連の事務所に間借りしていたのだが、一九七五年六月にいたり、高田馬場のパン屋の四階（斎川ビル四〇二号）に独立の事務所を構えることになった。敷金は六〇万円、一か月の賃料は七万五〇〇〇円だった。運動のメンバー中、年輩者は青地晨さんと私、高崎宗司・清水知久といったところで、あとは青年たちであった。持田直人・中部博・岡本和之ら旧べ平連の若者のほかに、彼らの姉さん格の茂木（もてぎ）浅子氏も加わっていた。彼女は、キーセン観光に反対する女たちの会から参加した人だった。財政的には、支持者のカンパとニュースの購読料などで何とか収支の帳尻を合わせていたが、カンパを集めるのが次第に難しくなり、赤字がつづき、三年目に入ると青地さんと私が赤字を埋めるのに、毎月かなり負担しなければならなくなった。

ベトナム人民の勝利を祝う

ベトナム人民の勝利を祝うデモが、一九七五年五月一〇日に東京で行なわれた。すでに解散した「べ平連」から多くの人が参加し、大泉市民の集い、三鷹ちょうちんデモの会など、運動をつづけてきた団体が参加したが、とりわけ意気盛んであったのが梅林宏道氏らの「ただの市民が戦車をとめる」相模原の会の人々であった。私たちは、アメリカに帰った反戦米兵チェの送別記念写真のパネルを持って参加した。ベトナム人の勝利は、私たちと反戦米兵たちの勝利でもあった。妻と娘と息子も参加した。これが「大泉市民の集い」の最後の行動であったと言えるだろう。しかし大泉市民の集いは、このときも正式の解散を宣言しなかった。

大泉市民の集いに代わって解散を宣言したのは、ハイエナ企業市民審査会であった。この会は、清水さんと中

ベトナム人民勝利を祝う集会デモ（1975 年 5 月 10 日）
上：大江健三郎と筆者
下：清水知久と和田あき子、子どもは、真保と東樹

嶋通子さんの努力で勉強会をつづけ、『おたより』を発行しつづけ、企業・外務省への抗議要請を四回行なった。解散にあたって会員のアンケートを行ない、賛成二二、反対一の結果を得て、六月一八日発行の『おたより』一五号で解散を告示した。代表の清水知久は「直接行動が少なかったことを、唯一の心残りとします。そしてよくやったと自慢します。特によくやったのは、宛名書き、印刷です」と短く「おわりのことば」を書いている。私は、日韓連帯運動団体の責任者になったあとは、そちらにはほとんど参加できなかったが、最後まで市民審査会のメンバーでありつづけた。

一九七五年の私の手帳には、七月一四日に「べ平連勝利パーティー」、七月二六日に「ハイエナの終了パーティー」があったことが記録されている。どちらの会も、誰と会い、何を話したかは思い出せない。

べ平連から生まれた米軍解体運動を、最後までつづけた岩国のGIコーヒーハウス「ホビット」は、初代のマスター中川六平が一九七三年九月に京都に引き上げたあとも、活動・営業をつづけていたが、この年の一一月二三日に最後の集会を開いて活動を終えた。中川氏はその回想の中で、この閉店集会が「べ平連という名を持つ集団の最後の集いであった」と書いている。[3]

金芝河『良心宣言』の発表

この年の七月末、爆弾的な文書が韓国から日本に届いた。金芝河が獄中で書いた良心宣言が、獄中メモのオリジナルとともに届けられたのである。後年、この驚くべき作戦の真実を、私はその作戦を実行した当人から聞くことになった。拷問の末「共産主義者であります」という自筆陳述書を書かされて、追い詰められた金芝河を救うためには、どうしても本人が良心宣言をする必要があると考えたのは、当時カトリック組織で働いていた学生時代からの金芝河の友人・金正男(キムジョンナム)氏であった。金芝河は捕らえられた身で、彼の房の前後左右は空室にして、隔離監視されていた。文章など書くことはもとより許されていないのである。その中で金芝河にメモが書けるようにするには、看守を味方につけ、金芝河のメモを持ち出し、それにもとづいて外部で良心宣言を代理執筆し、そ

◆3　中川六平『ほびっと　戦争をとめた喫茶店――べ平連1970〜1975 in イワクニ』(講談社、二〇〇九年、二六七頁)。中川は、京都から東京へ移り、東京新聞の記者となった。二〇二〇年に死去した。

れを戻して獄中の金芝河に点検させ、ふたたび獄外で最終稿に仕上げ、秘密のルートで日本に送って発表させる、というたいへんな作戦がなされたのである。カトリックのルートを通じて持ち出された資料の受け取り先は、カトリック正義と平和協議会（正平協）の平信徒、在日韓国人実業家・宋栄淳（ソンヨンスン）氏であった。宋氏の妻は、韓国カトリック教会の金寿煥（キムスファン）枢機卿の妹である。金正男氏はカトリックに送ったものが、中央公論社の中井毬栄氏にも届くように手配した。金正男氏は手紙に「懐」という一字のサインを使っていた。中井氏から私も、その「懐」というサインの主の話を聞いたことがある。

　そうして、完成された良心宣言は日本に届き、八月四日にカトリック正平協の記者会見で発表された。中井さんと金芝河らを助ける会も動いて、良心宣言は、八月八日発売の『世界』九月号にも掲載された。

　良心宣言は、「今の今まで、私は自分自身を共産主義者と考えてみたことは一度もなく、現在も共産主義者ではない」という表明からはじまっている。

　獄中メモの発表は、八月二六日にカトリック正平協が行なった。獄中メモの分析を発表したのは、私である。

中井毬栄と金芝河第二作品集

　金芝河らを助ける会の中心は、中井毬栄さんである。彼女は詩人・大木惇夫の娘である。可憐な感じの人であったが、芯の強い人であり、金芝河救援運動の柱であった。のちに離婚して、『朝日新聞』の記者・宮田浩人氏と再婚したので、宮田姓に変わり、宮田毬栄となる。宮田浩人氏は『世界』に「〈ドキュメント〉金大中氏拉致事件」という日誌を、一九七三年一〇月号から連載した人である。これは一九八〇年二月号までつづけられ、T・K生の「韓国からの通信」と並ぶ『世界』の目玉連載となった。

　中井さんはキム・ジハ『長い暗闇の彼方に』を編集して出版した。訳者は渋谷仙太郎だった。これはペンネームで、本人は『赤旗』記者で、日本共産党の平壌特派員となる坂本孝夫氏である。この人はのちに井出愚樹と名乗り、最後には萩原遼の名でさまざまな本も執筆し論文も発表した。私はこの人のペンネームを見て、共産党の本部が渋谷と千駄ヶ谷の間の代々木にあることに由来しているのだろうと推測した。だが井出氏本人の反論によれば、党本部がもともと渋谷区仙太郎町にあったからだとのことである。いずれにしても、共産党員であることを暗示するペンネームを名乗り、韓国という反共国家の革命詩人の作品の訳者になることは不適切であった。

　渋谷仙太郎のキム・ジハの翻訳文は名訳として受け入れられていた。彼は、一九七三年春には『南朝鮮の反日論』（サイマル出版会）という韓国知識人の文章のアンソロジーも出していた。この本は、韓国問題に関心を持ちはじめた私たちにとってバイブル的な本であった。当時はそれぐらいしか韓国についての書物がなかったのである。私は、この本で金東吉（キムドンギル）氏の女子学生に宛てた手紙を読んで感激した。

　ところで、金芝河が緊急措置違反で捕らえられ、死刑判決を受けるという状況の中で、彼の第二作品集を出そうとした中井さんを苦しめたのは、彼の新しい詩と獄中の作品を誰に翻訳してもらうかということだった。中井さんは、最初の訳者・渋谷仙太郎には頼まないと決めた。彼はこのころには平壌から帰り、共産党系の出版社で、井出愚樹の名で盛んに翻訳をしていた。彼は、中井さんに金芝河のテキストを要求してきた。自分が最高の訳者だとの自負を持っていたようだった。しかし金芝河が、いまや共産主義者だとして裁判にかけられている以上、日本共産党員である井出氏にまっ先に彼のテキストを渡していいはずはなかった。だが、この人はそういう面での配慮を理解せず、中井さんを相当に悩ませていた。中井さんは第二作品集の訳者として、李恢成氏を選んだ。

　私はこのこともあって、中井さんの相談に乗っていた。彼女の依頼で、金芝河のためなら何でもやった。彼女が翻訳の原稿を読んでくれと言えば読んだ。のちには「大説『南』」の翻訳者の一人として名を出してほしいと言われれば、そのようにもした。

　中井さんの努力で、金芝河の第二作品集『不帰』は中央公論社から一九七五年一二月に刊行された。一九七四年以後、獄中で執筆された新しい詩が二一編収められた。その中に有名な詩「灼ける渇き」がある。

夜明けの　裏道で
お前の　名を書く　民主主義よ
私はお前を忘れて久しかった
訪なうこともなく　あまりにも　久しかった
わずか　ひとかけらの記憶
灼けつく胸の　のどの渇きの
記憶たどって
お前の名を　人知れず書く　民主主義よ

　次に第一作品集には入れられなかった詩が三三編収録され、「苦行 一九七四」が入り、「糞氏物語」、「五行」、「民衆の声」、賛美歌「しばられた手の祈り」、「良心宣言」が収められている。最後に、李恢成氏の金芝河論が掲載されている。これはまことに人々の要望に応えた出版だった。

宋栄淳氏のこと

ここで、カトリック正平協の活動家として、突然、現われてきた宋栄淳氏についても述べておこう。金寿煥枢機卿の妹さんと結婚しておられたので、韓国のカトリック教会との結びつきが深いことは理解できた。しかし、聞けば韓国で不実企業の一つとなった新韓碍子会社の社長だった人であった。一九六〇年、韓国の産業発展に貢献するために在日韓国産業技術研究会を、のちに浦項製鉄の理事となる金鉄佑氏らと組織した宋氏は、朴正熙の軍事革命に共鳴して、経済協力プロジェクトに関わるようになり、一九六六年から日商岩井と組んで高圧碍子プラント輸出事業を進めたのであった。一九六八年には、新韓碍子の社長に就任した。しかしこの事業は、工場建設が完了する前に倒産に追い込まれた。宋氏は、プラント輸出に関わった日商岩井は利益を得たのに、自分が注ぎ込んだ私財を失ったとして、日商岩井を東京地裁に訴えた。一審敗訴のあと、第二審が継続中であった。経済協力に群がるハゲタカに食い物にされた宋氏が失意の中で、自分の生きる意味を求めた結果、正平協の仕事に献身することになった、ということのようだ。

宋氏は、正平協が受け取る韓国カトリック教会の資料の翻訳をすべて一人でこなしていた。そこで、宋氏の依頼で、私が翻訳文に手を加えることになったのである。二〇〇四年の夏の日、ソウルで宋氏が急死するときまで、長い友情と協力の関係がつづいていく。晩年の宋氏は、回顧的な文章を書き『世界』に発表した（宋栄淳「わたしはなぜ在日僑胞に対北協力を訴えるか――『新韓碍子』の辛い経験を通して」、『世界』二〇〇〇年三月号）。

アジア人会議

一九七五年の夏、私はタイに出かけた。タイにもポスト・ベトナムの革命情勢が現われていた。八月一二日から二〇日まで、小田実氏の呼びかけによってタイで開催された「アジア人会議75」に参加したのである。小田氏は、ベ平連運動をアジア人の運動に拡大しようとして、前年の六月、八王子で第一回のアジア人会議を開催していた。タイを中心にアジア六か国から四〇人、日本人は一八〇人ほどが参加した。会議は「アジアの人々はひとつです」というアジア人共同宣言を採択した。私はその会議には参加していないが、小田氏に誘われて、タイで行なわれる第二回アジア人会議に参加することになったのである。

第二回アジア人会議には、日本から、小田・吉川両氏のほかに、戸村一作、秦豊議員、西川潤、李恢成、写真家の三留理男（みとめただお）、吉岡忍、共同通信の中村輝子氏ら三〇人ほどが参加した。

私たちは、八月一二日の朝、羽田を出発して、夕方にシンガポールに着いた。そこで一泊して、シンガポールを経て、翌一三日、タイの首都バンコックへ到着した。私がパキスタンにつづいて二番目に訪れたアジアの国は、今度は革命の中にある国だったのである。

タイもベトナム戦争に加担させられた。私の研究所の同僚・末廣昭氏によれば、北ベトナム爆撃の米軍機の八割は、タイの米軍基地から発進したという。一九六三年に成立したタノーム＝プラパート軍事政権は、五年後に憲法を公布したが、七一年にはそれを廃棄し、強権的独裁体制を敷いた。これに対して、タイ全国学生センターが一九七三年に立ち上がった。傘下の各大学の学生自治会が、学生処分撤回と恒久憲法の制定を要求して行動を起こしたのである。軍事政権は、共産主義者の策動として弾圧を加えた。一〇月一四日、抗議に集まった学生・市民に対して、軍事政権はヘリコプターからの銃撃を加えるなど弾圧し、死者七七名を出すにいたった（血の日曜日事件）。タノーム首相は総辞職し、プミポン国王が乗り出して、学生指導者との対話を行なった。一九七四年についに憲法が制定された。そしてこの年一九七五年になって、一月の総選挙では保守中道の民主党が七二議席を獲得して、第一党になったが、社会主義政権をめざすタイ社会党など三つの左翼政党も三七議席を獲得するにいたった。ベトナムでの北ベトナム軍と解放戦線軍が米軍とサイゴン政権軍を追い詰めていくのと時を同じくして、タイでも革命的な変化が発生していたのである（末廣昭『タイ——開発と民主主義』岩波新書、一九九三年）。

タイの革命勢力の中心は大学であった。私たちの会議は、一五日の午前はバンコック市内のカセサート大学で総会を開き、午後に大学のサマーハウスがあるワナコーン海岸へバスを連ねて向かった。一六日は本会議が一日中つづき、夕方のセッションで私は金大中氏事件や韓国民主化運動について報告した。話し終わると、タイ人の参加者が声をかけてきた。「あなたは韓国人か」。尋ねてきた人は、タイ社会党書記長ブンサノンと名乗った。一七日の夕方、バンコックに戻り、ホテルで閉会の集まりがあった。

バンコックの朝日新聞社支局には、猪狩章氏が支局長でいた。韓国民主化運動を積極的に報道したソウル特派員であった人である。うれしい再会であった。

私たちの代表団には、東大文学部社会学科の大学院に留学中の韓国人青年・李時載（イシジェ）氏とその婚約者、のちに戦後補償問題で重要な働きをすることになる有光健氏、日韓連の事務局にいてのちに新日本文学会の事務局員になる愛沢革氏、沖縄ベ平連の友寄英紀氏などがいた。私たちは、タイ人の家に泊めてもらった。私は他の二人とともに、タマサート大学の女性講師スダティップ・インドーンさんの家にホームステイさせてもらった。私には彼女のベッドが与えられて恐縮した。

タマサート大学では、教授がピストルを腰にさして演説していた。タイはまさに革命的な雰囲気だったが、明らかに反革命との決戦が近づいているのが予感された。警官たちのデモは不気味だった。

そういう雰囲気の中ではあったが、私はタイで有名なジム・トンプソンの店で、タイ・シルクの布地を妻のために買った。妻はその布地で儀式用のスーツを作った。すばらしい色合いのスーツになった。妻は生涯、そのスーツを礼服として着ている。それは希望の国タイを訪問した記念であった。

だが帰国後、半年ほどして、一九七六年二月二八日、私に声をかけてきたタイ社会党書記長ブンサノン氏は、右翼の暗殺者にピストルで撃たれて亡くなった。左翼勢力は弾圧され、四月の選挙では六議席しか取れなかった。そして一〇月六日、右翼勢力と警察は、タマサート大学を包囲し火器で攻撃し、学生を虐殺した。「血の水曜日」事件である。政府発表では死者四六人と言われるが、殺されたのは一〇〇人を超えるだろうと末廣昭氏は見ている（前掲書、八〇頁）。あの穏やかなタイの人々はどうなってしまったのか、茫然とする展開であった。タイの人々の闘いは今日なおつづいている。

日韓調査の発足

タイから帰った私は、日韓連の活動に戻った。この年の九月、日韓連帯連絡会議の中に「市民の手で日韓ゆ着をただす調査運動」という新しいグループが活動をはじめた。中心に立ったのは山川暁夫氏であった。氏は、もとは川端治というペンネームで活躍した日本共産党の理論家で、ジャパンプレスで仕事をしていたが、このときは党を離れて、雑誌『インサイダー』の編集などをしていた。日韓関係の闇部を暴くことに強い志向を持っていた。彼が小田実のアジア人会議に提供したレポートの中にあった「日韓政財界関係図解」が、公安により企業爆破事件と関係づけられて謀略宣伝が行なわれたのを見て、日韓調査を運動として推し進める考えを持ったようである。一九七五年四月に「一億総調査者」になろうという呼びかけが、小田氏ら、旧べ平連の人々、日韓連の人々、金芝河らを助ける会の人々の名で出された。元べ平連の若者の中に日韓調査に関心を持つ人々が現われ、日韓連の中のグループとして、発足することになったのである。

日韓連ニュースの一四号（一九七五年九月）に、山川暁夫氏の調査活動開始の談話が載った。そして、一〇月、きれいなパンフレット『日韓調査』一号ができた。問題の「日韓政財界関係図解」は、この前後に日韓連ニュースの号外として刊行された。

『世界』に書く

ここにいたって、私は初めて安江編集長から求められて、『世界』に書くことになった。一九七五年の一一月号に論文「日韓連帯の思想と展望」が載った。一年前に『展望』に「韓国民衆をみつめること」を書いて以来、総合雑誌に執筆する、しかも『世界』に初めて掲載されるということで、緊張してしまったようで、あまり生き生きした文章は書けなかった。

日韓調査

●資料「日韓関係の一断面・その人脈と構造」(3)
●資料でつづる日・米・韓の軍事同盟(22)
●公害輸出阻止の確かな第一歩(40)
「富山化学の公害輸出をやめさせる」実行委員会
●筑波大学と勝共連合(45)
●日本経済と韓国経済(46)
——三菱総研資料から——
●日本を支配する韓国ロビスト達(50)

市民の手で
日韓ゆ着をただす調査運動

1975年10月 第1号

『日韓調査』第1号（1975年10月）

このとき、私が記したのは、韓国の運動に連帯することと日本のあり方を正すことを結合しなければならない、金芝河の言った「Your movement」を助けるために、彼のvoiceを加えようという言葉の意味を考えることが大事だということだった。富山化学の公害輸出に反対する行動が、その日本の親会社の工場の周辺住民の公害反対運動を呼び起こしたことから明らかなように、「隣人を救おうとして、まさに自分が救われる」という構造論理が浮かび上がってくる、ということだと主張した。私はここに日韓連帯運動の思想があると指摘したのである。これからの課題として、私は、日本と北朝鮮との関係、国交樹立の課題と対外経済協力憲章のような提案とを指摘した。運動をどのような方向に進めていくべきかについて、私がはっきりした考えを持てないでいることは明らかであった。

ソ連再訪

秋には、私はソ連にも出かけた。一一月一四日からの「第二回 日ソ歴史学シンポジウム」に参加したのである。二度目の訪ソであった。ソルジェニーツィン追放への抗議の声明に名を連ねたので、ソ連入国ビザが出るか心配であったが、無事に出された。倉持俊一・日南田静真・

藤原彰・斉藤孝氏らと、私は新潟からハバロフスクに入った。アムール河を初めて見た。大河であり、感激した。ハバロフスクに一泊して、モスクワに向かった。和歌森太郎氏と守屋典郎氏が直行便でモスクワに入られ、一一月一七日から、日ソ・シンポジウムがはじまった。

第一日目は、第二次世界大戦がテーマで、ソ連側からは日本史のトペハ、軍事史のバービン、日本側からは藤原氏と斎藤氏が報告した。第二日目のテーマは「露日両国の資本主義発展と国家の役割」で、ロシア側ではソ連史研究所のルインジュンスキー、日本側では日南田静真氏と守屋典郎氏が報告した。私はルインジュンスキー報告の批判討論を行なった。

会議初日が終わってすぐに、私はブルジャーロフ先生のお宅を訪問した。今度は落ち着いて話ができた。しかし先生はパーキンソン病を発症しておられ、歩行が不自由になっていた。私は、一九五六年の『歴史の諸問題』誌の活動について回想を書いてほしいとお願いした。

このときソルジェニーツィン問題で知り合った木村浩氏が、ソ連に行くなら自分の友人のデリューシンとリヴォーヴァさんに会うようにと、紹介してくれた。木村氏はソルジェニーツィンの『収容所群島』の翻訳をすでにはじめていたので、ソ連に入国することはできないと覚悟していた。それで私がソ連に入れるなら、私に自分の友人たちにメッセージを伝える役割を果たしてもらうという希望もあったのである。

イリーナ・リヴォーヴァ（イオッフェ）さんは、一九一五年生まれでちょうど六〇歳だった。ユダヤ人の日本文学研究者で、モスクワ大学東洋語学部で教えてきた。彼女は平家物語の翻訳に取りかかっていた。日本のロシア文学研究者とはみんな知り合いで、私は木村さん・原さん・江川さんの様子を話した。リヴォーヴァさんは、木村さんのことはセリョージャと呼んでいた。

デリューシンはレフ・ペトローヴィチといい、東洋学研究所の中国部長であった。一九二三年生まれだから、五二歳の現役であった。彼に電話すると、すぐホテルにやってきた。「どこで話そうか。通りで話そう」と言って、私をホテルの外に連れ出した。ホテルの室内で盗聴されるのを警戒してのことだということはわかった。

私は自分のことを紹介した。「ソルジェニーツィンの追放に抗議する声明に加わったので、ビザが出るかどうか心配したのです。ナロードニキが研究テーマです」。彼は「キムラは翻訳しているか。日本語版の本は出たのか。本はどのように受け止められたか」と尋ねてきた。この人は木村浩さんとソルジェニーツィンを結ぶ環になっている人なのだ、ということがわかってきた。私はゲフテルとトヴァルドフスカヤに会いたいと言うと、ゲフテルの電話はわかるから紹介しよう、と言ってくれた。トヴァルドフスカヤは知らないとのことだった。

ホテル・ロシヤからレーニン博物館の脇まで歩いたところで、木村氏からのお土産と手紙を渡すと、彼はカバンに入れ、そこで私たちは別れた。なるほどこういうのがやり方なのだな、と思った。

このデリューシンの紹介で、ゲフテルに会うことができた。一一月二五日のことである。ゲフテルは歴史学界の中の異論派の代表であった。この秋にサハロフにノーベル平和賞が授与されることになり、それに対してソ連の科学アカデミー会員たちが抗議声明を出したときであった。歴史学界からは、ミンツ、グロスール、ポスペーロフ、ルイバコフらが声明に署名していた。それよりも、ネクリチが出国を希望したのを非難するか否かで、ソ連史研究所・世界史研究所は揺れていた。ネクリチはイギリス現代史家で、一九六五年にスターリン批判の書、『一九四一年六月二二日』を出した。反動期に入って、批判が高まり、一九六七年に党を除名された。ユダヤ人であるネクリチは出国を希望するにいたった。ネクリチの出国を非難したくないゲフテルは、厳しい立場に立たされていた。彼は、初対面の私に研究所の内部の討論などを明かすことはしなかった。ただ、ソ連の歴史学界の動きについて書きはじめた私の論文について話すと、細かく意見を述べてくれた。そして、批判がはじまっているロシア資本主義体制の多ウクラード性をめぐるウラル会議の成果である論文集(一九七二年)を私にくれた。私は感激した。

デリューシンは、二七日に自宅に招いてくれた。デリューシンの住居の壁という壁は、不思議な画で埋められていた。すべて画家ワシーリエフの作品であるとのことだった。デリューシンは私に、一九三五年にポクロフスキーの歴史学を断罪した悪名高い歴史家の共同論文集二巻を贈ってくれた。この好意に私は感激した。

モスクワ滞在中、一一月二八日から一二月二日まで、フィンランドへ行った。フィンランド大学の図書館は、帝政時代、フィンランドがロシア帝国内の自治国であったため、ロシア内で刊行されていた雑誌を網羅的に所蔵していることを知ったので、それを検索し複写しようというのが目的であった。シェレメチエヴォ空港からヘルシンキに飛んだ。一時間半で着いた。大学図書館では、チホミーロフの雑誌論文のコピーを多くした。それから旧ロシア海軍のスヴェアボルク要塞を観にいった。一九〇五年に兵士反乱が発生したところである。

一二月二日、モスクワに戻り、翌三日、私は日本へ帰った。

一九七六年三月一日

一九七六年初めには、共同通信の特派員から金芝河が前年の三月一日に彼の提案を読み上げたテープが届き、日韓連はそれをレコードにして売り出すことにした。私は、金芝河の「日本民衆への提案」を読んで以来、三一運動について研究してきて、多くのことを発見した。日本での研究は、三一運動については積極的に評価するが、三一宣言は弱い思想を表わすものとして否定的に見る態度が一般的であった。『朝鮮近代史』（勁草書房、一九六八年）では、宮田節子氏が次のように評していた。

「たしかに、彼らの発表した独立宣言文は、人道主義に立脚した、堂々たる名文であった。しかし、〔……〕土地収奪についても、〔……〕『同化教育』についても、〔……〕憲兵警察についても、何一つ抗議がなされていない。〔……〕彼らは〔……〕ヨーロッパ諸国の『援助』と日本帝国主義の『理性』に訴えて、独立を達成しようとしたのである」。

この見方は姜徳相（カンドクサン）氏の見方に従ったものであった。姜氏も、宣言は「人道主義に立脚した〔……〕堂々たる名作文」であり、彼らの行動は「歴史に対する消極性、歴史的洞察を欠いた迷夢」であると評していた（『朝鮮㈠――三・一運動㈠』みすず書房の解説）。一九七一年に刊行された山辺健太郎氏の岩波新書『日本統治下の朝鮮』（一九七一年）は、三一宣言を全文引用している画期的な本であるが、「二〇〇〇万朝鮮人の意志をあらわした、堂々たる大文章である」と述べるだけで、これを発表した「〔民族代表の〕行動はいかにもだらしがない」と批判していた。

独立宣言文は厳しい報道管制のもとに置かれ、日本の

金芝河が「日本民衆への提案」を読み上げたレコードのジャケット

中では国民の目に触れないようにされていたものであった。一九四一年に初めて『斎藤実伝』（斎藤実伝刊行会、一九三三年）に掲載されたが、戦時中の特殊な出版で誰も読まなかったろう。歴史学雑誌に載った最初は、戦後の一九四八年の石母田正論文「堅氷をわるもの——朝鮮独立運動史万才事件の話」（『歴史評論』四八年六月号）の付録としてであり、みすず書房の『現代史資料』の二五巻に収録されたのが一九六五年で、山辺さんの岩波新書に収録されたのが一九七二年のことであった。私は同年に刊行された朴殷植（パクウンシク）（姜徳相訳）『朝鮮独立運動の血史』（平凡社、一九七二年）を読んだ。すると、これまでの歴史書が作り出していた印象は不当なもので、金芝河の「提案」が宣言文の主張をそのまま伝えたものであることがはっきりわかった。とくに宣言文の次の個所が印象的であった。

　又二千万の憤りを含み怨みの心を抱いている民を、もっぱら威力をもって拘束するのは、東洋永遠の平和を保障するゆえんではない。このことによって、東洋の安危の主軸である四億の中国人民の、日本に対する危懼と猜疑とをますます濃厚にし、その結果、東洋全体が共倒れとなり共に亡びるの悲運を招くのはあきらかである。

　こんにちわれわれが朝鮮独立をはかるのは、朝鮮人に対しては、民族の正当なる尊栄を獲得させるものであると同時に、日本に対しては、邪悪なる路より出でて、東洋の支持者たるの重責をまっとうさせるものであり、中国に対しては、夢寐（むび）にもわすれえない不安や恐怖から脱出させんとするものである。かつまた、世界の平和、人類の幸福を達成するには、東洋の平和がその重要な一部をなし、そのためにはこの朝鮮の独立が、必要な段階である。どうしてこれが、小さな感情の問題であろうか。

　宣言は、日本の国家国民を説得する偉大な文書であったことが明らかだった。それとともに、宣言の末尾に仏教代表韓龍雲（ハンヨンウン）がつけた公約三章を見ると、最後まで非暴力抵抗の直接行動を貫くように求めていることがわかった。のちに私は、事件後、平壌の宣教師団が発した告発状の中に、この運動の組織者の意図は「非暴力革命」を開始することにあったという一句があることを発見した。私は、三一運動はまさに抑圧民族をも、ともに救おうとする非暴力革命の実践であると考えるようになった。

　この後で、朴慶植（パクキョンシク）氏が三一運動の再評価のためにいくつか論文を発表しておられることを知って、『思想』（一九七〇年一〇月号）に載った論文「三・一独立運動研究の諸問題――民族主義者の評価について」がその代表的な論考だが、ほとんど私と等しい見方が在日朝鮮人の歴史家から提起されていることに驚いた。

一九七六年三月一日、日韓連は、三一運動に対する新しい見方を打ち出す討論集会「日本人と三一独立運動」を八重洲口の国労会館で開いた。一五〇人が集まったと記録されている。この集会で、私は「非暴力革命と抑圧民族」と題して報告を行なった。それはこの間の研究発見の成果を紹介し、三一独立宣言、三一運動への新しい理解を呼びかけるものであり、日韓連帯運動の中で日本人の歴史認識の変革がはじまる過程を表わしていた。この報告は、夏になって、雑誌『展望』（九月号）に掲載することができた。

なおこの論文の中で私は、実質的には姜徳相氏の見方ではなく、朴慶植氏の見方を支持したに等しかったのだが、なお「朴氏と姜氏の論争に私たちは介入すべきでない」という立場を明らかにした。朝鮮人が自国史を批判的に見ることに異議を唱える必要はない。日本人には朝鮮人の歴史をどのように見るかという別の課題があるというだけだと考えたのである。

私たちが東京で三一運動を主題とする集会をやっていたのは、一九七六年三月一日の夜であったが、その日の昼間、ソウルの明洞大聖堂では歴史的な民主救国宣言が発表されていた。この宣言には、咸錫憲・尹潽善（ユンボソン）・鄭一亨（チョンイルヒョン）・金大中・尹攀熊（ユンバンウン）・安炳茂（アンビョンム）・李文永（イムンヨン）・徐南同（ソナムドン）・文東煥（ムンドンファン）・李愚貞（イウジョン）氏ら、政界とキリスト教会の長老たちが署名したと伝えられた。起草したのは、文東煥の兄文益煥（ムンイクファン）氏であることがわかった。

「民主救国宣言」は、一九七〇年代の韓国民主化運動のもっとも完成した精神の宣言であると受けとめられた。宣言は、まず第一に「この国は民主主義の基盤の上に立たねばならない」と主張した。「民主主義は大韓民国の国是である。したがって大韓民国の正統性は民主主義にある。よって、いかなる口実のもとでも民主主義が萎縮されてはならない」。具体的には、緊急措置の撤廃、投獄された人々の釈放、基本的人権の保障、維新体制廃棄、議会政治の復活、司法権の独立を要求した。第二に、宣言は「経済立国の構想と姿勢は根本的に再検討されるべきである」と主張している。朴政権による経済発展政策の結果、貿易赤字の増大、外債の巨額化が帰結し、労働者は権利を奪われ、外国資本に売り渡されて搾取されている。朴政権は退陣し、経済立国の構想は再検討されるべきだ。そして第三には、宣言は「『民族統一』は今日、わが同胞に負わされた至上課題である」と主張した。これは民主化運動では初めての主張であった。「南北分断の障壁は五千万同胞の英知と力で壊されなければならない」。「この時機にわれわれには守るべき最後の一線がある。それは統一された国家、この民族のための最善の制度と政策が『国民の中から』うまれなければならないという民主主義の大憲章である」。

宣言は最後に、「統一された民族として、正義が実現され、人権が保障される平和国家の国民として」生きる道を進むことを呼びかけている。意義深い宣言であった。

関係者に対する弾圧が、その日のうちにはじまった。日韓連では、三月八日、金大中氏夫妻が連行されるや、金芝河らを助ける会とともに記者会見を行ない、日韓連の声明と金芝河の母・鄭琴星（チョンクムソン）さんの訴えを発表した。三月一五日には山手教会ホールでの抗議集会に二五〇人が集まった。

三月二三日には、金芝河裁判が再開された。日本からは真継伸彦氏と清水知久氏が傍聴に出かけた。二人はソウル地裁の裏口で待っていたが、金芝河の到着が確認できなかった。それで二人は公判が行なわれる二一五号法廷に向ったが、場所がわからず、ようやく法廷にたどり着いたのは閉廷五分前であった。この日は、金芝河が、「起訴状の写しがあたえられていないので裁判に入ることを拒否する」としたため、二〇分程度で終わってしまったのである。

清水氏は「ソウルまで行きながら、詩人の後ろ姿さえ確認できなかった。しかし、ソウルで食べた焼き肉は美味しかった」、とニュースに書いている。もう二度目の訪韓はありえない。上石神井駅前の焼き肉屋で、息子たちに「いつの日かソウルで本物の焼き肉がくえるようになるよ」と話している、と結んでいる。

ベトナム留学生たちの「今日」

一九七六年四月二五日、この日はベトナム全土で統一選挙が行なわれた日である。東京ではべ平統解散の集会が行なわれた。日本人の友人たちも多数招かれ、この勇気ある人々に心からなる拍手を送った。その会には、ベトナム新大使館から二等書記官氏も出席し、激励の挨拶をした。その演説も含めて、この日のベトナム人の演説はみなベトナム語で話された。私はそれを聞いていて、ある一つの言葉が繰り返し話されているのに気づいた。「ホムナイ」という言葉である。私が新星学寮のやや暗い電灯の下でホン・レ・トー君からベトナム語を習ったのは、わずか数か月間で、それもだいぶ前のことだから、ほとんど忘れてしまっていた。しかしこの言葉は、まだ記憶の中にあった数少ないベトナム語の言葉であった。そうだ、「ホムナイ」とは「今日」という意味だったな、と私は思い出していた。

ベトナム人はあの控えめな熱狂をもって、「今日は」

とか、「今日を」とか、連発しているのである。その気持ちはよくわかった。ロシアの作家トゥルゲーネフの作品に長編小説『その前夜』がある。ブルガリア人民族主義者を愛する女性を主人公にした作品である。その作品が発表されたとき、若い評論家ドブロリューボフが「今日という日はいつくるか」と題する論評を書いた。「その前夜」の暗闇の中にいたベトナム人は、ついに「今日」という日を迎えたのだ。私はそのことをベトナムの友人たちのために喜んだ。

戦争が終結したのち、闘ったベトナム人留学生は速やかに帰国して、祖国の再建に尽くすものと思った。しかし解放後のベトナムは、混迷の中にあった。大量のボート・ピープルが南ベトナムから脱出した。その中で留学生たちは日本にとどまって、働き、祖国を助けてほしいと言われたとのことである。だから少数の人だけが帰国した。フィン・ムイ氏は、ベトナム初の私立大学をハノイに創設し、その学長になった。これは稀な成功例である。グエン・アン・チュン氏は、サイゴンで日越貿易に従事し、日本から中古バスの輸入をして成功し、祖国の復興を助けていたが、一九九三年に不当にも不正輸入をしたと告発され、逮捕された。フィン・ムイ君らの努力もあり、無罪判決を受けたが、一九九八年に私たちとサイゴン市で再会したあと、国外に出て、オーストラリアに住んでいるという。東京大学大学院の研究生であったヴィン・シン氏は、韓国人の妻とともにカナダに向かい、アルバータ大学の大学院で博士号の学位を取得し、同大学の教授となった。私は二〇一二年五月にアルバータの彼の自宅を訪問し、脳梗塞で体の動きが不自由になった彼に会った。翌二〇一三年一一月、彼は最後の著作を完成し私に送ってきたが、私が返事を出さないでいる間に、一四年一月に逝去してしまった。彼は、祖国の状況に深い憂慮を抱いていた。レ・バン・タム氏は日本にとどまり、靴製造の工場を経営し、ベトナム人学生に奨学金を出す事業を進めている。

青地さんの椎名悦三郎批判

一九七四年の末、田中角栄首相は金脈事件が暴露され、首相辞任に追い込まれた。それから一年三か月後の一九七六年二月、ロッキード汚職事件が明るみに出て、元首相は逮捕されるにいたるのである。田中角栄氏を社会的に抹殺するこの告発が正当なものであったのか、米国を無視して中国・北ベトナムと国交を樹立したことへの報復なのか、不明である。

しかし私たちの日韓連帯運動は、この間一貫して、日韓癒着と言われる事態の批判、そこにうごめく親韓派に対する批判に注意を集中させていた。私は『読売新聞』

の四月五日付夕刊の文化欄に「見えてきた日韓関係――ロッキード事件への視点」という見出し付きで文章を寄稿した。ロッキード汚職と韓国問題は「一見無関係のごとくみえ」るが、客観的にも、主観的にも「深くからみ合っている」とした上で、私は、ソウル地下鉄工事への車両の納入価格問題とともに、町井久之氏をめぐる問題を日韓癒着の核心として指摘した。町井氏とは、本名・鄭建永、在日韓国人のヤクザの親分で、一九九六年にその組織・東声会をやめて東亜相互企業を立ち上げ、会長に児玉誉士夫を迎えた。町井氏は韓国政府と深い結びつきがあり、韓国外換銀行の保証で日本不動産銀行から五〇億円の融資を受けたという話がある、と私は書いている。日韓の間では、ロッキード事件以上に「もっと醜悪な関係が展開しているといえるだろう」。「戦後の世界に出てくるべきでない人々、戦争を始めた東条内閣の閣僚三人、次官一人が戦後の政界にカムバックし、そのうちの一人が自民党総裁、首相となり、いま一人が副総裁になるのをみとめてきた無責任政治、〔……〕朝鮮民族に対する植民地支配への痛切な反省を欠いた戦後意識――ここに根がある」。町井氏のことは自分で調べた話ではなかったので、のちに振り返って反省した。

ここで私が指摘した自民党副総裁・椎名悦三郎は、日韓連がもっとも危険視した人物だった。椎名は岸信介とともに満洲国で働いたが、帰国後、岸が東条内閣の商工相になると、その次官となった。二人は太平洋戦争開戦時の政府の一角をなしていた。戦後に復活して、椎名は外務大臣となり、日韓条約調印のために動いた。一九六三年の著書『童話と政治』（東洋政治経済研究所、一九六三年）の中で「アジアを守り、日本の独立を維持するため、台湾を経営し、朝鮮を合邦し、満州に五族協和の夢を託したことが、日本帝国主義というのなら、これは栄光の帝国主義であり〔……〕」と記している。そして、田中内閣・三木内閣の時代に自民党の副総裁となり、日本政治の実力者となったのである。

青地晨氏は、六月一八日付の『毎日新聞』に、「ロッキード事件を徹底的に追及すれば、かならず日韓汚職につきあたるというのが、私たち日韓問題にかかわる者たちの共通認識である」と書き、椎名悦三郎が韓国から政治資金を受け取っているという疑惑について指摘した。山川暁夫もほぼ同じころ、『朝日ジャーナル』（六月一八日号）に、この青地の書いた疑惑の根拠が自民党川島派の長老代議士の証言であることを明らかにし、椎名を告発した。この月に出た『日韓連帯ニュース』（一二号）では、私が「日韓連は椎名と対決する」という巻頭論文を載せた。「戦犯・韓国ロビイスト椎名らを追放せよ」というスローガンが掲げられた。

これに対して椎名悦三郎側は、六月二九日、青地・山川両氏を名誉毀損で告訴した。二人は七月一日、共同決意を発表し、この告訴を受けて立ち、これと闘うことによって日韓癒着を明らかにする裁判とするとの決意を披瀝した。この共同決意は日韓連のニュース二二号に載せられた。「日韓連は椎名の挑戦をうけてたつ」という大見出しが付けられた。

青地さんは、自分の椎名告発が「覚悟のうえのこと」であり、独立したジャーナリスト、「首輪のない犬」としての自分の「日韓問題にかかわっての三年間の総決算であり、二十五年間の文筆生活の総決算である」と思いつめていた。この代表の姿勢が日韓連帯連絡会議を奮い立たせた。

シンポジウム「日韓関係と南北統一問題」

このとき日韓連は、韓民統と共催で連続して集会を開催した。四月八日には、日比谷公会堂で、「金大中事件からロッキード汚職まで――日韓の癒着と腐敗の構造をつく日韓市民大講演会」を開いた。六〇〇〇人が参加した。この講演会では、鄭敬謨氏が、金大中事件のもみ消しのため朴大統領が田中前首相に三億円渡した、と告発した。

七月四日には、日韓連と韓民統はシンポジウム「日韓関係と南北統一問題」を、虎ノ門共済会館で共催した。日韓連側からは青地晨と私の報告「対韓政策の転換は急務であり、南北統一への敵対は許されない」がなされた。この報告の中で、私たちは「過渡的には大韓民国とともに朝鮮民主主義人民共和国とも国交をもつことが必要である」と主張した。その上で、朝鮮民主主義人民共和国と国交を開くのであれば、「朝鮮植民地支配は、不法かつ不義なるものであった。私たちがあなた方に与えた苦しみについて深く謝罪する」「謝罪の意志の表現として賠償を支払う用意がある」という原則に立つべきだと主張した。日韓連帯運動の中にいた私たちの日朝関係正常化に関する最初の表明であった。この見解は以後の私たちの一貫した方針となるのである。

このシンポジウムの記録は『現代の眼』（一九七六年一〇月号）に掲載された。

韓国問題緊急国際会議と小田実氏の北朝鮮訪問

八月になると、小田実氏が韓民統と組んで、韓国問題緊急国際会議を開催した。八月一一日から一五日まで開かれたこの会議にはアメリカからは、マーク・セルデン、ジョージ・ウォールド、鮮于学源（ソヌハグォン）、イギリスからはギャヴァン・マッコーマク、ジョン・ハリデイらが参加したが、何よりも注目を集めたのは西ドイツでＫＣＩＡに拉致された作曲家・尹伊桑（ユンイサン）氏であった。青地氏も私も参加したが、このような会議は初めてで、相当にイムプレッシヴな催しだった。

小田氏は他方で、北朝鮮問題をも考えはじめていた。安江良介氏を介して北朝鮮より招待がくると、進んで訪朝を決断した。小田氏は韓国問題緊急国際会議が終わって二か月後の一九七六年一〇月末から一一月にかけて訪朝した。小田氏は金日成と面会した。帰国後、ただちに小田氏は『毎日新聞』に金日成会見記を載せ（一一月二七・二九日付）、翌七七年二月になって訪問記「『北朝鮮』――その現実と思想」を『朝日ジャーナル』に連載した。最後に『世界』（一九七七年四月号）に「一本の竿を立てよう」という基本見解を発表した。これらはすべて、一九七七年八月に筑摩書房から出した『私と朝鮮』にまとめられている。

小田氏には自分の市民運動の原理があった。そこから、北朝鮮を是々非々で見てやろうと出かけたのは間違いない。「金ピカの銅像」や「自由」などの問題などがあることは明確に意識されていた。だが小田は、共産主義運動とは無縁の人だった。だから、共産主義者の観点から北朝鮮の社会主義を吟味するというようなことはしなかったが、共産主義運動の経験がないために北朝鮮を見る目が甘くなってしまったようである。北側の人々は「指導者であり権力者である金日成さんを自分たちの仲間でありながら同時に代表者として認め」ているが、南側の人々は、朴正熙氏をそういうものと見ていないという氏の結論的主張を見て、私はそう思った。

それにしても、北朝鮮の体制に対する小田氏の感心ぶりは度を越していた。北朝鮮は「すべての人が働いている社会」であり、テレビも夕方にならないとはじまらない。働く女性を助けるためにゴハン工場がある。所得には格差があるが、それほど大きくない。夫婦で働けば「ゼイタクではないが基本的には栄養も十分にあれば腹いっぱいにもなれる食事を家族五人でとることができる」。老後の生活不安はない。「物質的なことがらについて言えば、この社会は日本の社会がもつものを基本的にはすべてもっている社会だということだった」。しかも、日本にはないものがあるとして、小田氏は食糧の自給、完備した社会保障、一一年制の義務教育、農民の有給休暇を上げた上で、「税金がない」ということを指摘していた。そこから北朝鮮の方が、日本よりもアメリカよりも、「進んだ『先進国』」だ、「社会主義国中のもっとも最先端の国」だ、という理解しがたい評価が導かれることになった。そもそもどっちが進んでいるかというような議論を立てること自体が奇妙である。小田氏のこの議論は基本的に破綻していた。

北朝鮮の社会主義建設は「決して無理をしない『革

命』であり、『建設』であるように見えた」と述べているのも、あまりに誤った判断である。北朝鮮の歴史は無理に無理を重ねてきた歴史であることは小田氏自身も認めている。

小田氏は、北朝鮮は「あたかも働き者の一家で、みんなが懸命に働いていて、一家の頂に『アボジ』（父親）として、金日成さんがいるという感じ」というように捉える。そして、「主体思想」の柱の一つが「指導」であるが、この指導が「金日成さんの人格と指導される側としての働き者の一家の特性とにあまりにも強く結びついているところに弱点がある」と指摘する。そこから、人間の「自発性」「創造性」をどれだけ発揮するかという問題を提起して、金日成総合大学の図書館の蔵書の貧しさを指摘する。論文の巻末近くで「私が『北朝鮮』でもっとも痛切に考えたことは自由のことだった」と告白する。これは小田実氏の最終的な北朝鮮批判の言葉のはずだった。しかし、小田氏はすぐつづけて「私は自分自身について自由の不足を感じていた」と述べて、批判を飲み込んでしまい、北朝鮮の自由の不足を批判できるほど、日本人は自由なのか、という問題提起に切り替えているのである。そのまま小田氏は、北朝鮮の「信じて、働き、待つ」という主題の映画を見て涙が流れた、と述べて訪問記を終えている。小田氏は北朝鮮の人々のその姿勢に感動してしまっている。

ソ連の現実を知っている私としては、小田氏のこの訪朝記はとても主観的で、受け入れられなかった。しかし、私はいかなる批評も述べなかった。

ソ連の歴史家たちを読む

一九七六年は、またソ連共産党第二〇回大会、あのスターリン批判から二〇年後の年であった。そのことは、私が大学に入ってロシア史研究に取りかかってから二〇年が経過したということでもあった。ロシア史研究会も創立二〇周年ということになる。ハンガリー事件からも二〇年なのである。

私はすでにブルジャーロフとも、ゲフテルとも知り合っていた。ソ連の歴史家が記す論文や書物を読んで、その文章の行間に込められた彼らの心の声を読み取ることができるはずだと考えて、ソ連の歴史家の研究をはじめていた。私の最初の論文「戦後ソ連における歴史家と歴史学――ソ連史学史ノート１」は、この年六月『ロシア史研究』（二五号）に掲載された。

私は、ソ連の歴史家の仕事を追跡し解読する前提として、一九三〇年代末に確立したソ連歴史学を担う人々の中に、七つの世代があることを確認することが必要になると考えた。第一はゼロ世代、古参ボリシェヴィキから歴史家になった人々。第二は、革命前に完成された歴史家となっていた人々。第三は、革命と内戦に加わった青年党員で、赤色教授養成学院で学び、歴史家になった人人。代表者は、ミンツ、パンクラートヴァらである。政治家・文学者ではフルシチョフ、ファジェーエフとなる。第四は、革命後に青年期を迎え、一九三〇年代末に大学を出て、歴史家になった人々で、ブルジャーロフらである。ブレジネフ、トヴァルドフスキーがこの世代に属す。第五は、独ソ戦前に大学を出て、大学院に入った人々。ゲフテルらである。アンドロポフ、ソルジェニーツィンが同世代である。第六は、一九二五年前後に生まれ、戦前に大学に入ったばかりで、戦争に行き、戦後に大学を終えた人々。ダニーロフ、ネクリチ、メドヴェージェフらである。第七は、一九三五年前後に生まれ、戦争のときは子供で、戦後に青年になり、スターリンの死後に大学を卒業する人々。トヴァルドフスカヤ、ゴルバチョフの世代である。

最初の論文で私は、戦後の出発、暗雲と抵抗の一九四七年、批判のはじまりの一九四八年、コスモポリタニズム批判の一九四九年を描き出した。

社会科学研究所では、所員は個人研究を進めるとともに、いくつかの共同研究の組織に属した。部門ごとに外部の研究者も誘って行なうのがグループ研究と言われていた。ソ連中国部門では、「現代社会主義の研究」が、古島和雄氏を代表者にして一九七二年からやられていた。私はその中で「スターリン批判、一九五三〜五六年」をテーマとして分担研究していた。ソ連共産党第二〇回大会でのフルシチョフ秘密報告によるスターリン批判は、まさに私の生きた同時代の事件であった。その事件を解明するのに私は歴史家の抵抗・批判を中心において考えることになった。中心的登場人物は、私の尊敬する歴史家ブルジャーロフである。この研究は論文集『現代社会主義——その多元的諸相』(東京大学出版会、一九七七年)に収められることになっていた。

連帯運動の広がり

一九七六年六月からは、日韓連は、民主救国宣言事件の全被告の釈放を求める署名運動を開始した。しかし同じころ、在日韓国人青年同盟が民主救国宣言支持の一〇〇万人署名運動を開始し、これを全国に広げた。この運動は一一月には目的を達成した。

このような動きが刺激となって、この年には各地に日韓連帯の運動体が生まれた。六月二八日には、名古屋市に「韓国民主化闘争に連帯し、在日韓国人政治犯を救援する日韓連帯愛知県民の会」が誕生した。九月一五日には、伊藤成彦・宮原昭夫氏らが中心となった日韓連帯神奈川民衆会議が正式に発足した。一〇月一六日には、日韓連帯横須賀会議が発足した。一〇月一七日には、静岡日韓人民連帯会議が発足した。この会議の代表は静岡大学教授・藤本治だった。

他方で、一九七七年三月一日に設立された「アジアの女たちの会」が独特な活動をつづけた。この中心になったのは、朝日新聞記者・松井やより、画家・富山妙子、土井たか子議員の秘書・五島昌子らであった。「キーセン観光に反対する女たちの会」が母体になったと考えられる。機関誌『アジアと女性解放』に発表された設立宣言は次のようなものだった。「かつて、中国、朝鮮半島をはじめアジアの国々で、焼き、殺し、奪い、女たちを犯す侵略の先兵となったのは、私たちの肉親であり、友や、恋人でした。そして今、私たちはこれ以上夫や恋人を経済侵略、性侵略の先兵として送り出す女たちであり続けることは拒否しようと思います。〔……〕私たちは、今ここで、アジアの姉妹たちに深い謝罪の気持ちを表すとともに、彼女たちのたたかいに学び、連帯する日本の女たちのたたかいをつくり上げる決意を新たに、出発することを宣言します」。

富山妙子は強制動員労働者を主題とした版画を多く創作し、高橋悠治の音楽とのコラボレーションで、スライド・ショーの作品を制作するなど、独自の運動の分野を開いた。一九七六年一一月に富山妙子詩画集『深夜』を出したが、添付したレコードには鄭敬謨氏が歌った金芝河の「縛られた手の祈り」が収められた。慰安婦問題も富山氏の重要な主題であった。「女たちの会」は、富山のこの活動を支える役割も果たした。

日韓連帯連絡会議は、一九七七年二月から定例デモを開始した。前年末に誕生した福田赳夫首相の内閣には、田中竜夫・三原朝雄・宇野宗佑・長谷川四郎と四人の日韓議連副会長が入閣した。それで、最悪の侵韓派内閣だとして、福田内閣の退陣を求めるデモを毎月行なうことしたである。このデモは、翌一九七八年三月まで一四回つづけられた。

さらに八月八日の集会を契機に、他の団体や個人とともに、あらためて金大中事件の真の解決を求めて、国会に調査委員会を設置することを要望する請願署名運動を開始した。青地晨、赤塚不二夫、飯沼次郎、市川房枝、佐々木秀典、住谷悦治、中嶋正昭、中野好夫、日高六郎、本多秋五、松浦総三、松本清張、宮崎繁樹、湯浅八郎の一四氏よりなる運動委員会が結成され、事務局には、伊藤成彦、篠田健三（鎌倉・逗子）、東海林勤、清水知久（練馬）、古屋能子（新宿）、そして私が入った。赤塚不二夫氏の好意で、氏のマンガを使ったポスターを作成することができた。国会議員では、宇都宮徳馬、野田哲（社会党)、中川嘉美(公明党)、立木洋(共産党)議員の参加協力を得た。署名の目標は一〇万人であったが、総評と相談して、目標を三〇万人に引き上げた。

しかしながら、九月一日からスタートした署名運動は、一〇月二一日の段階で、二万九四〇五人にしかならなかった。つまり目標の一〇分の一ということになったのである。このことは、人々の関心が後退しており、運動はなかなか厳しい様相を呈してきたことを示していた。

金芝河の最終陳述

一九七六年一〇月には、日韓連は金芝河についての新しいパンフレットを発行した。これは中井毬栄氏が日韓連の事務所に乗り込んできて編集したもので、金芝河らを助ける会のパンフレットとして出た『金芝河裁判——裁判記録と獄中メモ』である。日韓連ニュースの編集部が制作して、印象深い冊子ができ上がった。表紙に獄中メモに金芝河が書いた自画像を載せた。「電車　パルゲンイ(アカ)〈強盗〉の自画像　1975・1・10　キム・ジハ」と書かれている。電車のレールは終わりがない。だから、無期囚のことを韓国では「電車」と呼ぶのである。

金芝河は、一九七六年一二月二三日に最終陳述を行な

国会に金大中事件の調査委員会の設置を要望する署名運動ポスター

パンフレット『金芝河裁判——裁判記録と獄中メモ』

った。その中で南北の政権を「既成独裁権力」と呼び、民衆的アンチ・テーゼがその「圧制を追い払い、自己の本質をこの地で行使しはじめることは明白であります」と言い切った。

「私は北側でよりも、南側でさきに民衆的アンチ・テーゼの勝利が到来するであろうと確信しています。〔……〕これがこの国に訪れるもう一つのアテネの春であります。このアテネの春の日の圧力によって、分断された北側でも徐々に自分なりの変化を始めるであろうということを私は敢えて言うことができます。まさにこれが半島の北側に訪れるプラハの春であります。まさに、このような二つの春、アテネの春とプラハの春は必ず半島を訪れるでありましょう。これが法則なのです。神の歴史の息吹なのです」。

この法廷には、金芝河らを助ける会国際委員会から、ダグラス・ラミス氏が傍聴に派遣された。彼は最終陳述をいち早く日本に伝え、『日韓連ニュース』（二七号）に掲載された。

一二月三一日、金芝河に判決が言い渡された。懲役七年であった。

韓国知識人の思想

一九七七年には、私たちは民主化運動に関係する韓国の知識人たちの多様な顔ぶれ、多様な思想を知るようになった。韓国語が少し読めるようになると、自然に東京にある韓国語専門書店の三中堂や高麗書林に足を運んで、韓国の書籍を眺めるようにもなった。私が最初に注目したのは、二つの雑誌である。一つが『月刊対話』誌、いま一つが季刊の『創作と批評』誌である。

『月刊対話』はその派手な表紙で、私の目を奪った。韓国クリスチャン・アカデミーの機関誌を増面革新して、「今日の歴史と社会を透視する社会文化総合誌」にするとして、新編集長に林正男（イムジョンナム）氏を迎えたのである。その刷新の最初の号、一九七六年一一月号には、金寿煥枢機卿と姜元龍（カンウォニョン）アカデミー院長の対談「この民族に希望を」、詩人・高銀（コウン）の評論「歴史と知識人」、崔沃子（チェオクチャ）の論文「韓国の女性運動を反省する」、東一紡織の女子労働者・石正南（ソクジョンナム）の手記「人間らしく生きたい」が掲載されている。石正南の手記のエピグラムには、丸山薫の詩「母の傘」が引用されていて興味を惹いた。一二月号には僧法頂（ポプチョン）の連載コラムの第一回「出家」や「未公開発掘資料日本抵抗手記〈歴史の中の痛声〉」などが載っている。韓国でこういう雑誌が発行されたことは驚きであった。この二冊を買って、私は、まず法頂師の「出家」を拾い読みした。

「人は自分の環境を改善しようという意思を持っている。

このような努力は、個人であれ組織体であれ、違いはない。〔……〕権力も組織もない個人が自分の環境を改造するか、再構成しようとすれば、彼は自分の限界を知るゆえに、〔……〕自ら捨てて出ていくのである。〔……〕出家とは、このように捨てて出ていくことだ。古びた家、執着の家、葛藤の家から出たから出家と名付けるのである」。「お前は、なぜ出家したのか。仏陀がいまこの場でたずねるとしても、私は次のように答えるだろう。私らしく生きるために、私のやり方で生きるために、家を出たのだと」。

「すべてを捨てて出ていくことによって、むしろ身軽な自由を享受しようというのである。私の人生を私が生きるために」。

　私は深く感動した。韓国の知識人のこのような精神性を日本に紹介することが必要だ。このような雑誌の論文を選りすぐって紹介するような書籍を日本で刊行する必要がある。そういう考えが私の心の中に生まれた。

　一九七七年四月号には、教育学者・成来運（ソンネウン）の論文「人類とともに同胞が生きのこる道」が載った。八月号には、李泳禧（リヨンヒ）「光復三二周年の反省」が出た。これらの論文は、文章が平明で、思想が明晰である。李泳禧氏は、日本人が妄言を繰り返すということの「根源的な責任と過ちは、はたして日本人だけにあるのだろうか。日本人が負わなければならない責任に劣らないほどの過ちが、われわれ自身にはないのだろうか」、妄言が繰り返されるのは「それを許容する根拠が、この民族・社会・国家の内部に存在しているからだ」と指摘していた。それは、日韓関係の論じ方を根底的にあらためるように主張した画期的な論文だった。『月刊対話 論文選』のような本を出したいという気持ちがますます強まった。

　さらに『創作と批評』という雑誌も目にとまった。『月刊対話』と比べると、こちらは、ずっとアカデミックな内容で、しかも長大な論文が多く、とっつきにくかった。私が最初に購入したのは、一九七六年夏号（四〇号）であった。それから七七年夏号（四四号）を買い、七七年秋号（四五号）を入手するに及んで、私は大いにこの雑誌に惹き付けられた。この号の巻頭は「分断時代の民族文化」と題した、姜万吉（カンマンギル）・金潤洙（キムユンス）・李泳禧・白楽晴（ペクナクチョン）らの座談会が三〇〇枚もあった。その重要性が直ちにわかり、これを読みたい、誰かに全文を翻訳してもらいたいという希望を抱いた。

　日韓連帯連絡会議の運動も三年半やってきて、このまま正面攻撃を政府や社会にぶつけても、事態を変えられない。もっと韓国を深く理解して、そこから真の日韓協力の道を示して、政府や世論を揺さぶっていくことが必要ではないか、という考えを抱いていたのである。

「ソ連における反ファシズムの論理」

社会科学研究所のソ連・中国部門のグループ研究『現代社会主義――その多元的諸相』は、東京大学出版会から一九七七年三月に刊行された。そこに私の論文「スターリン批判――１９５３～１９５６」が収録された。これはかなり長い論文になった。

私は、スターリンの死からはじめて、ベリヤの新路線が同僚たちに不安を与え、ベリヤ粛清にいたったところで、三つの批判勢力が登場したと指摘した。ラーゲリの中の政治囚の抵抗、古参ボリシェヴィキの異議申し立て、ブルジャーロフを中心とする『歴史の諸問題』誌編集部とその周りの歴史家たちの批判である。この第三の勢力の行動は知られていたが、第一と第二の勢力をスターリン批判のファクターと見るというのは私の新説であったが、資料的裏付けも弱く、仮説的な問題提起であったと認めざるを得ない。その後の展開の説明において私は、フルシチョフの相対的保守性とミコヤンの批判的主導性を強調した。ミコヤンの回想も出ていない時代であり、この主張も多分に仮説的であったと言えるだろう。

しかし、それから四〇年後、私はペレストロイカ以後に見ることができるようになった資料にもとづいて、『スターリン批判　１９５３～５６年』（作品社、二〇一六年）を刊行するのだが、一九七七年の私の仮説は資料によって裏付けられたことが確認できた。

社会科学研究所は数年ごとにテーマを決めて、全所的共同研究、全体研究をも行なっていた。そのテーマに合わせて、私は「基本的人権」の全体研究（一九六八年）には「近代ロシア社会の法的構造」を書き、「戦後改革」の全体研究（一九七四年）には、「ソ連の対日政策」を執筆したのであった。一九七三年からはじまった全体研究「ファシズム期の国家と社会」も成果をまとめる時になっていた。私はこの全体研究の委員として働いてきたが、この全体研究の論文集、『運動と抵抗』の巻に、論文「ソ連における反ファシズムの論理」を書くことに決めていた。一九七七年一月、私は所内の研究会で報告した。

ソ連が反ファシズムの砦だと全世界の人々から期待されていたのに、そのソ連の国内で一九三六年から三八年にかけてスターリンの指揮下により大量のテロルが発動され、「ファシストの手先」として無数の人々が殺された。その深刻な矛盾をどのように分析するか。私はソ連における反ファシズムの論理の対立・相克を考えることで、この矛盾に迫ろうとした。このときの報告で私が取り上げたのは、ソ連共産党機関誌『ボリシェヴィーク』に見られる公式ソ連の論理、反ファシズム・スターリン主義の論理と、「ある抵抗派」として劇作家エヴゲーニー・シヴァルツの反ファシズム・反スターリン主義の論理である。シヴァルツは児童向けの劇を書いた作家だが、「裸の王様」（一九三四年）、「影」（一九四〇年）、「ドラゴン」（一九四三年）を発表し、「一人一人の心の内にあるドラゴンを殺す」ことを呼びかけた。ドラゴン、竜とは独裁者であり、独裁者にひれ伏すことを願い、独裁者を迎え入れ、独裁者がいなくなれば自分が独裁者になる精神態度をさしている。シヴァルツはこのような作品を書きつづけ、その上演をめざしながら、ついに抑圧されることがなかった。まことに驚異の抵抗者である。

この全体研究の出版は一九八〇年に予定されていたので、私はさらに研究を深めようとしていた。こののち、私は、アメリカのスティーヴン・コーエンの大著『*Bukharin and the Bolshevik Revolution*』（New York, 1973）を読んだ。そこで、ブハーリンが右翼反対派として失脚したあとに復活して、『イズヴェスチヤ』の編集長になり、反ファシズムの中心的な主張者になったことを知った。その彼が、一九三八年にスターリンによって「ファシストの手先」として裁判にかけられ、処刑されるのである。このブハーリンにおける反ファシズムの論理を、公式のソ連の論理と抵抗者シヴァルツの論理の間に置いて検証しようという気持ちが起こった。論文の最終的な構想がまとまってきたのであった。

『日韓連帯の思想と行動』

一九七七年五月に、青地さんと私の編で『日韓連帯の思想と行動』という日韓連帯連絡会議の活動の記録を出版した。もう名前を思い出せないが、社会評論社の好意的な編集者と相談して、この本をまとめて刊行することができた。第一期「金大中事件の衝撃」（一九七三年八月～七四年三月）、第二期「新しい運動の出発」（一九七四年四月～一〇月）、第三期「期待と幻滅」（一九七四年一一月～七五年一一月）、第四期「一〇年の歴史を逆転せ

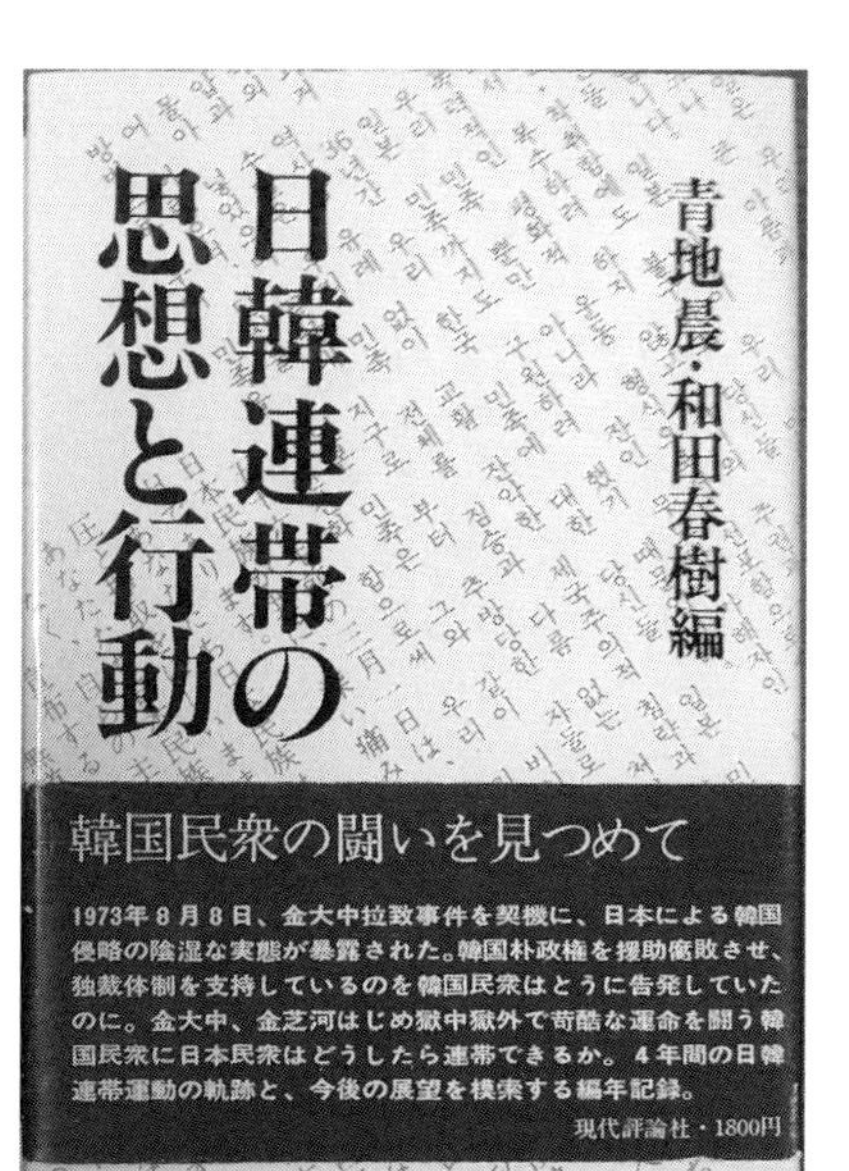

『日韓連帯の思想と行動』（社会評論社、1977年5月）

よ」（一九七五年一二月～七七年二月）と分けて、それぞれ日誌を頭に付けて、その時期の声明や資料や論文を並べている。歌は「ウリ・スンニハリラ」の歌詞と「維新憲法撤廃せよ」の楽譜を入れた。私の「日韓連の歌」は入れなかった。

この本の末尾に、全国の日韓連帯運動の団体を連絡先とともに紹介したリストをつけた。ところが、いくつかの団体から勝手に連絡先を載せるな、と抗議を受けて当惑した。

「農民革命の世界」

私は、歴史家の仕事としては、ロシアの農民問題に関心を寄せていた。論文「エセーニンとマフノ」を執筆することができたので、もう一本書けば「書籍」としてまとめられるかもしれないと思い、東京大学出版会の渡邊氏に相談した。私はさらに冒険して、「ロシア農民の内面世界」を論じてみたい、読書ノートという形式で、自由に書いてみようと思うと話した。彼の「いいじゃないですか」との後押しを得て執筆することになった。

はじめに、短い「スチェンカ・ラージンおぼえがき」を書いた。民族学者ローザノヴァの「ラージン伝承」に関する論文（一九二九年）と一九世紀の歴史家コストマーロフの研究が示唆的だった。一九世紀に生まれたスチェンカ・ラージンについてのロシア歌謡は明るい。しかし、伝承の方は重苦しく、恐ろしい。ラージンは貴族を多く殺したので、死ぬことが許されない老人、あるいは永久に腐らない死体だと伝えられている。森の奥に横たわるラージンの遺体をカラスがついばみ、蛇が血を吸っている。その遺体を見る者は、スチェンカ・ラージンは、いつかよみがえると考える。「あの人はくる。きっとくる。〔……〕おお、きびしい時がくるぞ。主よ、善良な、洗礼をうけた人はみな、スチェンカがまたくるときまで、生きながらえることがないようにしたまえ」。よみがえるラージンは復讐をはじめる。残酷な裁きの日がくる。人々は戦慄しながら、その日を待っている。私はここに「ロシア民衆の抱く革命の原イメージ」があると考えたのである。

「ロシア農民の内面世界」をまとめるには、語源学・民俗学・文化人類学の成果が役に立った。まず理想の状態として、めざすべき世界をさす言葉が「プラウダ」と「ヴォーリャ」である。「プラウダ」という言葉は、ソ連共産党の機関紙の名として広く知られてきた。「真実」という意味は、新聞名としたらふさわしいだろう。もっともソ連のアネクドートには、〝『プラウダ』に「真実」なし〟というのがある。ところが、「プラウダ」には、もう一つ「正義」という意味がある。そして、古くからロシアでは、この言葉は「正義」と「真実」「真理」とが混ざり合ったような「理想社会」をさす言葉として使われてきたのである。「真理」とは神の「真理」をさすのだろう。そのような「プラウダ」を地上に求めるのがロシア人だ、と考えられていた。

「ヴォーリャ（Volia）」の方は、ドイツ語の「Wollen, Wille（願望、意志）」と同根の言葉で、ロシア語でも「意志」を意味するが、それだけでなく「意のままになる状態」「自由」を表わす言葉でもある。そして、中央権力から自由な辺境の自由民・逃亡者・カザークの状態を「ヴォーリニッツァ（Vol'nitsa）」「ヴォーリノスチ（Vol'nost'）」と表現するように、カザーク的「自由」に近いのである。ロシアの民衆はこのような「ヴォーリャ」をも求めていた。こちらは、国家の束縛を離れた向こうの世界に現存する理想状態である。

さて、ロシア人の中に長い間かけて培われてきた意識の中でもっとも重要なものは、ソ連の民族学者チストフが「帰りくる救い主ツァーリ」と命名した神話である。彼の本、『ロシア民衆の社会ユートピア的神話』は一九六七年に出版された。皇太子やツァーリが悪人たちによって殺されかけたため、身を隠し、諸国を流浪しているが、ついに戻ってくる、そのときはその人の体にある印を見て、皇太子ないしツァーリであることを見分け、その人に付き従え、その人がみなを救ってくれる、という神話である。一七世紀初めからの動乱期と呼ばれる時期、イヴァン雷帝の第三子ドミトリーは癲癇持ちで、一五九一年に死んだ。しかし、雷帝の第二子で即位したフョードルも七年後に死ぬと、フョードルの妃の父、大貴族のボリス・ゴドゥノフが即位する。たちまちドミトリーはボリスに殺されたのだという噂が流れ、ついにドミトリーは死んではいない、自分がドミトリーだ、と名乗る人物が挙兵して、ポーランド王の援助を受けて、ロシアに攻め込むのである。

これが「帰りくる救い主ツァーリ」神話の最初の出現であり、最後に現われたのは、一八世紀末のプガチョフの反乱である。プガチョフは、エカチェリーナ女帝に殺された夫のピョートル三世であると名乗ったのである。

チストフはここまでで研究を終えたが、私はこの神話が一九世紀の半ばにいたり、「解放者ツァーリ」の神話となったことを発見した。農奴解放がなされた一八六一年、カザン県スッパスク郡ベズナ村で発生したアントン・ペトロフの運動が典型例である。彼は、皇帝は真の自由を与えて下さるのだが、貴族たちがそれをさえぎっている、自分は皇帝の意志を聞いている、やがて皇帝から真の使者が派遣されてくる、その時まで自分を守るのだ、と農民たちに語った。彼の小屋のまわりには五〇〇〇人から一万人の農民が集まったと言われる。軍隊が突入して、ペトロフは逮捕され、処刑された。

二〇世紀には、ペテルブルクの数万の労働者とその家族が司祭ガポンに率いられ、プラウダを与えよ、それが与えられなければ、皇帝の宮殿の前で「死にましょう」という請願書を持って、冬宮めざして行進した。軍隊に発砲されて、多くの死者を出した。この「血の日曜日」事件が一九〇五年革命を開始させたのである。

このようなことを書いた第三論文「ロシア農民の内面世界」を収めて、『農民革命の世界――エセーニンとマフノ』（東京大学出版会）という本を刊行した。一九七八年一〇月のことである。

和田あき子、無農薬野菜運動へ

ところで妻の和田あき子は、このころから千葉県房総半島の南端の三芳村の農民との提携運動「安全な食べ物をつくって食べる会」に参加して、無農薬野菜を定期的に購入する首都圏の消費者の組織で活動するようになっていた。一九七四年には『朝日新聞』で有吉佐和子の「複合汚染」の連載が一〇月からはじまり、無農薬野菜を求めるブームが起こったのだが、千葉県三芳村の農民たちと東京の主婦たちの提携運動は七三年からはじまっていた。農民たちが無農薬でつくる野菜を、提携した主婦たちが全量買い取るという組織が正式にスタートしたのは、一九七四年二月のことである。この組織は、このときから二〇二二年まで、じつに四八年間も活動をつづけるのであるが、最盛時の八〇年代半ばには会員一三〇〇人の大きな会となる。和田あき子は、八〇年代に入るころには運営委員となって活躍し、のちには数回にわたり会代表にもなって働いた。

『農民革命の世界』（東京大学出版会、1978 年 10 月）

ソ連での在外研究の可能性

一九七七年に、私が在外研究でソ連に長期滞在するという問題が発生した。

私は長い間、ソ連で長期在外研究をすることを考えずに生きてきた。日本政府にはそういうことを可能にするシステムがなかった。だからそういうことができるのはソ連と特別な関係を持つ人だけだと考えられた。レーニン平和賞をもらった安井郁氏の娘・侑子さん、ロシア文学の翻訳家・米川正夫氏の息子・哲夫氏などの留学は知られていた。私の研究所の身近な同僚、ソヴィエト法の藤田勇氏も一九六二年に一年間ソ連で在外研究をしたことがあった。藤田さんは、モスクワの古本屋でヴェーラ・フィグネルの七巻の全集第二版（一九三二年刊）を買ってきて、実質的に私にプレゼントしてくれた。この全集は私のフィグネル研究の土台を作ってくれたのだが、だからと言って、私はソ連での在外研究の道を探そうという考えを起こさなかった。

しかし、一九七三年一〇月の田中首相の訪ソの際に、学者・研究者の交換などに関する取り決めが調印され、日本学術振興会とソ連科学アカデミーとの協定による一〇か月の研究者交換プログラムがスタートしたのである。この協定で第一陣・第二陣は一九七四年・七五年にソ連に赴いていた。岡山大学の保田孝一氏や東大法学部の溪内謙氏が入っていた。公開の募集は、第三陣あたりからであった。一九七七年六月には、私より一年下の友人、ロシア経済史の明治学院大の中山弘正氏が出かけることになったというので、私もこのチャンスを生かさなければならないという考えになった。ロシア史を研究し、大学院生を指導している立場としては、ソ連在外研究のチャンスを逃すことはできなかった。だが私は、日韓連帯連絡会議の事務局長として、事務所維持の責任を負っていた。そうであれば、私は長期に日本を離れることはできない。悩んだ末に青地代表と相談して、私がソ連に行くために、運動の組織を改組してもらうことを決断した。

私は、一九七七年秋に日本学術振興会に申請書を提出した。ソ連科学アカデミーのソ連史研究所に受け入れてもらい、「ロシア革命史におけるナロードニキ主義」というテーマで、文書館で未公刊文書を渉猟し、六人のナロードニキの生涯を研究するという計画を出した。そして年末、ソ連行きの許可を得た。一九七八年一〇月に出発し、一〇か月滞在することが認められたのである。

日韓連から日韓連帯委員会へ

一九七八年の正月から、私はふたたび『読売新聞』の書評委員になるよう依頼されて、ソ連に出発するまでの間という約束で引き受けた。一緒に書評委員になったのは、井出孫六・鎮目恭夫・竹内啓・寺山修司といった人たちであった。私は、深谷克己『八右衛門・兵助・伴助』、高橋悠治『たたかう音楽』、コマローヴィチ『ドストエフスキーの青春』、山川暁夫『アメリカの世界戦略』、竹内実『魯迅遠景』、上山安敏『ウェーバーとその社会』、いいだもも『現代社会主義再考』などを取り上げた。

年明けから、日韓連の組織改組の話し合いをはじめた。日韓連帯連絡会議を知識人主体の日韓連帯委員会と青年たちのグループに分けるという改組を行なうことにした。改組とは言っても、事実上は日韓連の活動停止であったので、これまで運動を支えてくれた若者たちには、申し訳ない次第であった。しかし、若者たちは不満を感じただろうが、事情を察して反対する人はいなかった。

二月になると、李泳禧氏の逮捕、反共法違反事件立件のニュースが伝わってきた。私は『日韓連帯ニュース』（四〇号）に「真実が詭弁にみえるとき——李泳禧氏と『転換時代の論理』」を載せた。二月二七日には、韓国問題キリスト者緊急会議が記者会見をして、韓国で出された「三・一民主宣言」を発表した。日韓連も、ニュース四一号をこの宣言の全文の発表にあてた。民主救国宣言よりもはるかに多くの人々が署名し、内容的には、統一問題で金芝河の最終陳述とほぼ同じ立場を表明している。「われわれはまず統一を望む。しかし、共産主義的な先統一は拒否する。〔……〕われわれは内容ある統一を望む。それは民主統一である。政治的には民衆が主人となる議会制民主主義の体制に、経済的には労使の共同決定を制度化する、産業民主主義体制に統一されることを望む。このような民主統一は、必ずや民衆の民主的力量の広がりを通してのみ可能であろう。われわれはこれを今日の北韓において期待することはできない」。

署名者は、カトリック・プロテスタント両教会の人々の他、文人・言論人からは、千寛宇・宋建鎬・高銀・李浩哲・白楽晴・朴景利・成来運・李文求・黄皙暎らである。

この春、私は、李泳禧の評論集『転換時代の論理』を入手した。これは一九七四年に刊行され、韓国の青年たちの歴史=社会認識に大きな衝撃を与えた本であった。二月の反共法違反事件は、創作と批評社から出した『八億人との対話』と、ハンキル社から出した第二評論集『偶像と理性』が罪に問われたのである。それらの本もみな手に入れた。創作と批評社の代表・白楽晴氏も取り調べを受けていた。

まさにそのとき『創作と批評』七八年春号（四七号）の巻頭に、民主化運動の旗手の一人、朴炯圭牧師と白楽晴氏の対談「韓国基督教と民族現実」（二四〇枚）が掲載されたのである。これは日本でも、韓国問題キリスト者緊急会議によってただちに全訳された。

私は、すでに『創作と批評』誌の影印本（複写本）の全一〇巻（一号から三八号まで）を購入していた。私は高崎宗司氏と相談して、この雑誌の論文選を翻訳出版することを決断した。青地さんと相談すると、社会思想社なら紹介できると言われた。社会思想社の社長・小森田一記氏は、青地さんと一緒に横浜事件の被告となった人であった。また私の研究所の同僚、ソヴィエト法の小森田秋夫氏の父君である。青地さんと一緒に小森田社長を訪問して、出版を引き受けていただいた。私と高崎氏のほか、京都大学大学院で朝鮮史を研究している水野直樹氏（のち京都大学人文研究所教授、所長）にも翻訳に加わってもらった。水野氏は学生時代に徐兄弟を助ける会に加わって活動をはじめた人で、このとき以後、私の研究と活動を助けてくれる生涯の友となった。

私はあえて白楽晴氏の創刊の辞「新たな創作と批評の姿勢」の翻訳に挑戦した。それは白楽晴という人のことを知れば知るほど、大した人だと考えたからである。私と同年・同月である一九三八年一月の生まれであるこの人が、一九六五年にこの雑誌を創刊し、のちに出版社まで設立して、すでに一〇年以上も守りつづけていること、ソウル大英文科の教授で、D・H・ローレンス研究の業績を持ち、一九七五年に「民族文学」を提唱するにいたったこと、しかも、民主化運動の中で、ついに七七年には「三一民主宣言」にも署名するにいたったこと、どの点から見ても敬服すべき人物であった。その人がどういう考えで雑誌を創刊したのか、私はそれが知りたかった。この論文の結びで白楽晴氏は書いている。

「理想がひからび、大衆の疎外と堕落が深い社会であればあるほど、少数の知識人の知恵と良心にすべてがかかることを、われわれは知っている。知識人がその責任をはたすためには、彼らが出会い、互いの誠意を確認して、力をえて、創造と抵抗の姿勢を新たにすることのできる拠点が必要である」。

まさにそのような拠点として、『創作と批評』誌は生まれたのであった。私の訳文は金学鉉（キムハッキョン）氏に添削を願った。この仕事が日韓連における私の最後の仕事となった。

このとき中井毬栄さんは、金芝河の第三作品集『苦行』の出版準備を進めていた。その内容は、獄中メモの完全版、良心宣言、そして裁判記録の完全版であった。金芝河刊行委員会訳・編として刊行され、訳者には三人の名があげられているが、いずれもペンネームである。解説は、中井さんの求めで私が執筆した。これはのち、私の評論集に「金芝河の道」という題をつけて収録される。『苦行』は一九七八年九月に刊行されることになる。

一九七八年七月、『日韓連ニュース』の最終号が出た。この号に青地さんと私の二人の名前で、日韓連の活動停止、活動の分割、継承する組織についてのあいさつが発表された。日韓連帯連絡会議は解散し、高田馬場にあるパン屋の四階の事務所は閉鎖する。青地・和田・清水らは、日韓連帯委員会を設立して、可能な活動をつづける。ブレティン『日韓連帯』を発行する。連絡先は青地の自宅とする。フリーライターの佐藤達也氏らが中心になっていた「市民の手で日韓ゆ着をただす調査運動」は、日韓連の青年たちの「朝鮮語で三・一アピールを読む会」とともに、共同の事務所を新宿区百人町のOSビルに開く。そこで新しい日韓連帯運動の構築をめざす。

結果は、四年間一緒に苦労してきた青年たちには、誠にあいすまないことであった。持田直人・中部博・国田敬子・岡本和之・荻原正・茂木浅子氏らは新しい事務所に移ったが、新しく運動を起こすことはできなかった。日韓調査グループの活動だけがつづいたのである。持田氏はジャーナリスト志望で、青地さんのジャーナリスト学院で働いていた。中部氏はのちに週刊誌の記者となり、テレビ司会者を務め、ノンフィクション作家となった。二〇二一年、彼の新著『プカプカ——西岡恭蔵伝』を講読した。あの時代を記録する気力がうれしかった。岡本氏は永い間タイでNPOの活動をしていたが、今は日本に戻って、「市民の声・30」の事務局で活動をつづけている。持田氏と茂木氏はすでに亡くなった。

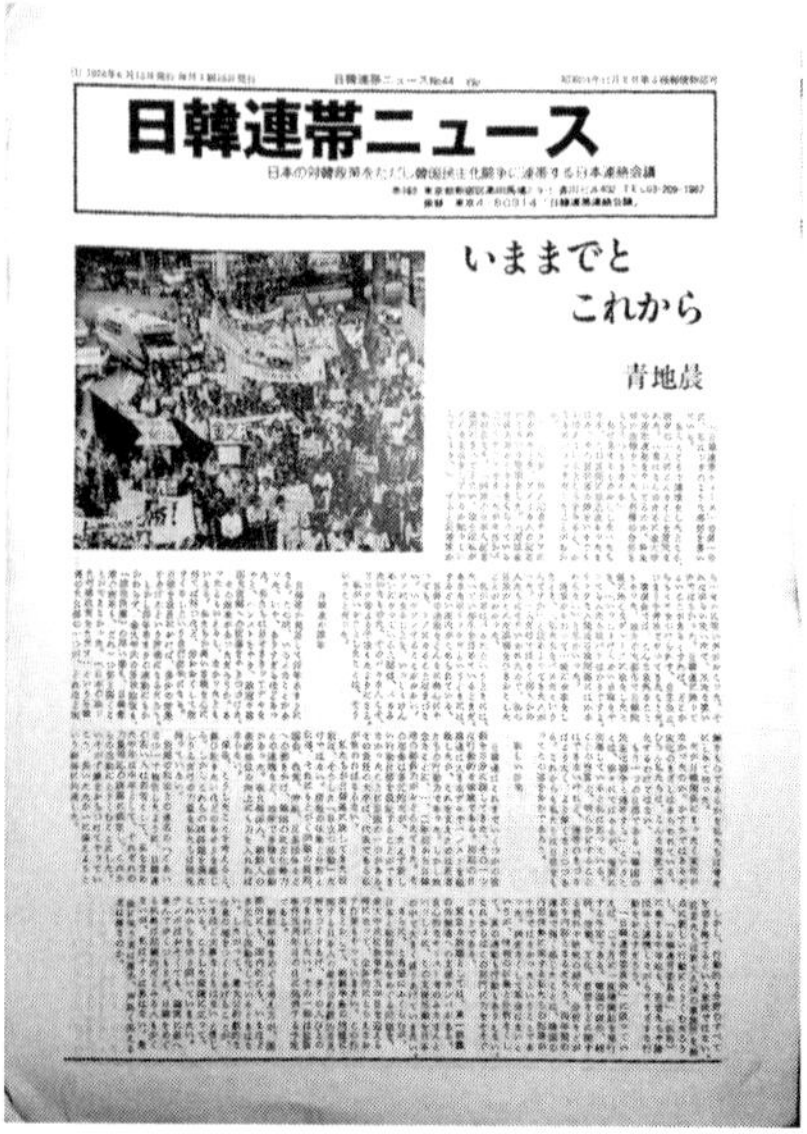

『日韓連帯ニュース』最終号（1978年7月）

日韓連帯委員会は、委員には清水知久・倉塚平・寺門勝（高崎宗司）・鶴見俊輔・中井毬栄・日高六郎氏らが加わってくれることになった。一一月に、ブレティン『日韓連帯』創刊号を出す準備をした。毎号巻頭に韓国の詩人の詩を載せることにし、創刊号には高銀の「臨終」の一節を私が訳してのせた。

「ウリよ、私は西方浄土に行こうとは思いません。／死んでも　死んでも　この国にいようと思います。／死ねば　身体が土になるだけ／水と風になるだけです。／私の魂は荒ぶる鬼神となり／この国の山、川にいようと思います」。

『創作と批評』誌論文選の翻訳の原稿を仕上げ、解説も書き上げ、あとのことは高崎宗司氏にお願いした。『分断時代の民族文化――韓国〈創作と批評〉論文選』は、翌一九七九年八月、私がモスクワにいる間に出版される。『農民革命の世界――エセーニンとマフノ』（東京大学出版会）は出発直前に刊行された。この本は四〇歳になった私の小さな記念碑であった。この本をトランクに入れて、私はソ連での一〇か月の在外研究に出発した。

第５章

文明としてのソ連

革命記念日パレードの後の赤の広場（1978年11月7日）

モスクワに移り住む

冬のモスクワ

「私はこのたびソ連に十ヶ月滞在して研究する機会を得て、一〇月二三日に出発することになりました。日本学術振興会の研究者交換という形です。四十歳になって、はじめて自分の研究対象としている国の人々の中で長期間生活できるようになったということは、おそきに過ぎた感がありますが、それでも私にはありがたいことです。モスクワの冬はきびしいですが、その雪の中で、春をのぞむすべての人々のねがいをともにしつつ、暮らしてくるつもりです」。

私はそんな挨拶状をみんなに送って、一九七八年一〇月のその日に日本をあとにした。片づけなければならない仕事が終わらず、前の晩も半ば徹夜であったので、昼少し前に飛び立ったモスクワ行きの飛行機の中で、私は食事のとき以外は、ほとんど眠っていた。

九時間は夢の間にすぎ、飛行機がモスクワに近づくと、機内放送は「地上の気温は零度です」と告げた。着陸したのは、私の時計で午後八時二〇分、モスクワ時間では午後二時二〇分だった。窓からのぞくと、地上の勤務員は耳をおおう帽子をかぶっている。しかし、空港のまわりのどこにも雪は見えなかった。私は冬の雪の中に移り住むつもりだったのだが、一〇月末のモスクワは、一度目か、二度目の雪が降って、消えたところであった。

モスクワでの宿舎は、地下鉄のオクチャーブリスカヤ駅前のアカデミーチェスカヤ・ホテルである。そこに入ると、学術振興会学者派遣プロジェクト第五陣で来ていた北海道大学スラブ研究センターの伊東孝之氏と大阪大学の藤本和貴夫氏がすでに住人になっていて、迎えてくれた。伊東氏はポーランド史の専門家であり、私より若い。藤本氏はロシア史で、東大の大学院で私の最初の大学院生だった人である。年齢は私と同じだが、万事につけて面倒を見てもらうことになったのである。

着いてから一週間ほどして、一度雪がぱらぱらと降り、冬支度の整っていない私をあわてさせた。だが、この雪も大したことはなく終わったので、あいかわらず私は日本の冬物のオーバーと日本の靴でモスクワを歩き回っていた。ただ帽子だけは前回冬のモスクワに来たとき、クレムリンの前の百貨店グムで買った安物の帽子をかぶっていた。

一一月一日の夕方、地下鉄で帰ってきて、ホテルのあるオクチャーブリスカヤ広場に出ると、警官や赤い腕章を巻いた人々がいて、ごった返している。駅前の大通りの両側はたいへんな数の人で埋まっている。尋ねてみると、ベトナム代表団が通るのを待っているという。駅前のレニンスキー大通りは、国賓の着く第二ブヌコヴォ空港と都心を結ぶ幹線道路なのである。私もベトナム人に敬意を表することにして、横幕を持った生徒たちの間で待っていたが、しばらくするとひどく冷えてきた。

それでも頑張って四〇分ぐらい立っていただろうか。隣りに立っていたブリャート人は、バイカル湖の近くから来た農業技師だった。彼とベトナム戦争のことや日本の農業機械のことなどを話して待っていると、先導のオートバイが来た。そして「ウラー」の歓声の中を、大型の黒塗りの乗用車ジルが何台も超スピードで走り抜けていった。そのどれに、ブレジネフ、コスイギン、レ・ズアン、ファン・ヴァンドンが乗っているかは、まったくわからなかった。

ロシア人もさすがに寒いのだろう。車が通りすぎるかすぎないかのところで、人々はもう歩きはじめていた。私は身体の芯まで冷え切ってしまい、ホテルに飛び込むと暖房があたたかかった。さらにビュッフェに上がって、ワインを一杯飲んで、中からもあたためた。ブリャート人の技師も飲んでいた。

この日にやってきた、ベトナム共産党のレ・ズアン党書記長とファン・ヴァンドン首相は、一一月三日、ブレジネフ、コスイギンとともに、ソ連・ベトナム友好協力条約に調印した。この条約は、その第六条の後段で「どちらか一方が攻撃の対象となるか、その恐れが生じた場合には、両国は脅威を除去し、両国の平和と安全を確保するための有効かつ適切な方策を講じるために相互の協議をただちに開始する」と記している。その夜の晩餐会で、レ・ズアンは「特徴的なことは、北京の指導層の中の反動的なグループが万策を尽くして勢力を結集し、帝国主義とファシスト的追随者との新たな同盟、社会主義体制と民族解放運動に刃を向ける同盟を作り出していることである」と述べ、「すべての反動的同盟、すべての野蛮な勢力」は「社会主義勢力、民族解放運動の戦闘的連帯」の前に崩壊するであろう、と言い放ったのである。私は翌日の『プラウダ』を読みながら、この個所を読み飛ばしていた。冬の路上で歓迎行事に参加した私が立ち会ったのは、ソ連とベトナムの反中同盟の正式成立の瞬間であったのだ。

じつはこの一九七八年の冬のはじめ、ソ連はたいへんな緊張状態にあり、人々は身構えていたのだった。発端は、八月一二日に反覇権条項を入れた日中平和友好条約が調印されたことであった。私は気にもとめていなかったのだが、ソ連は調印後ただちに、八月一五日、この条約の調印を「世界の世論は非難している」、よろこんでいるのは反動層・軍国主義者たちだけだと決めつけていた（『プラウダ』八月一五日付）。反ソ中日同盟の成立ではないかと、ソ連は警戒したのである。それで、私がモスクワに着いて科学アカデミーの外事部で到着の挨拶をしたとき、外事部の担当者は真剣な顔で「日本は何を考えているのか」「中国と結んで、ソ連に対抗しようとしているのか」と質問してきて、私を驚かせた。「日本では、そんなことは誰も考えていませんよ」と言うと、納得できない顔つきだった。

さて四日後には、一一月七日、革命記念日となった。祝日で、仕事は休みである。ホテルの従業員は、朝から

Пролетарии всех стран, соединяйтесь!
…истическая партия Советского Союза
ПРАВДА
…рган Центрального Комитета КПСС
Суббота, 4 ноября 1978 года
Пусть живет в веках имя и дело Владимира Ильича Ленина—вождя Октябрьской революции, создателя и руководителя Коммунистической партии и первого в мире социалистического государства!
СОВЕТСКО-ВЬЕТНАМСКОЕ БРАТСТВО НЕРУШИМО!
ЗАВЕРШЕНИЕ ПЕРЕГОВОРОВ
ПОДПИСАНИЕ ДОКУМЕНТОВ

ソ連・ベトナム友好協力条約の調印を報道する『プラウダ』（1978 年 11 月 4 日付）

「ス・プラズドニコム」と言い合い、私にもそう言ってあいさつする。初めはよくわからなかったが、二、三回聞くうちに、「パズドラヴリャーユ・ヴァース・ス・プラズドニコム（祝日おめでとう）」というあいさつの、前半を省略した言い方なのだとわかった。そこで、私も「パズドラヴリャーユ・ヴァース（おめでとう）」と言葉を返すことにした。何となく日本の元旦のような気分になる。空も晴れ上がり、空気はひんやりとして、ちょうど陽気も東京の正月のようだ。

こういうのを革命記念日日和というのかな、などと考えているうちに、はて、一九一七年のその日はどうだったろうか、との問いがわいた。ジョン・リードの『世界をゆるがした十日間』には、一一月中旬になって、ペトログラードにその年最初の雪が降ったと書かれている。あの年の冬の到来は遅かったのだろう。それが人々を最後まで活動的にしていたのかもしれない。

では、独ソ戦のはじまった危機の年、一九四一年はどうだったのか。その年の革命記念日には、モスクワ城外にまで迫ったドイツ軍を迎え撃つ兵士たちを、スターリンが赤の広場で閲兵したのだ。前夜に降った雪が、広場の敷石も、クレムリンの壁も白くおおっていた。あの年の冬の寒さと雪は、ソ連軍に幸いしたのである。年によって、本格的な冬の到来の時はまちまちであるようだ。

この日は、まずテレビで、赤の広場の式典の様子を観てから、同宿の藤本君・伊東君らと街へ出た。ワルシャワ・ホテルの前にパレード帰りの風船をつけた兵員輸送車が停まっていた。そのかたわらを通って、交通が遮断されているディミトロフ通りをクレムリンの方角に歩いていったのだが、赤の広場にたどり着いたときには、身体の底まで冷え切っていた。気温は零下一、二度である。

夜、ボリショイ劇場で、バレー『スパルタカス』を観た。開演の前に全員が起立して、ソ連国歌の演奏があった。劇がはねてから一一時になって、私たちの前の期の派遣組で残っていた東京外国語大学助教授の渡辺雅司君が日本に帰るので、お別れに渡辺君のアパートに寄った。すでに会ったことのある息子の玲男(れお)君がドアを開けてくれた。「和田さんですか、会いたかったんだ」と一人前のあいさつだった。母親のロシア文学研究家・安井侑子さんは、すでにパリへ出発したあとだった。ロシア人の客を交えて、午前三時ごろまで話した。別れてみなで外へ出ると、一面の銀世界であった。美しい雪である。あのときのかわいい少年・玲男君は、四〇年後に北海道新聞のモスクワ支局長になる。

米日の中国接近で窮地に立ったソ連が放った対抗策の第二弾は、一一月二〇日のソ連・エチオピア友好協力条約の調印であった。社会主義をめざすアフリカの国エチオピアの革命指導者メンギスツ少佐らがやってきて、またもや私たちのホテルの横を疾走して、クレムリンへ向かった。そして第三弾がつづいた。一二月四日、アフガニスタン人民民主党書記長タラキーが党書記、副首相、外相のアミンとともにソ連を訪問し、ソ連・アフガン友好善隣協力条約に調印した。三度、私たちのホテルのわきで首脳たちの乗る車列に歓呼の叫びがあがったわけだ。だが二週間経たないうちに、一二月一六日、米中国交回復が発表された。ソ連から見れば、まさに米中日の反ソ三国同盟の誕生ということになったのである。ソ連としては、これに対抗して、ソ連、ベトナム、アフガニスタンの同盟で中国を包囲しようというわけだが、米中日の三国同盟に対抗するには、かなり貧弱な対抗策だと言わざるを得ない。

一方、私の方は、ソ連の国内の冬の到来に備えることに気が急いていた。ようやく一一月の末になって、長期滞在の外国人向けの特別な店ベリョースカで、外が皮で裏に毛がついたオーバーであるドゥブリョンカと帽子、防寒靴を買うことができた。このベリョースカで買い物をするには、特別の金券がいる。長期滞在の外国人には外貨と引き換えで、この金券が渡される。藤本君の友人の日本経済新聞の特派員・藤川昌良氏の好意で、彼の金券を使わせてもらったのだ。藤川氏がベリョースカに同行してくれた。

購入したドゥブリョンカはトルコ製、防寒靴はユーゴ製で、いずれもソ連市民向けの普通の店では買えないものである。これを着て、裏毛の手袋をはめると重く、さながら冬と戦う鎧兜の騎士という感じであるが、さすがに暖かい。ひと安心というところである。

雪が本格的に道をおおうようになったのは、一二月に入ってからである。それからは、ずんずん寒くなった。一二月一七日、寝ているところへ、日本文学研究家リヴォーヴァさんから電話があり、「今日はひどいマロース（厳寒）よ。屋外は零下二九度という予報だから、ホテルを出てはいけません」と言ってくれた。それでも、出ないわけにはいかない。零下二五度というと、少し歩いていても、顔が痛くなる。鼻から出る息が、ひげのところで凍ってしまう。

一時マロースが去ったが、年末に向けてまた気温が下がっていった。ソ連の年末と新年は日本とは異なるが、それでもやはり心浮き立つものがある。一二月は二六日ぐらいで学校は休みになるので、二八日から劇場は、昼の一二時から芝居をやっている。とくに子供向けの出し物が多い。二九日の夜、妻の露文科の同期で、マヤコフスキーの専門家、早稲田大学助教授の水野忠夫君の誘いで、モスクワ芸術座の『検察官』を観に行ったが、地下鉄の駅を降りて、劇場にたどりつくまでが遠くて、ひどく寒かった。客席は小学校上級生から中学生でいっぱいだった。

このあたりから大晦日、一九七九年元日にかけてがもっとも寒く、ついに零下三五度〜四〇度を記録した。これは観測史上初めての寒さだとも言われたし、独ソ戦のはじまった一九四一年以来の寒さだ、いや一〇〇年来絶えてなかった寒さだとも言われた。一〇〇年前と言えば、一八七〇年代末、私の研究テーマであるナロードニキたちが、悩みながらロシア社会の進路を切り開こうと、必死の闘いをくり広げていたころである。「われわれはまた、一九世紀の歴史を繰り返しているのだよ」――私の尊敬する歴史家ゲフテルがそう語るのを聞いたのも、その寒さの中でのことだった。

実際のところ、零下二五度が三五度になっても、戸外の感じはあまり変化がない。しかし、屋内の様子は一変した。モスクワは地域集中暖房である。温水が各建物に供給され、暖房と給湯に使われている。その温水の温度は地域センターが調節している。一二月の半ばに、零下二五度に下がったとき、ただちに温水の温度を上げられず、しばらくして上げたときには、気温が上がっていたので、暑くて暑くてたまらなくなったことがあった。この零下三五度〜四〇度のときには、温水の温度を上げるのが間に合わず、室内でも寒く、いつものようにシャツ姿ではすごせなくなった。私たちは、上着を着た程度だが、都心からはずれたところでは、オーバーを着て台所に行き、ガスコンロに火をつけて温まっているという話だった。

集中暖房だから、各家庭には自前の暖房器具はいっさいない。与えられる温水の温度に不満でも、自分ではどうにもできないのである。東京の自分の家の冬の寒さに比べて、集中暖房の恩恵をありがたく味わっていた私だが、このときは暖房を国家にすべて委ねると、国家の手に生殺与奪の権を握られていることになるという不安を感じた。

冬のゴールキにて（1979年1月21日）。（右から）藤本和貴夫、伊東孝之。次はデンマーク人の研究者

一月三日が仕事はじめで、私はこの日、都心を離れた地下鉄のヴォードヌイ・スタジオン駅近くの中央国立文学芸術文書館に通いはじめたのだが、あらかじめ館長室に電話すると、副館長の女性が「注意することは厚着をしてくること、閲覧室は寒いですよ」と言ってくれた。やさしい心づかいである。

ところがこの一月のうちに、気温は逆に上がり出した。九日ごろには、昼にプラス三度というところまで来て、完全に雪は解けるにいたった。そのころ、私が新しく通い出した都心の中央国立一〇月革命・政府文書館に行くために歩く地下鉄クロポトキンスカヤ駅の前は、解けた雪の水が川のようになった。これがまさに「オーチェペリ」であった。

この言葉は、エレンブルクが一九五五年に書いた小説の題名となり、「雪どけ」と訳されている。しかし、冬の最中の「オーチェペリ」はどう観ても「雪どけ」ではありえない。やはり「小春日和」というのが近いだろう。「オーチェペリのあとにマロース（厳寒）あり」とみんなが言っていた。このよみがえるマロースを「ザーモロスキ」というのである。

日本の中でも、富山にいた一年ほどをのぞいて、暖国に育った私は、長い間、冬というものをすべて同じ状態だと考えてきた。だが冬は冬なのだが、それでも寒くなったり、暖かくなったりして、絶えず波打つようにして、春に向かうものなのだ。冬は一枚岩ではない。人間の社会もこれと同じであろう。

ソ連の食

イギリスのバーミンガム大学のロシア語・ロシア文学部の教授で、ロバート・スミスというロシア農民史の大家がいる。この人が七〇年代の半ばに来日したとき、「ロシアの共同体」「ロシアの茶」「一九世紀ロシアの食事と飲み物」という三つの報告を用意してきて、私たちを面食らわせた。私たちはみな共同体についての報告を聞きたがり、食事と飲み物の報告を敬遠した。

だがソ連で暮らすようになって、食の問題がいかに大事であるかを私は初めて理解した。そして、スミス教授の研究の深さにあらためて感心したのである。スミス教授は、その報告の冒頭で、「あなたが何を食べているか言ってくれれば、私はあなたが何者であるかを言うことができる」というフランス人ブリア・サヴァランの至言を引用しているが、まさにソ連人の生は、ソ連人の食から捉えることができるのである。

スミス氏は、一九八四年に『*Bread and Salt: A Social and Economic History of Food and Drink in Russia*』という大著を書いた。それは日本語に訳されている（『パンと塩——ロシア食生活の社会経済史』D・クリスチャンとの共著、平凡社、一九九九年）。

私がモスクワで住んでいたアカデミーチェスカヤ・ホテル（科学アカデミー・ホテル）は、科学アカデミー関係者のための宿舎で、一号館と新築の二号館があったが、資本主義国からの客はすべて設備のよい二号館に入る。各室にトイレもバスも設置されていて、机も大きく申し分なかった。電話もテレビもあった。

さて部屋では自炊はできない。食事は、朝はホテルの五階と一二階にあるビュッフェで食べることになる。メニューは目玉焼き（ヤイーシニッツァ）、ゆでたソーセージ（サシースキ）のどちらかを取り、丸い白パン（ブーロチカ）と紅茶（チャーイ）を一杯か二杯飲む。ホテルにいる間は、当然ながら、目玉焼きとソーセージを一日おきに食べることにした。

夜は、ホテルに帰れば同じビュッフェで食べるしかない。ホテルの一階にレストランがあるが、ソ連のレストランというのは、夜はバンドが入ってダンスをするところだから、一人で食事をするのは困難である。ホテルの近くで夜に開店しているところは、広場の向こうのカフエー「ショコラードニッツァ（チョコレート工場の女子労働者）」というのがあった。若い娘さんに人気があるところで、彼女たちと同席になって話し込むのも面白いが、何せテーブルにつくまでに気をつかう。遊びに行くつもりで、ゆっくりいくのならいいが、普通の晩飯には向かない。

そこで夜は、朝とは違う階のビュッフェに行くことになる。せめて違うおばさんの顔を見ながら、食べるのである。夜のメニューは鶏のモモ焼き、チョウザメの燻製、サラダぐらいである。

結局のところこの国では、朝と夜の飯はどうでもいいのである。重要なのは昼飯なのである。これを「アベード」といい、スープを飲んで本格的に食事するという意味である。動詞で「アベーダチ（アベードする）」とは、昼は仕事に行く職場の食堂、私たちなら図書館や文書館、研究所の食堂で摂る。アベードの構成は、前菜（ザクースキ）、第一皿（ペールヴォエ）がスープ、第二皿（フタローエ）がメイン・ディッシュ、それに第三（トレーチエ）がデザート、紅茶かカンポートである。

第一皿のスープは、シシー、ボルシチ、サリャンカ、ウハーなどの種類がある。シシーはキャベツのスープ、ボルシチはウクライナ風の甜菜の赤いスープ、サリャンカはさまざまな具が入ったスープ、ウハーは魚スープである。初めの三つは肉のかたまりが入っている。第二皿というのは、肉ないし魚の料理である。キエフ風カツレツとか、ビーフ・ストロガノフとかいろいろある。

この第一皿・第二皿という言い方は、集団的・社会主義的・ユートピア的で、悪く言えば、軍隊的・収容所的な感じを与える。この言い方は、おそらく国民の昼食を管理することで社会主義的生活様式を作り出すという意図的な努力の中で生まれたのであろうと、私は推測するようになった。おそらく一九三〇年代に確立したのではないか。この点を多くの人に尋ねたのだが、誰も答えられなかった。

私は初め、図書館で仕事をしていたので、昼食はその食堂で食べていた。歴史図書館の食堂はあまり良くなかったが、レーニン図書館はさらにひどかった。味も悪いが、長蛇の列ができるので、閉口した。もっとも良いのが、イニオン、科学アカデミー情報研究所図書館の食堂であった。新設の優遇された機関で、館長キュザジャン氏はリベラルとの評判であったが、とにかくここの食堂は料理にバラエティがあって、美味しかった。

しかし全体として見れば、ソ連人の食生活は社会主義的で保守的だという印象だった。簡単にうどんやそば、カレーライスやラーメンを食べられる店というものもない。変化を求めるためには、都心のイントゥーリスト・

ホテルの二階の昼食ヴァイキングに行くしかなかった。これは外国人向けの外貨使用の店であった。

ソ連史研究所

私を受け入れてくれたのは、科学アカデミーのソ連史研究所である。モスクワ到着の直後にガイドが来て、まっ先にここに連れていってくれた。この研究所は、地下鉄のアカデミーチェスカヤ駅の近くにある。四階建ての建物で、三階がソ連史研究所であったが、国際部の部屋は世界史研究所のある二階にあった。国際担当書記はニコライ・ブガイ氏で、北カフカース人である。親切な人だった。受け入れ責任者のボリス・イテンベルク先生が

科学アカデミーのソ連史研究所

すぐ出てきてくれた。先生はこのとき六七歳、ブリャンスク出身のユダヤ人である。一九七〇年に最初に会って以来だから、八年ぶりの再会である。さすがに年を取られたという印象を受けた。このときから、先生は私に親身になって世話をしてくださった。

イテンベルク先生の同僚で、同じくナロードニキ研究者ヴァレンチナ・トヴァルドフスカヤを紹介されて、初めて会った。彼女は、元『ノーヴイ・ミール』誌編集長の詩人トヴァルドフスキーの娘である。「人民の意志」党研究のシャープな研究者で、ゲフテルと近い人であった。イテンベルクより一〇歳若く、四七歳であった。眼に力のある人である。彼女にもニコライ・ラッセルの本を送っていたので、彼女は会うなり本に対するお礼を述べ、民族学研究所の友人に第一章と二章を訳してもらい「とても興味深かった」と言った。数日後、彼女に会うと、七月に出たばかりの新著『改革後の専制のイデオロギー』をくれた。カトコフ論である。ホテルでこの本を見るとげしげと見ている様子だった。彼女は私をしげしげと見ている様子だった。結びの一句が目を捉えた。

「カトコフの生涯の道のりは、歴史的に不公正な、命数の尽きた大義に献身することは、その当人の人格に消しがたい、取り返しのつかない衰退の刻印を押す、ということの教訓的な模範例である。無条件にしっかりした、

天性才能に恵まれた、きわめて教養ある人間が、その官位や勲章で飾られた経歴の末に、知的・道徳的に堕落した者という姿を現わした」。

「六〇年代の彼の評論は、なおマコーレイ、カーライル、トクヴィル、テーヌからの引用でいっぱいで、ラテン語の格言や世界の古典からの例がちりばめられていた。しかし、八〇年代の巻頭論文は、ただ帝位に聖油を塗る際の祈禱とロシア帝国国家法典の引用のみで賑わわせているだけであった」。

「ここで検討したロシア史の時代からずっとあとの、第一次世界大戦の初めに、レーニンは書いた。『われわれは民族的な誇りで満たされている。だからこそ、われわれは、とくに自分の奴隷的過去を憎むのだ』と。過去のこの『奴隷的な』側面の研究は〔……〕今日、歴史認識と歴史教育の必要な一部をなしている」。

ここで何が語られようとしているのか、誤解する余地はない。私は彼女の眼の輝きを讃えた。

イテンベルク（左）とトヴァルドフスカヤ

強盗事件の調書づくり

私のモスクワ生活は一つの事件からはじまった。思えば、これは運命的な事件であった。このことをどうしても述べておかなければならない。

ロシア革命の六一年目の記念日の翌日、一一月八日の朝八時すぎ、まだ寝ているところに電話がかかってきた。ホテルにいる官庁からの留学生のX氏である。盗難にあって警察に来ている。ホテルのサーヴィス・ビューローの女性が来てくれたが、自分の語学力ではうまく対応できない、助けにきてくれないか、という話だった。何がどうなっているのか、わからなかったが、行くと返事をした。それから湯を沸かして、紅茶を一杯飲んだところで、迎えの車が来て出かけた。だいぶ長く乗っていった。五三分署に着いて、二階に上がると、X氏とサーヴィス・ビューローの女性がいた。事件は、X氏がソ連女性の部屋で寝ているところに強盗が入って、ドゥブリョンカと金を取られたということであった。やれやれ売春がらみの事件だなとわかった。

やがて、元気のよい、うっすら口ひげを生やした女性の取り調べ官が出てきて調書を取りはじめた。寝ていた女性と最初にどのように出会ったかということから聞き取りがはじまった。Xは、ガーリャというその女性とイントゥーリスト・ホテルの二階の昼のバイキングで、一か月前に知り合った。何回か食事を一緒にして、それからプレゼントをした。サパギー（ブーツ）と靴を買ってやった。「どうしてそんな高価なプレゼントをしたのか」と問われて、Xはロシア語を教えてもらいたかったからだと答えた。彼女の借りているアパートに二、三回行った。革命記念日は食堂が休みなので、食料を買っていって、家で食べようということだった。午後二時ごろから飲んでいるうちに、七時ごろになって男と女の二人組がやってきて一緒に飲んだ。一二時ごろになって寝た。取り調べ官は、一緒に寝たのか、別々かと問う。Xは、ベッドは一つだから一緒に寝たと答えた。明け方の四時ごろ、ドアを叩く音で目が覚めた。彼女が起きた。取り調べ官は、どういう格好だったのかと訊く。下着だけであったと答える。すぐにドアが破られ、二人の男がピストルとナイフを持って入ってきた。自分の外套（六万円）が奪われ、現金三〇〇ドルと三〇〇ルーブリ、チェック五万円と一〇〇ドルが取られた。なぜそんな大金を持っているのかという質問に対して、Xは、外貨ベリョースカでいいものがあったらすぐ買うためだと答えた。警察へは彼女が電話した。部屋の電話線が切られていたので、外に走っていって電話をしたとXが言ったのを聞いて、私はその女性ガーリャに同情した。この件を警察に通報すれば、彼女自身の仕事が明るみに出てしまい、モスクワには住めなくなるだろう。それでも彼女は強盗に腹を立て、客であるXにも済まないと思い、通報したのだ。私はXに腹を立てた。

やっと調書ができて、それにXと私が署名をして終わったのは、午後三時半であった。その間、お茶一杯も出なかった。サーヴィス・ビューローの女性は空腹を訴えていた。ホテルに送られた車の中で、私が「あわれな娘（bednaia devushka）」とつぶやいたのを聞きとがめた空腹な女性は「悪い娘（plokhaia devushka）だわ」と言った。私は「あわれな、悪い娘だ」と言い直した。

私は翌日も同じ警察署へXと出かけ、さまざまな手つづきを手伝わされた。ソ連にやってきて、同国人の愚行のせいで、この国の暗部を見せられて、胸のうちに湧いた不快感はなかなか消えなかった。ソ連が理想の国だなどとはとうにまったく考えていなかったのだが、こんな仕事をさせられたのはあんまりだとも思った。私はこの経験を同宿の研究者の仲間の誰にも話したくなかったし、話さなかった。振り返ってみれば、この事件はソ連に対する幻想のかけらも洗い流してくれたように思う。私は何があっても、驚くことはないという心構えができた。ソ連はいまや普通の人間の国であった。

モスクワの知人たち

モスクワには旧知の人々がいた。その人々にあいさつをしてまわることも、まだできていなかった。ブルジャーロフ先生のお宅には、すでに到着早々訪問していた。三年ぶりに会うと、お顔は元気そうだが、パーキンソン病が進行していた。歩くとき、小刻みに足を動かさなければならない。生きておられて、また会えただけでもよしとしなければいけないと思った。ミコヤンが死んで、一〇月二五日に葬儀があったことが新聞に載っていたので、「ミコヤンの葬儀がありましたね」と言うと、「行ってきた。たいへんだった」との返事であった。「バリショーイ・チェラヴェーク（大きな人間）」だと言った。私は前回に会ったときに、回想録を執筆してほしいと頼んでいたので、そのことを尋ねると、「まだ書いていない。『歴史の諸問題』誌のことは、生きているのは自分だけだから、書きたいと思っている」と意欲を見せた。私は「テープレコーダーを入手しましょう」と約束した。

二週間ほどして電話すると、奥さんが今日来てほしいと言うので、すぐうかがった。先生はこの日はとても元気だった。机の上に『歴史の諸問題』の一九五六年の号を何冊か置いていた。質問にははっきり答えてもらった。

ブルジャーロフ夫妻

「ペトロフスキーはお知り合いですよね?」。

「よく知っている。スターリンは彼を逮捕できなかったが、彼の息子は逮捕され獄死した。もう一人の息子は戦死した」。

「だからペトロフスキーは、スターリン批判に熱心になる理由があったんですね」。

「そうだ」。

　私が一九五六年二月号の読者会議の記録に注目していると言うと、「これは重要だ。しかし、完全な記録ではない」と言われた。

「速記録は残っていないのですか?」。

「それはない」。

「この号は、二〇回大会がはじまる前に出たのですか?二月一三日に印刷許可とありますが」。

「全国では無理だったが、モスクワでは大会の前に出ただろう」。

「読者会議でのあなたの報告は、二〇回大会でのミコヤン報告の先駆でした」。

「しかし、フルシチョフ報告が重要だ」。

「もちろんです。ところで、われわれはいまだにフルシチョフ秘密報告を米国務省発表のテキストで読んでいるのですよ。なぜソ連は発表しないのですか?」。

「われわれも口頭でしか聞かされていない。だから引用ができないのだ。認めるのを恐れているのだろう」。

　古参ボリシェヴィキのスネーゴフのことを尋ねると、いまは八〇歳で、ひどく病気がちで、会うのは難しいと言われた。「いずれにしても、ペンで書かれたものは、斧で切り捨てることはできないのだ」。これは、スターリン批判の発言が抑圧されているのに対する抗議であるとすれば、ご自身の信条を吐露された言葉でもあるのだろう。

　最後に、同じアルメニア人だからと思って「シャギニャンが、レーニンの父方の祖父はカルムイク人だと言っていますね」と尋ねると、「それは知らないが、シャギニャンはレーニンの母方の祖父はユダヤ人だということを発見したのだ」と言うので、驚いてしまった。

「そう書いているのですか?」。

「書いてはいないが、そう言っている。たいへんな人だ。アルメニア人だ」。

　アルメニア人ブルジャーロフは言いよどむところがなかった。シャギニャンもミコヤンもアルメニア人である。

　リヴォーヴァさんのところには、一一月一〇日になって初めて行った。彼女は一九七五年に私が訪問したことを忘れていた。しかし「友達の友達は友達だ」という諺がある、木村の友人がいい人でないはずはないと言って、心を開いて話してくれた。彼女はユダヤ人で、本当の姓はイオッフェである。彼女の祖父は七〇年代のナロードニキで、シベリアに流され、一九〇五年にはエカチェリノスラフで活躍した。父は技術者で、工場長であった。「革命のときは、労働者にだいぶ痛めつけられたようよ」と彼女は言った。今度は作家同盟のクラブでお昼を一緒にしましょうと言って、別れた。

次は、家でお昼をご馳走してくれて、私は彼女の依頼で、日本人への手紙の代筆をした。ブルガーコフの著作集と醬油の小ビンをプレゼントしたので、とても喜ばれた。彼女がマリエッタ・シャギニャンと知り合いだと言うので、私はシャギニャンに会わせてくれないかと頼んだ。彼女は引き受けてくれた。

デリューシンも木村浩氏の友人だ。一一月二四日になって東洋学研究所中国部に出かけて会った。変わらず、落ち着いている。結論的なことだけを話して、また詳しく話をしようと言った。奥さんが病気だと言ったのは、家に来てもらえないという意味であると理解した。その代わりということで、芝居を観せてやろうと言ってくれた。私にはその意味がわからなかった。

ゲフテル訪問

ゲフテルのところを訪問するのは、だいぶあとになってからだった。一一月二七日になって、地下鉄のノーヴイエ・チェリョームハ駅の近くの団地のお宅へうかがった。三年ぶりであった。ゲフテルはちょうど六〇歳になったところだった。手紙をくれないから、自分も手紙を書けなかったと言われた。私は「社会運動が忙しかったのです」と弁解した。「歴史家として、実践と学問とは切り離せないということだな」と言ってくれた。今度のテーマ、フィグネルとチホミーロフの伝記研究を説明すると「非常によい」と言い、二人の文書は文学芸術文書館と一〇月革命・ソ連国家最高機関文書館にあると教えてくれた。二月革命についても研究するつもりだと言うと、「どういうコンセプトなのだ」と尋ねられた。それ

歴史家ミハイル・ゲフテル

でジョルジュ・ルフェーヴルの複合革命論を取り入れて、ロシア革命をブルジョア市民の革命、労働者と兵士の革命、農民革命、民族革命（複数）の複合体として捉えていると説明した。彼は、「諸世界の中の一世界」という得意の議論を開陳して、ロシアの「多ウクラード性」、多元性について語った。

途中で、息子のヴァレーリーも加わって、お茶となった。そのあとで、書斎に戻ったとき、私は「ところで、あなたはどうなさっているのですか?」と尋ねた。すると、「一九七六年に年金生活に入った。彼らは楽になったろう」との答えで、さすがに胸が痛む思いがした。「彼らがそうさせたというわけではない。私の自発的意思でした。自分の信念が大事なのだ。自分は多分にコスモポリートで、人類に属している」。

ゲフテルは、一九七一年二月一〇日の科学アカデミー歴史部ビューロー会議の記録を取り出して、読んで聞かせてくれた。ゲフテルの歴史学方法論部会の著作、『歴史学と現代の諸問題』批判会の記録である。ゲフテルは堂々と言い放った。

「あらゆる学術的討論に一面性と主観性はつきものだ。〔……〕しかし、そういう場合でも民主的な責任と自己コントロールと呼びうるものが特別な意義を持つ。一面性はいいが、一方が他方をotduchat'（支配する）特権はいただけない。主観性もいいが、指で指令するのはいただけない。生活によって〔……〕提起される問題の解明のための創造的な共同作業であるべきだ。この観点からして、私は、いまわれわれは学術的討論に参加しているのか疑わしく思っている。〔……〕ジューコフ〔科学アカデミー会員〕は、討論は特定の著作を審議するためのものではないという冒頭発言を繰り返した。〔……〕実際には、われわれが今日ここで見聞きしたことは、学術成果の審議からこれ以上遠いものはないと思われるものだ。審議されているのは、書物全体ではなく、あらかじめ指定されたその誤謬である。課題が与えられているのだ」。

ゲフテルは、彼らの作品である書物に対する一方的攻撃に対して断乎として抵抗していた。彼を研究所から追い出した人々との闘争の一端を、私に伝えようとしたのであろう。そのタイプ打ちの記録はもらえないかと言うと、帰国するときに渡そうと言った。

この国では、個人の家の中でなら、何でも言える自由があるということのようだ。

ラッセルの研究者たち

ニコライ・ラッセルの伝記を私が執筆したのは一九七三年のことであったが、私がソ連に来たときには、その日本語の本のことはこの国にも知られていた。ソ連でも、一九七六年になると、クイブイシェフ教育大教授シーリンが『歴史の諸問題』誌の五月号に、日本抑留捕虜に対する革命宣伝とラッセルについて論文を発表したのに加えて、ベラルーシのジャーナリスト、イオシコが、文書館のラッセル文書を初めて使ったラッセル伝を刊行した。ロシアを若くして飛び出したナロードニキ青年が世界の国々でいろいろな活動をして、日本人の女性と一緒になり、子供を残したというので、ブレジネフ体制下のソ連人は明らかにこの世界市民となった同国人に特別の魅力を感じていたようである。

私がモスクワに長期滞在することがイテンベルク氏から伝わり、ラッセルの二巻本の伝記を書いた日本人学者に関心を持つ人々が会いにきた。

まっ先に来たのは、ミハイル・イオシコ氏であった。一一月二〇日にソ連史研究所にやってきた。丸顔の温和な人で、大学を出てからコムソモールで働き、中央アジア、サマルカンドの共産党機関紙のデスクをしていたとのことであった。大学院に入り直し、カンジダートの学位を取ったあとで、同郷出身のラッセルのことを知り、一九六九年から研究をはじめて、ラッセル文書まで読んで本をまとめたのである。ちょうど五〇歳になったところだった。私は自分の書いたラッセルの伝記を進呈した。彼の本は三三〇頁であるが、私の本は上下二巻で、あわせて七八〇頁もあるので、それだけで圧倒的な印象を与えたのはやむを得なかった。

イテンベルクと同僚のグロスール（科学アカデミー準会員の息子）も来てくれたので、彼らにも参加してもらって、イオシコと私でラッセルについての討論をはじめた。まずラッセルの出自問題である。私はポーランド出自と書いているが、イオシコ氏は当然にベラルーシ系だとしている。私の典拠は政治懲役流刑囚協会の『革命家伝記事典』であるが、イオシコは、ラッセルの書いたものの中に父はベラルーシの貴族だと書いている、ポポフはポーランド人説をのちに否定するにいたったと反論し

ミハイル・イオシコ

た。次に私が、モギリョフの中学校の雰囲気を見るのにアクセリロドの回想を使わないのはなぜかと尋ねると、自分は見ていないと率直に認めた。ラッセルは「ヴ・ナロード」の時期は完全にバクーニン主義者だと見えるが、あなたはバクーニン主義への懐疑を強調しすぎているのではないかと指摘すると、グロスールも賛同し、イオシコに、あなたはラッセルをマルクス主義者に近い者と評価したがっているのではないかと批判した。イオシコは、ベラルーシの人間はベラルーシの人間を高く評価したがるのは当然だ、と言ってすましていた。「新聞『ヴォーリャ』に載った伝記によれば、アメリカに行って、ダイナマイトは得られなかったが、ジョン・ラッセルという名のパスポートを獲得して帰ったとありますよ」と言うと、それは知らなかったと認めた。ブルガリアの革命家ボチェフのゲリラ作戦に同行しなかった理由の評価、露土戦争の際の敗戦主義の実践などについて、私がイオシコの主張を批判すると、今度はグロスールが私の意見に異を唱えた。ロシア革命が大事なのだから絶望的な作戦に参加しないのは当然だ、露土戦争は解放戦争だったのだから、敗戦主義をやる余地はない、というのである。この人は、ラッセルがロシア革命の利益、ロシアの利益を最重要視していたと決め込む傾向があると感じた。

しかし、おかげで、だいぶ立ち入った議論ができた。最後はラッセルの子供たち、高木辰男・大原安光の両氏について話すと、イオシコは実子ではないと書いていたので、みな興味津々でくわしく聞いてくれた。高木辰男さんからもらった父ラッセルの良い写真（第3章の扉を参照）をあげたので、とても喜ばれた。イオシコは是非ベラルーシに来てほしいと招いた。ミンスクには他にもラッセル研究者がいて、みんなあなたに会いたがっていると言うのであった。私は、「来年になったら、うかがいましょう」と答えた。

つづいて、ヴォルガ河流域の旧サマーラ、クイブイシェフから、アレクサンドル・シーリンが訪ねてきた。ラッセルについて、一九五七年にシベリアの雑誌に「ハワイ島のロシア人ドクター」という一文を書いたのが最初だというから、もっとも早く研究をはじめた人であった。彼は、われら「ラッセル学者たち（russelovedy）」という言葉を連発していた。

それから一二月になると、モスクワ航空大学の助教授ニキータ・ボリソヴィチ・スジロフスキーが、ホテルに訪ねてきた。ラッセルの本姓はスジロフスキーであるので、イオシコの本を読んで、自分もラッセルの縁者かもしれないと興奮して考えはじめた人の一人である。自分は一九二四年の生まれで、父の名はボリス、祖父の名はニコライだと言う。ニコライ・ラッセルは一八五〇年生まれで、父はコンスタンチンであった。ニキータ氏の祖父の父称はわからないというので、縁者かどうかわからないと返答した。従兄弟のニコライ・ユリエヴィチ・スジロフスキーは、ボリショイ劇場で働いているとのことだった。

シャーニンとダニーロフ

私が滞在しているアカデミー・ホテルに、イギリスから来た研究者がいた。マンチェスター大学教授テオドーア・シャーニンという社会学者で、ロシアの農民問題、一九〇五年革命を研究していた。その著書『厄介な階級（*The Awkward Class*）』は私も購入していた。私は自分の著書『農民革命の世界』を見せて、内容について話した。彼は大いに興味を示し、英訳せよと強く勧めた。また、マルクス、エンゲルスのロシア論についての私の英文の論文を渡すと、すぐに読んで激賞してくれた。のちに彼は、私の論文をイギリスのニュー・レフトの歴史雑誌『*History Workshop*』（No. 12, 1981）に載せてくれることになる。

彼はバルト地方出身のユダヤ人で、ヴィリノの中学校でモッシェ・レーヴィンの親しい友人だったと言う。レーヴィンは『ロシア農民とソヴェト権力』（未來社、一九七二年）、『レーニンの最後の闘争』（岩波書店、一九六九年）の著者で、日本では広く知られている。シャーニンの受け入れ責任者はダニーロフだそうで、「ダニーロフに君のことを話したら、興味を持っていたぞ」と言った。

ダニーロフは、一九二五年、ウラルのオレンブルク教育大を卒業した人で、ソ連の二〇年代・三〇年代の農民史の大家であり、六〇年代後半には歴史研究所の共産党組織の書記として改革路線を進めた。しかし、一九六五年に完成した共著『農業集団化とソ連におけるコルホーズ建設』が刊行を許可されず、譴慎処分を受けたのであった。私はかねてからこの人に注目し、知り合いになっ

歴史家ヴィクトル・ダニーロフ

て深い対話をすることを願っていたのである。

　ようやく一一月二三日になって、ソ連史研究所でダニーロフと初めて話ができた。ナロードニキと農民史に対する自分の関心を説明し、マルクスのザスーリチ宛ての手紙について意見を交わした。ダニーロフは面白い意見を述べた。

「マルクスは自信をもって語れないと思って、簡単な手紙になったのではないか」。

「その指摘は問題があります。それなら討論を回避するはずだ。しかし、結論は、草稿より最終書簡の方がずっと断定的なのです。これをどう見ますか」。

「それは、ナロードニキを政治的に励まそうとしたためではないか」。

　二度目の機会には、さらに立ち入って深い対話をした。

「それはますます問題のある意見です。一度、私の論文を読んでみてください」。

　一二月二一日、研究所の四階に上がって、講堂の前のベンチに座って、長く話すことができたのである。私たちの間に、私の著書『農民革命の世界』とエセーニンの詩集を置いた。

　ダニーロフは、シャーニンから私がエセーニンの詩を読んで農民の意識を考えることを試みていると聞いて、興味を抱いたようだった。彼の質問に答えて、私は、エセーニンとクリューエフとの関係を説明し、詩「ソロコウスト」について述べた。ダニーロフが、エセーニンはマフノの真の姿を知らなかったのだろうと言ったので、

「それはそうだろうが、マフノはエセーニンにとって農民革命のシンボルだったのだ」と言って、エセーニンの長詩「ならず者の国」を見せて、説明した。「待っていたまえ／鋼鉄の浣腸器を／この国にかけさえすれば／匪徒活動は終わりになる」というくだりにいたり、ダニーロフは「そういう進歩は望ましくない。私は反対しないが、私抜きでやってくれという気分だ」と言った。私が、エセーニンの自殺について「詩人の死は、社会が病んでいる徴（しるし）だ」と言うと、彼はうなずいた。

　最後に歴史学界の動向についても話した。彼は、タルノフスキーは歴史地理学のセクションに移されたと言い、自分の場合は、早い時期に問題にされたので、所属変えというようなことは思いつかず、もとのセクションに残されたのだと説明した。

「もっとも現在は、regeneratsiia（再生活用）もはじまっている」。

「それも悲しいことですね。あなたの仕事が再開されることを望みます」。

「できるのは、二〇年代だけさ」。

　ソ連史研究所の四階のベンチでの対話は、忘れられな

いものとなった。以後、永くつづく私たちの友情の出発点であった。

タガンカ劇場がよい

モスクワに着いてすぐに、アカデミー・ホテルの同宿の日本人研究者たちと話をしているうちに、評判の芝居について聞いた。すでに二か月間滞在している北海道大学の伊東氏が「何と言っても、タガンカ劇場の『マステル（巨匠）とマルガリータ』が評判ですよ。裸の女性が出てくるそうで、とてもチケットは手に入りません」と教えてくれた。それほどの評判の芝居なら、何とか観たいものだと考えた。

モスクワに来ると、外国人はホテルでチケットを買って、芝居もコンサートも自由に行ける。日本では芝居も年に一、二回しか観ない私だが、モスクワでは一一月にもう二回も行っていた。五日には音楽劇場のオペラ『エヴゲーニー・オネーギン』、七日には、すでに書いたようにボリショイ劇場のバレー『スパルタカス』を観たのである。その後、カフェで劇場の話を熱心にしているご婦人二人と同じテーブルになったので、話に割り込んで、「どの劇場が評判になってますか?」と尋ねたところ、「リュビーモフのタガンカ劇場がベストだが、チケットは手に入らない。次はエフロスのサヴレメンニク劇場で、『村での一か月』という出し物が評判だ」と教えてくれた。さっそく『村での一か月』を観に行ったが、タガンカのチケットはまったく買えなかった。

ところが、一二月一八日にデリューシンが電話してくれて、今日、タガンカ劇場でのゴーリキーの『母』を観ないかと誘ってくれたのである。驚いたし、ありがたかった。デリューシンはタガンカの舞台監督リュビーモフの友人なので、チケットを入手することができるということがわかった。二枚のチケットを取ってくれるというので、藤本君と一緒に行った。タガンカ劇場とは、地下鉄のタガンスカヤ駅の前にある劇場という意味である。

開場となりホールに入っていくと、カーテンの下りた舞台の前に蓄音機が置かれ、一人の男が立っていてわれわれを見ている。じつに不愉快な印象である。幕が上がると、男は姿を消すが、じつは男は私服の刑事か、保安部のエージェントで、われわれを監視していたという設定である。これがタガンカ風か。観る観客と観せる俳優という芝居の構成でなく、観客も芝居の中の通行人、群集にしてしまうという意図である。小屋は四〇〇人ほどしか入れない。舞台装置はまったくない。ただ機械的な装置はかなり複雑にできている。まず最初は兵隊の行進、舞台の上で靴音を立てて、四角形にまわる。これが非常に緊張した雰囲気をかもし出した。この兵士たちが国家権力を象徴しているのである。兵隊が退場すると、舞台のまん中に役者が出てきて、人々の日常生活のさまを演ずる。酔っぱらう息子、息子の覚醒のシーンもある。工場の生活も出てくる。労働歌が歌われる。第二部は農村のシーンだが、ここはやや紋切り型であるように思えた。

それから息子は工場の中で闘って、シベリアへ送られる。息子の書いたビラを母が撒き、銃剣の前に倒れる。全体として、「プロレタリアート」という言葉はほとんど語られない。「自由（svoboda）」「専制打倒！（doloi samoderzhabie!）」というスローガンがもっとも強調されていた。呼びかけられているのは「心よき人人（chesnye liudi）」にであり、めざすのは「プラウダ（pravda）」（真実／正義）である。これは革命前のロシアではなく、現在ただいまのソ連なのだという意味であろう。

観客の反応は微妙であった。挑発されるばかりで、陶酔できないので、拍手はまばらだった。カーテンコールも寂しかった。それが何を意味するのか、私にははかりかねた。将校は民衆に向かって、「kozel（羊）」とののしる。権力を持つものが、民衆を挑発しているのである。私は日記に「これはやはり面白い。しかし、またタガンカの孤立をも感じた」と記した。

その後、一二月の二九日にはまたチケットをもらって、プーシキン原作『プガチョフ』を観た。今度は伊東君と一緒に行った。年が明けてからは、一月七日には、ジョン・リード原作『世界をゆるがした十日間』を藤本君と一緒に観た。これはまた一九一七年のペトログラードの集会場に入る雰囲気で、「すべての権力をソヴィエトへ」という赤い横断幕がいくつもかかっていて、赤いスカーフを巻いた女性がロビーでわれわれに赤いリボンを付けてまわる。入口でチケットを確認していたのは、銃を肩からかけた兵士と水兵であった。しかし、芝居の中身はさほどよい出来ではなかった。レーニンは舞台には出てこないで、写真だけを示したのは、やはりどう扱えばいいのか腹が決まっていないためだろう。ケレンスキーは看板俳優のヴィソツキーが演じたが、徹底的に戯画化され、公式歴史学の解釈通りで、月並みである。今度は観客を挑発する要素が少なすぎる。やはり『母』の方がはるかによくできていると思った。

一月の後半には、ついにデリューシンは、ブルガーコフの『マステルとマルガリータ（巨匠とマルガリータ）』を見せてくれた。これは誰と一緒に行ったのか記憶にない。もともと難解な作品であった。噂通り、客席の上に巨大なブランコに乗って薄物をはおっただけの裸の美女マルガリータが飛び出してくるところだけしか、印象に残っていない。ともかくもデリューシンの好意で、私はリュビーモフのタガンカ劇場を堪能した。

歌、歌、歌

私はモスクワに、歌のカセットテープを二つ持っていった。一つは、オクジャヴァの歌である。ビクターから出たソ連のレコードと、フランスで出た彼のパリ公演のレコードを録音した。全部で三四曲入っている。もう一つは「ロシアの吟遊詩人（バルド）たちの発禁歌集」と題してテル・アヴィヴで亡命者が出したレコードを録音した。ここにはアレクサンドル・ガーリチの歌が二曲、ユーリー・キムの歌が二曲、ヴイソツキーの歌が二曲入っている。

ソ連では、スターリン批判以後に、詩に曲をつけ、ギターを弾きながら歌う人々が現われはじめ、六〇年代に入って社会的に広まっていったのであるが、オクジャヴァとヴイソツキーの歌は公認されているが、ガーリチとキムの歌は非公認のままであった。

モスクワで暮らす間、もっともよく聴いたのは、オクジャヴァである。彼の歌はモスクワにじつによく合う。彼の声はある種の軽みをおびていて、まるで水のように流れていくが、そこにはこの都市の奥底に秘められている人々の喜びや悲しみがにじみ出てくる。あまりにも有名なアルバート街を歌った歌にも、それがはっきりと出ている。

〽お前は河のように流れる　奇妙な名前だ
アスファルトは水のように　透き通っている
ああ　アルバートよ　私のアルバートよ
お前は私のえにし　私の喜びと私の不幸

アルバートとは、レーニン図書館の前をクレムリンと反対側に進むとぶつかる広場からはじまって、さらに西へつづく通りの名である。昔一五世紀、クレムリンの外のこの地に、クリミヤや小アジアから来た商人たちが住み着いたため、アラビア語で「郊外」を意味する「アルバート」と呼ばれるようになったという。広場に面したレストラン・プラハにはじまり、狭い通りの両側には商店がつづき、通りの中ほどにはヴァフタンゴフ劇場がある。古本屋もこの通りだけで三軒あった。モスクワの古い通りである。

ブラート・オクジャヴァは銃殺された「人民の敵」の子である。父は、グルジア共産党書記ミハイル・オクジャヴァの親戚で、ともに処刑された。アルメニア人の母もラーゲリに送られ、一九五六年にシベリアからモスクワへ戻ることができた。独ソ戦争に志願兵として参加し、負傷した彼は、戦後に大学で文学を学び、詩人の道を歩み出した。モスクワでの母との再会後、彼は自分の詩に曲をつけて歌い出した。

〽わが身の不幸に堪えられなくなり
絶望が頭をもちあげると
私は空色のトロリー・バスに乗る
最終のトロリーに　偶然にきたトロリーに

最終のトロリーは通りをひた走り
ブルヴァールをまわって
みなを拾い上げる　この夜に
難破した人々を　難破した人々を

最終のトロリーよ　ドアを開けてくれ
知ってるんだ　寒い真夜中には
お前の乗客　お前の水夫たちが
ドアを開けに　来てくれるのを

最終のトロリーはモスクワをすべる
モスクワは川のように　静まりかえる
小鳥についばまれるようなこめかみの痛みは
薄れていく　薄れていく

トロリー・バスは、地下鉄とならんで、モスクワの公共交通の顔の一つである。スターリンによる三〇年代の首都改造の中で導入された新基軸である。トロリー・バスのドアは自動式であるが、古くなった車のドアはなかなか開かない。開かないときは、内側と外側から叩いたり押したりして開けるのである。トロリー・バスの人情を取り込んで、この歌は夜のモスクワの雰囲気をじつによく伝えている。

流れるようなオクジャヴァの歌と比べると、ガーリチの歌は重い。ときにじわじわと、ときにたたみかけるように、聴く者に迫ってくる。

おそらく「雲（アブラカー）」は彼の歌の中でも、もっともなだらかなメロディを持ち、広く知られているものであろう。しかし、その内容はけっして気楽なものではない。

〽雲が流れる　雲が
ゆっくりと　映画の中のように
だが　私はにわとりをかじり
コニャック五〇〇グラムをのむ

雲が流れる　アバカンへ
ゆっくりと流れる　雲が

雲はきっと暖かいだろう
だが　私は永久に寒気がとまらない
私は轍の跡の蹄鉄のように凍えている
ツルハシで掘り返された氷みたいだ
だって何もないのに二〇年も
ラーゲリ暮らしをつとめたのだから

あのときから目に映るのは　凍った雪
あのときから耳に聞こえるのは　どなり声
「おーい、こっちにパイナップルをくれ
コニャックももう二〇〇グラム」

雲が流れる　雲が
なつかしい土地　コルイマーへ
雲には　弁護士もいらない
恩赦も何も関係ない

いまの私は　けっこうなご身分さ
二〇年も一日のごとし
ビヤホールに殿下のごとく腰をすえ
歯だって　まだあるのだ

雲は暁の方へ流れる
雲には年金もないし　掛合いもない
だが　私は四日には為替をもらい
二三日には　また為替が来る

この両日は　私みたいに
国中の半分が　酒場にいる
そして　われわれの記憶は
雲となって流れる　かの地へ

アバカンもコルイマーも、スターリン時代の代表的なラーゲリのあった極北の地である。多くの人がそこで死に、または、はるかに多くの人が生き抜いて戻ってきて、ソ連の社会に暮らしている。そういう者の一人で、スターリン批判後に釈放され、名誉回復され、モスクワで年金生活を送る老人の歌である。年金の為替が届けば、酒場でコニャックを飲む。しかし、心は晴れない。歴史の清算はなされず、消えた二〇年間は救われていない。そこで記憶は雲のようにただ流れるだけなのである。
「この両日は　私みたいに　国中の半分が　酒場にいる」という一節が、この歌のクライマックスで、ガーリチの声とギターの音がここで強い迫力をもって高まる。このままでいいのか、そういう声なき声が、つづく一瞬

ガーリチの歌のレコード『つぶやかれた叫び』のジャケット

の間のうちに聞こえてくるのである。

アレクサンドル・ガーリチは、一九一九年にモスクワのユダヤ人インテリの家に生まれた。俳優となり、戦争中は演出もし、戦後は戯曲や映画のシナリオを書くようになった。彼の人生は、オクジャヴァに比べればはるかに順調だった。その彼が、スターリン批判で、自分の安らかな生活のすぐ隣りに存在していた地獄を知る。のちに、一九四九年に殺されたユダヤ人劇場の主宰者ミホエルスに捧げた歌「汽車」の中で指摘しているように、「われわれが道化を演じたり、暴れたり」、お追従を並べていたとき、「どこかのレールの上を車輪が」回っていた、と感じたのである。「われわれの汽車は、オスヴェンツィムに向かっている、今日も、そして毎日」。

彼も一九六〇年代の初めに、突然ギターを取ってまったくこれまでと異なった作風の詩に曲を付け、歌いはじめた。それは自己告発の歌であり、糾弾の歌であった。オクジャヴァの歌が抒情的であるのに、ガーリチの歌は矛盾と対立を含む演劇性を特徴としている。

一九七四年、ガーリチはソ連から出国することを余儀なくされ、ほどなくしてソ連の市民権を剝奪された。ヘンドリックス・スミスの本『ロシア人』によると、ガーリチの歌を娘の結婚式で聴いた共産党政治局員ポリャンスキーが激怒したことが、ガーリチの作家同盟追放につながり、ついには国外追放となったとのことである。一九七七年一二月一五日、ガーリチはパリの亡命先で、感電して死んだ。

のちに彼が亡命先で作った歌「私が帰る」を聴いた。いつの日か、二月の雪のモスクワに帰る時がくる、そのときの喜びを思い浮かべて歌った歌である。涙なくしては聴けない歌だ。

ユーリー・キムは朝鮮系ロシア人である。一九三六年生まれで、父はコミンテルンの活動家で、逮捕され処刑された。学校の教師をしていた彼は、一九六〇年代に異論派となり積極的に行動した。もっとも名高いのは、ヤキール、ガバイとともに、三人で一九六八年一月に出した声明で、その中で「沈黙によって、新たな一九三七年が来るのを助けるな」、スターリンの大量テロルを再来させるなと訴えた。ヤキールは転向し、ガバイは自殺し、キムは耐え抜いた。

キムの歌は辛辣な風刺を特徴とする。明るくて、笑い飛ばす暴力性がある。「巻頭論文」と題された彼の歌は、私を惹きつけた。

〽すべての通りは　まるでペンキ塗り立てみたいです
そして　太陽は一つ一つの建物ごとに上がっているようです
わが国と外国の全勤労者は　喜ばしい心の高ぶりを感じます
工場と日ごろの暮らしをはなれた労働者、農民、技師、
インテリゲントとミリツィオネール（警官）は団結をデモンストレートしています
花を飾ったプラカードを掲げています
卸し立てと見える服を着ています
われわれはとうの昔に鎖を投げ捨てました
ありがたいことに失うべき何ものかを持っています
これでよし　何か宇宙飛行のことをつけ加えたまえ
よろこばしい朝明けのことか何かを
それから自分の署名を入れて
委員会へ持って行くんだ

初めの二段落は「巻頭論文」の原稿となっている。最後の段落はデスクか編集長のコメントで、「委員会」とは検閲委員会をさしている。これはソ連の新聞に対する強烈な風刺である。彼のこのしたたかな風刺精神は、彼の出自からきているのではないか。ともあれ、彼は生き抜いている。

同じく男性的な声だが、もっとしゃがれた声で、ソ連の民衆の喜び、悲しみ、生活のすべてを歌ったのが、ヴイソツキーである。彼は一九三七年の生まれで、私と同じ年である。彼の歌を聴く人は、彼が独ソ戦に従軍した

兵士だと思ったり、ラーゲリ経験者だと思ったりするのだが、もちろんどちらも彼は実地に経験しうる年齢ではなかった。彼は、リュビーモフのタガンカ劇場の看板俳優である。彼の歌「寒け（ハラダー）」はソ連の人々の間で有名だ。

〽寒い　寒い
　住み慣れた場所から
　別の町が俺たちを呼ぶ
　ミンスクとか　ブレストとか

〔……〕
家ではどんなに暖かくても
いつも新しい出会いが足らない
新しい友だちが俺たちには必要だ
俺たちのところには災いがあっても
連中と一緒なら暖かい　というみたいな

たとえ時々がよしとしても
俺たちは自分で家に帰っていく
だけど俺たちの星はどこにあるんだ
ここかもしれない　向こうかもしれない

志を得られない、心の寒い若者の歌である。日常の生の中での不満、どこか遠くに本当の生があるのではないかという期待——若者はつねにそのような落ち着かない気分の中で生きているものだ。しかし、聴く人によっては、この歌は趣きを変える。運命の星が「ここ（ズジェーシ）」でなく「向こう（タム）」にあるのかもしれないというのは、ソ連に留まるのではなく、出国する、という意思を表現することになる。

シャギニャンとレーニン

一二月二七日に、リヴォーヴァさんの案内で、作家マリエッタ・シャギニャンの住まいを訪ねた。シャギニャンに会いたいという気持ちになったのは、レーニンの祖父たちの出自についての注目すべき発見を、この人がしたと聞いたからであった。だが、リヴォーヴァさんが私の面会の願いを伝えると、初めは私と会うのを嫌がった。外国人はみんな、レーニンの母方の祖父がユダヤ人であったことを発見したそうだと尋ねてくる。先日はスイスの学者が手紙を寄こした。自分はそのことを語るのはまったく問題がないと思っているし、話すのはかまわないが、外国人に話すのは困るのだと言った。それでリヴォーヴァさんは、「和田はそんなことは尋ねない、心配ない」と言ったのだそうだ。「だから、尋ねてはいけませんよ」。

これは困った。聞きたいことを封じられては仕方がない。それで私は、芥川龍之介がレーニンのことを書いた詩について話したいのだと言うと、リヴォーヴァさんは芥川の本を書棚から取り出した。「君は僕等の東洋が生んだ／草花の匂いのする電気機関車だ」（『或る阿呆の一生』「三十三 英雄」）というくだりは、ロシア語なら、

作家マリエッタ・シャギニャン

「Vy – elektovoz Vostoka, nesushchii aromat travy」となるということになった。

シャギニャンの住居は、リヴォーヴァさんの家の近くにあった。中に入ると、若い人が何人もいた。年末の番組のため、テレビ局がインタヴューに来ていて、日本人の学者が来るというので、その場面も撮ろうとしているとのことだった。やがて彼女が姿を現わした。小柄な人で、補聴器を手に持ってきた。「目がほとんど見えないのよ」と言われたので、リヴォーヴァさんが「白内障は手術をされれば、見えるようになりますよ」と言った。私が「あなたのレーニンについての著作は、日本で広く知られていますよ」と言うと、そこを撮影してもらおうということになって、繰り返して話すことになった。彼女は著作集の第八巻にサインをして、私にくれた。私は、芥川のレーニンの詩を読み上げて、彼女によるレーニンの父方の祖父についての記述が、この詩の裏付けになったと思っていると言った。レーニンの父方の祖父はモンゴル系のカルムイク人だ、という彼女の発見のことを言ったのだが、通じたかどうかはわからなかった。

それからレーニンのペンネームの由来について、「Lenivtsyn（なまけもの）」から来ているのではないかという私の持論を披露したが、彼女は言下に、ロシアの旧字法では、「Lenin」と「Lenivtsyn」とでは「e」の

字が違うのだから、和田の説は成り立たないと言われた。一九一五年にあの帝国主義論を合法出版で出すとき、著者名をLeninとするのが難しければ、Lenivtsynにしたらどうかと提案したのはレーニン自身だったのです、と説明するのが難しく、私はそのまま引き下がった。

紅茶とアルメニア・コニャックをご馳走になって、帰る間際に、彼女は、「アルメニアの才能ある学者が中傷されて、キエフで死んだ。殺されたのも同然だ。自分はスースロフに手紙を書いて、彼を中傷した悪人が最高会議議員であるのは許されない、と言ってやった」と言い出した。リヴォーヴァさんが「そんなことは、なされない方がいいですよ」と言うと、彼女は「いや、しなければならない。自分は最後には善が勝利すると信じている。最後まで闘うことが必要だ」と言った。このとき私は、彼女に生けるヴェーラ・フィグネルの面影を見るような気がした。シャギニャンは九一歳であった。フィグネルは九〇歳で死んだのである。

夜も九時になったので、われわれはあわてて、おいとました。彼女のテレビ番組は大晦日に放映され、私が作家のところを訪問したのをテレビで観た、という人が新年に何人も声をかけてきた。

モスクワの文書館

私が、ソ連での長期滞在研究のテーマとして提出したのは「ロシア史、ロシア革命史におけるナロードニキ主義――六人のナロードニキの生涯を通じてみる」というものであった。ナロードニキの運動は、一九世紀、一八五〇年代初めに生まれ、七〇年代初めに大学生となった人々の運動であった。「ヴ・ナロード（民衆の中へ）」の運動からはじまって、最後は「人民の意志」党による皇帝アレクサンドル二世の暗殺に行き着いて、一八八一年で運動がつぶれてしまうのである。処刑された指導者の他、生き延びた運動参加者のうち一九一七年のロシア革命を生きて迎えた人が六名知られている。みんな六十歳台後半であったから、この人々はなおソ連社会の歴史を見守ることになった。

独房に幽閉された二〇年の歳月ののち出獄し、世界大戦前夜に政治犯の救援の運動をはじめ、革命後はソヴィエトロシアに生きて、一九四二年に死ぬヴェーラ・フィグネル。亡命地で転向し、君主主義者となり、ストルイピンの顧問になったが、ニコライ二世に絶望して二月革命を支持した「人民の意志」党の理論家レフ・チホミーロフ。マルクス主義者になり、ロシア社会民主党の父となったが、一〇月革命に反対して死んだプレハーノフ。ナロードニキの信念を守り、左派エスエル党の長老として一〇月革命を支持したが、国外に去って死んだマルク・ナタンソン。ナロードニキ右派の協同組合運動家となり、一〇月革命に反対してアルハンゲリスクの反ボリシェヴィキ政権の首班となったチャイコフスキー。若くして亡命し、日露戦争の際に日本に来て捕虜工作を行ない、ついに帰国せず、日本人の女性との間になした三人の子を残して一九三〇年に天津で死んだニコライ・スジロフスキー、ドクター・ラッセル。以上の六人である。

私がこの六人について集団的評伝を書こうと心に決めたのは、一九六三年、二五歳のときであった。一九七〇年に初めてソ連に来たとき、最初の資料集めをした。しかし、六人をまとめて書くというのは難しいことがただちにわかった。それで帰国後、ラッセル一人について伝記を書き、一九七三年に出版した。初めてソ連の文書館で仕事ができるようになるこのたびの在外研究の機会には、当初の六人の伝記資料の獲得という目標を表向きには立てたのだが、すでに資料の存在がわかっている三人、フィグネルとチホミーロフ、それにプレハーノフに絞って研究することに決めていたのである。

ヴェーラ・フィグネルは、中央国立文学芸術文書館（TsGALI）に個人文書ファイル（フォンド番号１１８５）があり、チホミーロフは、中央国立一〇月革命・ソ連国家最高機関文書館（TsGAOR）に個人文書ファイル（フォンド番号６３４）がある。プレハーノフは、レニングラードにプレハーノフ文書館があることがわかっていた。その三か所を見ようというのが目的だったのである。

一一月一〇日ごろ、歴史研究所を通じて各文書館への入館の申請をし、一二月の末になってようやく許可が下りて、一月休み明けから二つの文書館に通うことができたのである。

文学芸術文書館は、地下鉄のヴォードヌイ・スタジオン駅からアパート団地を抜けて、かなり歩いたところにある。ここにたどり着いて、女性の館長のもとに通され、即日文書を注文できた。

文書館では、フォンドごとに目録がある。しかし外国

ヴェーラ・フィグネル

人には目録を見せない。したがって、ソ連の研究者がすでに使っているファイルの番号で注文するか、文書館員が私のテーマを見て、私の希望を聞いた上で彼、彼女の判断で役立ちそうなファイルを選んで見せてくれる、というやり方だった。もちろん見せてはいけない資料のファイルを除くことが文書館員の義務であったろう。何を見せるかに文書館員の姿勢が出るのである。

文学芸術文書館ではまず、フィグネル個人文書（フォンド１１８５）のファイル１から10までを頼んでみた。ファイル１は、彼女がスイスから帰国し、保健婦として農村に入るためにヤロスラヴリでもらった証明書二通である。それから年金関係や伝記的な事項についてのファイルがあった。ファイル９は政治犯救援関係であった。その中の最初の資料はフィグネルが革命前に結成していた政治懲役囚救援委員会のものだった。次いで二月革命のあとに結成された解放政治囚救援協会の資料があり、そのあとから突然「政治赤十字」の資料が出てきた。これは革命後のソ連時代に活動していた組織である。その中にエ・カ・ペシコーヴァ「政治囚救援」会の一九二六年会計報告が出てきた。ペシコーヴァはゴーリキーの最初の妻で、元エスエル党員であった。さらに、このファイルには、一九二六年の会計報告についてフィグネルがペシコーヴァに宛てた手紙も入っていた。二〇年代のソ連で、ソ連政府が逮捕した政治囚を救援する活動を、ペシコーヴァとフィグネルが一緒にやっていたことは明らかであった。私は興奮を抑えられなかった。

文学芸術文書館の文書館員は、その後、二回目の注文に応じて、ポスターや招待状のファイルを見せてくれた。その一つが、フィグネルが八〇歳の誕生日にもらった祝辞のファイル（番号１１７）であった。その中に驚くべき資料があった。

親愛なるヴェーラ・ニコラエヴナ

「政治囚救援」活動家は、心の底からあなたの誕生日、一九三二年七月七日をお祝いします。われわれは、あなたがわれわれとともにあり、われわれの中にいることを誇りに思います。この意識がわれわれに活動する喜びと元気を与えてくれ、困難な瞬間の慰めとなっています。貴方の生涯、エネルギー、意志と勤労は美しく、われわれはもっとながくあなたがわれわれとともにいてくれることを願っています。あなたが長い手紙とおおげさな言葉を好まないことを知っていますので、これで終わります。あなたを抱きしめます。

署名者の筆頭は、エカチェリーナ・ペシコーヴァ、ゴーリキーの元妻である。それからエム・ヴィナヴェル。五番目にフィグネルの従妹エリ・クプリヤーノヴァ。六番目はエム・シェヴァーリナ、「人民の意志」派の妻か、娘。七番目はペ・マリャントーヴィチ、有名な弁護士の縁者。九番目がまたフィグネルの従妹、エヌ・クプリヤーノヴァである。一二番目に、エスエル党結党時のメンバー、エム・セリュークの名が出てきたので、驚いた。

これは、一九三二年まで、フィグネルがゴーリキーの最初の妻ペシコーヴァとともに、ソヴィエト権力の囚人たちのために救援の活動をつづけていたことをはっきりと示し、その組織の活動メンバーのすべてを明らかにする決定的な資料であった。

エカチェリーナ・ペシコーヴァ

それと同時に、クロポトキン博物館を経営するクロポトキン委員会からの祝辞も出てきて、もう一度、驚いた。そこには「あなたが主宰するクロポトキン委員会は、あなたの八〇歳のお祝いを申し上げる」とあり、フィグネルがクロポトキン委員会の議長であることが示されていた。ここでも祝辞に署名した人の名前からクロポトキン委員会のメンバーを知ることができた。

こうして一九七九年一月、文書館で調査をはじめた途端に、私はヴェーラ・フィグネルがソヴィエト時代に政治犯救援の活動を行ない、クロポトキンを記念する事業会を主宰しており、一九三〇年代初めまでその活動をつづけていたことを知ることになったのである。当時の時点では、誰も公開の場で明らかにしたことがない事実であった。

一〇月革命文書館は、地下鉄クロポトキンスカヤ駅の前からトロリー・バスに乗っていく。中央文書局の建物に同居している。ここでは外国人用の閲覧室が特別にある。私が行くと、文書館員が内務省警保局特別部のフィグネル監視記録を出してくれていた。フィグネルがシリッセリブルク監獄を出獄した翌年、一九〇五年から一九一七年の二月革命前夜までの監視記録のすべてである。これはまさに基本的な資料で、ありがたかった。

次に、内務省警保局のチホミーロフ監視記録を見せてくれた。これは一八八八年、彼が転向の動きをはじめてから、新たに作成された一件書類で、冒頭にチホミーロフの前歴調書を収め、それ以後は転向の過程の関連文書を一八八八年七月から一二月までまとめている。この資料をこれまで見たのは、三人だけである。これも大事な資料であった。

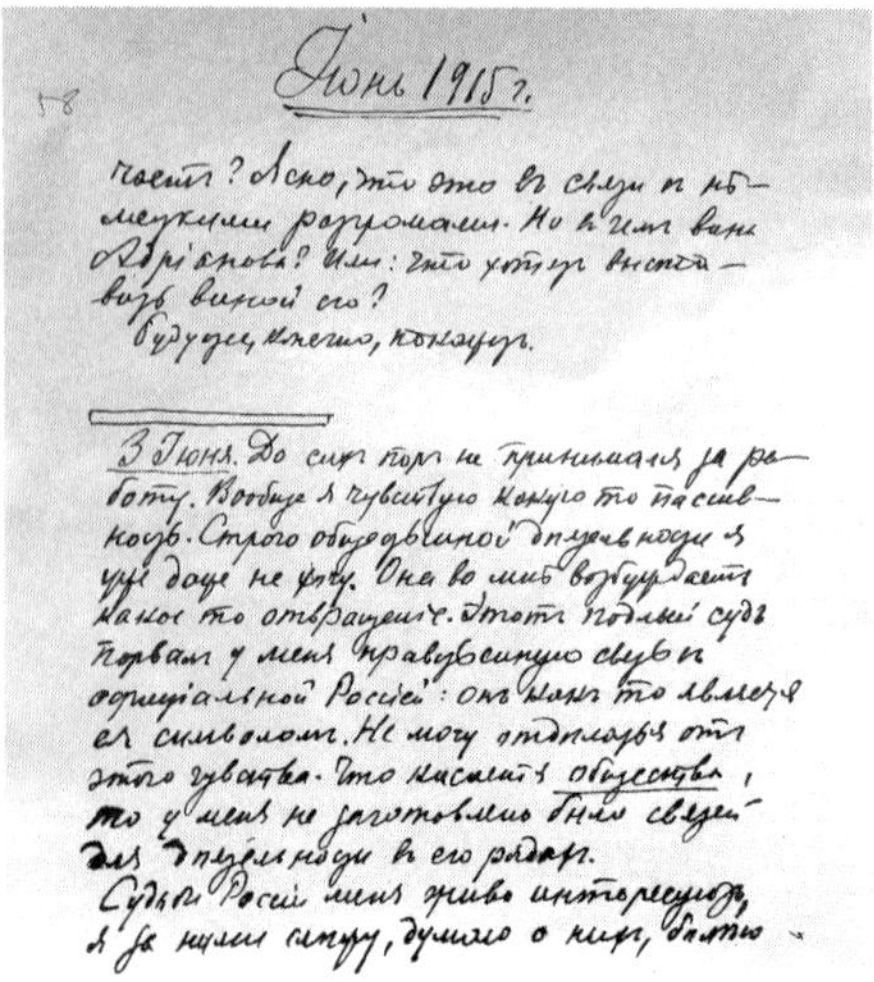

これらの資料を見ながら、私が注文したのは、チホミーロフの日記である。彼は、一八八六年から一九一七年まで日記を付け、最後にそれをソヴィエト国家に贈与した。この日記の中で私がまっ先に望んだのは一九一六年九月から一七年一〇月までの簿冊である。これは、ほとんど全頁を私はノートに筆写した。皇帝暗殺後の「人民の意志」党運動の行きづまりの中で、一八〇度の転向を遂げて君主主義者となったチホミーロフは、世界戦争の中でラスプーチンの精神的支配下に入ったニコライ二世に絶望した。ラスプーチンがついに殺害されたあと、次のように記していた。一九一七年一月二〇日（露暦）の日記である。

「殺害は、ロシアが誰の手に握られているかという恐るべき事実を、まさに確認したのである。しかも、国から恥辱を取り去る唯一の手段として、殺害のケースがすでにあったとすれば、これはやはり恐るべき先例となるのではないか。汚らわしいグリーシカ〔ラスプーチン〕は、死後も王朝の脅威として残っている。私はしばしば、どうしたら王政を救えるかという問題に頭を絞ってきた。そして確かにその手段は見出せていない。もっとも重要なことは、陛下が生まれ変わったり、自分の性格を変えたりすることはできないということだ」。

　皇帝が変われなければ、ラスプーチン殺害が先例になるのではないか。三五年前の皇帝暗殺者グループの理論

チホミーロフ日記：1915年6月の一頁「6月3日、今まで仕事に取りかかれなかった。私はなんだか無気力だ。厳格な意味での社会活動はもうしたくない。それには一般的に嫌気がさしている」

家チホミーロフにとって、恐ろしい問いが日記に書き込まれていたのである。チホミーロフは二月革命を肯定した。大戦中と一九一七年のロシア革命期の彼の日記を読み通したのは、おそらく私が最初であったろう。したがって彼の劇的な再転換は、これまで誰によっても明らかにされていない。真冬のモスクワの文書館で、私は日々興奮の瞬間を経験した。

ピルーモヴァの援助

ソ連史研究所には、イテンベルクの同僚で、ナターリヤ・ピルーモヴァがいた。彼女はイテンベルクの二年下で、ゼムストヴォ・リベラルとアナーキストを研究対象にしていた。一九七二年にクロポトキンのすぐれた伝記を書いていて、それを日本語に翻訳しようとしている人もいた。私は、彼女がナロードニキ研究者でないので、すぐに接近しなかった。しかし、フィグネルがクロポトキン委員会の議長を務めたということがわかってから、彼女のクロポトキン伝を読んで、一九一九年〜二〇年にフィグネルがクロポトキンと深く交わっていたことを教えられた。それで、私はピルーモヴァに教えを乞いたいと、強く願うようになった。

一月半ばに研究所で彼女に会い、私の関心を話すと、彼女は家に訪ねてくるように言った。私はさっそく数日後にイズマイロヴァのお宅を訪問した。彼女は驚くべき資料を見せてくれた。クロポトキンの葬儀に向けて出されたアナーキストの一日新聞である。それからクロポトキン顕彰委員会の新聞『ブレティン』も見せてくれた。それらを筆写するのに、ホテルに持ち帰ることを許してくれた。驚くほど心を開いて、私の研究を助けてくれたのである。

彼女の大胆さを、私はブルジャーロフと同じアルメニア人だからかもしれないと思った。しかし、それはそんな簡単なことではなかったのである。

厳冬のレニングラード

プレハーノフ記念館

現実の国際緊張の方は、一九七九年になると本物の戦争になった。反ポル・ポトの行動を起こしたカンボジア軍の一部が、ポル・ポト政府軍に攻められ、生き残ったヘム・サムリンの部隊がベトナム領内に逃げ込んだ。ベトナムはこれを支持するとして、一九七九年一月、カンボジアに軍を入れ、一月七日にプノンペンを占領したのである。一月一〇日、ヘム・サムリンによるカンプチア人民共和国が成立する。そしてベトナムは、新政権と平和友好協力条約を締結した。ポル・ポト派は西部のタイ国境地帯に逃れ、中国の支持を受けて抗戦をつづけた。

カンボジアのベトナム軍は一七、八万人に増強された。これを中国は許さない。二月七日、中国は一三万の兵力を国境に集め、ベトナムを攻撃した。「懲罰を与える」との主張のもとに、期間を限って実行された戦争である。

この戦争は、社会主義国同士の間の本格的な戦争であり、前例のないものであった。当然ながら前年一一月に結ばれた、ソ連ベトナム同盟条約に対する挑戦でもあった。ソ連の緊張はさすがに万人の目に明らかになった。ベトナムへの国民的な同情が組織され、コムソモールに志願従軍の申し込みが殺到していると語られる状態になった。

その緊張の中、二月に入って、私はレニングラードに移った。またまた寒くなり、気温は零下三〇度近くにまで下がったのである。

だが冬のレニングラードは、じつに美しい。ネヴァ川は完全に凍っていた。レニングラードの宿はネフスキー大通りの西の端、アレクサンドロ＝ネフスキー修道院の前のモスクワ・ホテルである。そこから、ピョートル大帝の騎馬像の隣の中央歴史文書館とネフスキー大通りのサルトゥイコフ＝シチェドリーン図書館、それに地下鉄の工業技術大学駅の近くの「プレハーノフ記念館」に通う生活がはじまった。

プレハーノフがボリシェヴィキ革命の批判者としてフィンランドのサナトリウムで死ぬと、夫人のロザーリヤはすべての蔵書と文書を持って出国した。ソ連側はプレハーノフ著作集の刊行許可を求めて、交渉し、プレハーノフの遺産すべての譲与を求めたが、夫人は簡単には承知しなかった。ついに一九二七年、夫人はプレハーノフの遺産をレニングラードの公共図書館に寄贈するとし、図書館側と交渉をしはじめた。条件はこの図書館の一部として独立した施設に一括保存し、その施設には専門のスタッフを配置するということであった。図書館側がこれを受け入れ、その時点で政府も承認した結果、レニングラードにプレハーノフ記念館、ロシア語では「Dom Plekhanova（プレハーノフの家）」が誕生することになった。一九二九年のことである。モスクワのクロポトキン博物館が共産党国家の中にあるアナーキスト資料館であるように、プレハーノフ記念館はボリシェヴィキ国家内の公然たるメンシェヴィキ資料館となったのである。夫人は一九四九年に死ぬまで、二〇年間にわたり、自らこの記念館の仕事をして、クロポトキン博物館が閉鎖されたあとも、プレハーノフ記念館を守り抜いたのであった。

この記念館が所蔵する未公刊文書の中から、プレハーノフ夫人ロザーリヤ・ボグラドの回想が抄録の形で雑誌『歴史の諸問題』（一九七〇年一一月・一二月号）に載せられたので、私はその回想の全体を読みたいと願っていた。プレハーノフ記念館を訪ねて、クルバートヴァ館長にまっ先にお願いしたのはそのことであった。

この記念館では、資料の目録を見せてくれた。そこで夫人の回想としては、「祖国での一年」という一七年革命で帰国する過程、帰国してからの生活について書いたものがあることがわかった。プレハーノフ夫人ロザーリヤ・マルコヴナは、旧姓をボグラドといい、ヘルソン県出身のユダヤ人女性で、女子医学高専で学んだあと、ナロードニキ運動に身を投じた。亡命後は医者として働き、プレハーノフの生活と健康を終生支えた人である。

中央歴史文書館は、青銅の騎士像のある広場に面した旧元老院（セナート）・宗務院の建物にある。ここでは、私のテーマを言って何を見せてくれるのか、待つしかなかった。しかし文書館員が選んで見せてくれた文書の中には、思いもかけないものがあった。その一つは、一八七〇年代の地方の不穏言動の事件のファイルであった。その中に、ヤロスラヴリ県農民プルイシェフの国事犯容疑事件の一件書類があった。一八七九年一月八日、とある駅前の飲み屋で農民が郷長や司祭と一緒に飲んでいて、ロシアでは泥棒と不正義が横行している、いまにわれわれは立ち上がって、法の変革を要求すると口走った。彼は逮捕され、処分が長く検討され、ついに彼を起訴せず、説諭にとどめるとの司法大臣の意見が皇帝アレクサンドル二世にまで上げられ、裁可され決定をみた。五月九日の決定である。これを見て、ロシア帝国の権力秩序の姿がはっきりと見えた感じがした。

ここではその後、皇帝暗殺実行犯逮捕のファイルを見て、二月革命当時の保安部報告のファイルを見た。いずれも私ののちの研究に活用されることになる。

フィグネルの姪と会う

ソ連に来てから私は、フィグネルが書いた子供向きの本『革命の中で』を本屋で買った。初めは内容がない本だと思っていたのだが、よくよく見ると、最後の章が彼女の姪マルガリータによって書かれていた。フィグネルの弟、オペラ歌手ニコライの娘である。晩年のフィグネルを間近で見ていたようなので、彼女を探したいという気持ちになった。この本は一九六六年にレニングラードの出版社から出た本だった。私がレニングラードに来た目的の中には、この出版社を訪問することが入っていた。出版社はすぐにわかった。私が用件を説明すると、著者マルガリータ・ニコラエヴナの電話をすぐに教えてくれた。電話をかけてペトログラード区の彼女の家を訪ねたのは、二月一五日である。

彼女は一九〇五年生まれだというから、七四歳であった。オペラ歌手であったフィグネルの弟ニコライの三番目の妻の長女である。

彼女はフィグネルの写真を多く見せてくれた。見たこともない写真が多かった。最晩年の悲しそうな表情をしている写真のコピーを所望したが、それは許されず、フィグネルの兄弟姉妹がみんな集まったときの記念写真をくれた。マルガリータも映っている。一九一五年の写真である。

フィグネルと弟妹たち（1915 年の写真）。前列右から２人目がフィグネル、３人目がマルガリータ・フィグネル。後列右から歌手ニコライ、３人目が弟ピョートル

彼女が住んでいる家は、フィグネルの妹エヴゲーニヤとその夫ミハイル・サージンが住んでいた住まいであった。

肩の痛みで街へ

私は二つの文書館で、一番寒い時期に一心不乱に文書資料を書き写すことに集中した。

やがて肩が痛み出し、一週間も仕事を休むことになった。そうなれば、私には別にやることがあった。レニングラード見物である。

二月革命の記念日、女子労働者がストに入りデモをはじめた旧暦二月二三日・新暦三月八日の国際婦人デーが近づいていた。私は、二月革命の火元となったヴイボルク地区とリチェイヌイ大通りのあたりの探訪に出かけた。ヴイボルク地区はいまもこの都市の工場地区であった。中心は大サンプソニエフスキー大通りである。同じ大通りだが、ネフスキー大通りとは比較にならないほど狭い。この通りの奥には、その両側に新レスネル、ロシア・ル

ノー、エリクソンなどの急進派労働者の拠点工場があったはずである。そのあたりまで行くと、新レスネルの後身らしき工場があった。入口で尋ねると、工場博物館があるというので、頼んで入れてもらった。確かにここが新レスネル工場の後身で、博物館には新レスネルのボリシェヴィキの写真が飾られていた。そこから下ってきたところに、モスクワ連隊の兵舎があったはずだが、軍の体操学校があった。これが後身なのだろう。

さらに、そこからだいぶ歩いて、ネヴァ川のほとりまでくると、左手に軍医大学校がある。川沿いを左に少し行くと、橋がある。二月革命のときには、この橋に警察軍隊が阻止線を引いた。橋は幅の広い大きな橋である。それを渡って都心部に入ってくると、リチェイヌイ大通りとなる。それをまっすぐに行けばネフスキー大通りに出る。リチェイヌイの最初の角を左に曲がると、シパレールナヤ通りで、その奥にタヴリーダ宮殿がある。国会があったところだ。一九七〇年に初めてソ連に来たとき、そこで国際経済史学会があった。二月革命のときには、革命の中心になったところで、労働者兵士ソヴィエトがここにできたのである。

リチェイヌイとシパレールナヤ通りの角には、革命当時は区裁判所の建物があり、そこが反乱した群集に焼き討ちされたのは、革命の重要な一幕であった。いまは巨大な不気味な建物が立っている。これは何ですかと通行人に尋ねても、なかなか答えてくれない。やっと「ボリショイ・ドーム（大きな建物）」だという答えが返ってきた。いったい何なんだと面食らったが、あとで教えてもらったところでは、これはレニングラード内務人民委員部、いまはKGBのレニングラード本部の建物であった。一九三七年前後に無数の市民を逮捕連行し、略式で多数を処刑する決定を出したところであった。人々はいまもって恐れを抱き、「大きな建物」とだけ呼んでいるのである。革命後二〇年の一九三七年、この恐ろしい様変わりには心が押しつぶされそうになる。

翌日は、レニングラード市博物館を見に行った。歴史文書館の先の川岸通りにある。ここは、独ソ戦の際のレニングラード籠城戦の際の市民生活の展示が圧倒的であった。もちろん三〇年代の大量テロル期のことはいっさい出てこない。しかし展示の最初の方で掲示されているポスターを見て驚いた。ポスターは、一九一八年五月一七日にチンゼリー・サーカス場でヴェーラ・フィグネルの主宰で「文化と自由協会」の集会「ロシアは再生するか」を開催するというものだった。一見したところは無難な展示と見える。しかし文化と自由協会とは、ゴーリキーとフィグネルが設立したボリシェヴィキ革命批判の組織で、「一九一七年二月二七日記念文化啓蒙団体」という名称は、一〇月革命ではなく二月革命が正統だと公然と宣言しているものなのである。このポスターを展示するように選んだ博物館員の大胆さに、私は感動した。

　数日後、街を歩きまわっているうちに、ネフスキー大通りの映画館でミハイル・ロンムの映画『ありふれたファシズム』を上演していたので観ることにした。一九六五年に封切りされたこの映画は、ナチス・ドイツの記録映画をふんだんに使って、ヒトラーの体制の政治的・文化的な相貌を明らかにすることをめざしている、と見せかけて、じつはそのナチの体制とソ連の体制が文化的に極度に似通ったものであることを暴露するという、たいへんな作品であったのである。評判は聞いていたが、私はこのとき初めて観て、戦慄をおぼえた。監督のロンムはユダヤ人である。私は劇作家シヴァルツのことを思った。レニングラードの観客がこの映画をどのように観ているかはうかがいえなかった。いずれにしても、私の所属する研究所の全所的共同研究のために、「ソ連におけるる反ファシズムの論理」なる論文を執筆しようとしている私にとって、この映画を観ることができたのは、じつに幸運であった。

　この映画の前にはニュース映画が上映され、中越戦争のニュースを流していた。観客はベトナム軍に拍手を送っていた。党やコムソモールの地区委員会には義勇兵の志願が多く寄せられているようだ。

　肩の痛みが薄れて仕事を再開し、二月の末になると、またすっかり暖かくなった。プラス三度ほどになったのである。砕氷船が通ったあとのネヴァ川では、氷がだいぶ解けて、水面が広がった。第二の「オーチェペリ」である。

　二月二五日は日曜日だった。遠出をして、独ソ戦の死者を葬ったピスカリョフ墓地へ行った。レニングラードの北東のはずれにある。駅で花を買った。墓地の門を入ると、永遠の火が燃えている。そこに花を供える。ここには八〇万体が葬られているとのことだ。墓はすべて雪の下である。彼方に女性の像が見える。そこまで行くと、背後の壁面にオリガ・ベルゴーリッツの詩がはめこまれている。「すべての人が忘れないし、何事も忘れられない（Vse ne zabudut i vse ne zabuto）」。

　私は帽子を脱いで、一礼した。

　帰途、地下鉄のチョルナヤ・レーチカの駅で降りて、かの詩人プーシキンが決闘でダンテスに殺された場所を見に行った。だいぶ歩いて鉄道の線路を越えた先の林の中に、それはあった。周囲には新しい建物が建っているが、感じはわかるような場所である。プーシキンは、ここで一八三七年一月二七日（露暦。西暦では二月八日）にピストルの弾丸が当たって死んだ。碑があり、その裏を見ると、一九三七年建立とある。皮肉なめぐり合わせである。粛清の嵐が吹き荒れていたこの年、この都市でもどれほどの人が処刑されたことか。その年にプーシキンの死を悼む碑を建てた人々は、何を思ったのだろう。

同じ日に、地下鉄の駅で道を尋ねると、しばらく案内してくれた老婦人は、私に「一瞬中国人かと思って、恐ろしかった」と言った。私は「普通の中国人はよい人たちですよ。ロシア人とは友人なのだから、将来はもっとよくなりますよ」と言ってやった。夜、ホテルのビュッフェのご婦人からも、「どこから来たか」と尋ねられた。日本からきたと言うと、ベトナム人はかわいそうだと言った。ソ連の市民は戦争の不安を感じているのである。

ところで、中国軍はベトナム軍との戦いで苦戦していた。そして、ランソンを占領すると、中国は目的を達したとして、三月五日に撤兵を発表した。これで緊張が一挙に解けた。

人々は、三月一日のことを「春の最初の日」と言った。この町のタクシー運転手氏は、「三月ほど気まぐれな陽気の月はない」と言ったが、もはやネヴァ川に氷は張らなかった。

三月八日は国際婦人デーで、一九一七年のこの日、旧ロシア暦の二月二三日、首都の女性労働者が立ち上がり、ストからデモになって、二月革命の発端をなすのである。私はその日を待っていた。あの日、橋のところで警官隊に食い止められたヴイボルク地区の労働者のデモ隊は、都心に入るために、ネヴァ川の氷の上を歩いて進んだ。だが一九七九年のこの日には、私の眼前に広がるネヴァ川に氷はなかった。一九一七年は春が遅かったということになる。ネヴァ川に氷が張ってなければ、第一日目から労働者のデモ隊がネフスキー大通りに姿を現わすことはできなかったはずである。警察は、二月革命の運動を初発で食い止めるのに有利な態勢を取れたかもしれない。

私を面食らわせたのは、そのことばかりではない。ソ連では、三月八日が婦人の日として、国家的祝日になっていることは知っていた。しかし、二月二三日がソ連陸海軍の日であり、国家的な祝日ではないが、「男性の日」として記念行事が行なわれていることは知らなかった。この日、レニングラード大学の教授ヴォルクを訪問した。彼は「人民の意志」党研究の第一人者とされている人である。ヴォルクの研究室に女子学生が花を持ってきて、彼を抱きしめて帰っていった。私は驚いてしまった。

二三日がすぎて、三月八日になると、婦人の日となる。街頭では温室栽培のチューリップやバラが売り出された。男たちが日ごろお世話になっている女性に、カードを送り、とくに大事な人には花束を贈ることをほとんど義務づけられているのである。この日が休日になったのは一九六五年、ブレジネフ時代からだという。男の日といい、婦人の日といい、あざやかな春の花はじつに屈託なげに、平和なものに映った。誰も彼も二月革命のこと、その日のネヴァ川の氷のことなど、思い及ばないようであった。

フィンランド旅行

二月革命の開始の日、三月八日を前にして、私は予定していたフィンランド旅行を実行した。三月一日から六日までである。一九七五年にはモスクワの空港から飛行機で行ったのだが、今回は鉄道で行くつもりであった。

駅は有名なフィンランド駅であるが、小さな駅である。一一時一〇分の列車に乗った。途中は無人の地で、ヴィボルクに着くと、さすがに大きな都市である。着いたのは午後一時であった。三〇分停車ということで、税関吏が乗り込んできて荷物を検査した。科学アカデミーの客だということで、簡単な検査だった。

動き出して、三〇分後に国境に近づいた。国境の手前にソ連軍のポストがあり、兵士が二人いた。しばらくして、女車掌が来て教えてくれる。赤と青の標識が二メートルの間隔で立っている。赤がソ連領の終わりで、青がフィンランド領のはじまりである。しばらくして川になり、その両岸にまた標識があった。国境といっても、誠にあっけないものである。ここが、ソ・フィン戦争が戦われたところかと思った。

それからまもなくフィンランド側の駅に到着した。ヴァニカッラ駅である。こちらは兵士はおらず、ベレー帽をかぶった税関吏がきて、パスポートをちらっと見るだけだった。「三〇分停車するので、プラットホームでコーヒーが飲めますよ」と言われた。自然は一つながりで、標識を越えると、言葉も、着ている服も違うというのは不思議なものである。

駅を離れると、またも広漠たる荒野である。国境がこういうものだとすると、ここに軍隊を配備して、対峙するのは恐ろしいことだと思った。

ヘルシンキは変わらぬ雰囲気であった。大学図書館ではチホミーロフとフィグネルの関連の図書を調べた。フィグネルの弟のオペラ歌手の回想を発見した。

帰りは三月六日、同じ列車で、同じ駅に帰ってきた。

幸運なリョーヴァとの出会い

私はフィンランドから帰ると、文書館での作業に戻った。一週間ほどした三月半ばのある日、「プレハーノフ記念館」で作業をしていると、私の後ろの席に騒々しい青年が来て、館員とやりあった。閉館時間になって一緒

リョーヴァ・ルリエ一家。後列左からリョーヴァ、父ヤコフ・ルリエ。前列左からリョーヴァの妻、一人おいて母

に外へ出ると、どちらからともなく、話をするようになった。私がナロードニキの伝記という自分のテーマを説明して、ニコライ・ラッセル＝スジロフスキーについて伝記を書いて出版したと言うと、この青年は思いがけなく「自分はラッセルの親戚の娘を知っている」と言い出した。私はすっかり驚いて「ぜひ会わせてほしい」と頼んだ。

この青年はレフ（リョーヴァ）・ルリエと言い、ナロードニキの研究者であった。ユダヤ人である。私はそのまま彼について行って、ペトログラード区のルリエ宅を訪問した。そこで両親にも紹介された。リョーヴァの父ヤコフは高名な歴史家であった。ソ連史研究所レニングラード支所の所員で、中世の年代記の専門家である。おだやかな人柄で、文学にも造詣が深い大知識人であった。リョーヴァの母は医師で、どこかの研究所で高い地位に就いているとのことだった。リョーヴァの祖父ソロモンは、戦前にレニングラード大学教授でギリシア史の専門家だったとのことだったから、学者一家ということで、雰囲気は稀に見るエリート知識人の世界であった。

リョーヴァ自身はレニングラード大学経済学部を卒業したが、途中、停学処分を受けたこともあり、ナロードニキ研究の論文を出して、博士候補の資格を取得しようとしても却下されるなどの扱いを受け、いまはサラトフ大学に論文を出そうとしていると話していた。

リョーヴァの家には、何度も通うことになった。そこでアメリカから来ている研究者にも紹介された。シカゴ大学の助教授ジェフリー・ブルックスもその一人だが、彼もユダヤ人である。とても賢い人で、こののち革命前のロシアの大衆読み物についてのすぐれた研究を発表することになる。私はこの人の研究にずっと注目して、つきあうことになる。

カーチャ・ザレンスカヤと父オレーグ

ラッセル遠縁の娘

リョーヴァは約束通り、三月一八日に、ネフスキー大通りから北に入ったジェリャーボフ通りにあるエカチェリーナ・ザレンスカヤ、愛称カーチャの住居に連れていってくれた。エカチェリーナ、愛称カーチャは、二七歳のかわいい娘さんだった。植物生理学の研究者であった。

私が伝記を書いたドクター・ラッセル、ニコライ・スジロフスキー＝ラッセルには、ナジェージダとエヴゲーニヤという二人の妹がいて、二人とも兄に従ってナロードニキ運動に参加していたのである。妹ナジェージダは兄の三歳下で、兄の影響を受けて「ヴ・ナロード」運動に参加し、チェルニゴフ県の農村で教師をしていた。そこで逮捕され、一七三人の裁判の被告となった。裁判の結果は無罪であった。彼女はそのまま郷里の村に帰って、そこで終生暮らしたようである。このナジェージダの娘ゾーヤがザレンスキーと結婚して、生まれたのがオレーグで、その娘がカーチャであった。つまり、カーチャはラッセルの妹の曽孫ということになる。カーチャの父オレーグ・ザレンスキーも植物生理学の学者で、母も彼女も同じ分野の研究者なのである。あとで紹介された極東の研究所にいる兄も同業で、この一家は学者一家であった。ルリエ一家よりはより平民的な雰囲気だった。

私はラッセルの親戚の一家にめぐり会えて、心底うれしかった。彼らにラッセルが日本で行なった活動について話すと、みな興奮した。この家の人々は、私が発見したラッセルの息子たちの話を聞いて、とくに強い印象を持ったようだった。カーチャは私の話を聞いて、特別な興味を持ち、それを生涯生かしつづけていくことになるのである。私はこの驚くべき出会いを、日本のラッセルの子供たち、高木辰男さん、大原康光さんに知らせた。

異論派ロギンスキー

リョーヴァが私に引き合わせてくれたのは、ラッセルの親戚だけでなかった。彼は、彼の友人であるアルセーニー・ロギンスキーにも私を紹介してくれた。「レニングラードの異論派の代表的な人物だ」と言って紹介されたのは、彼と同じユダヤ人の青年であった。

ロギンスキーはレニングラードのみならず、この時期の全ソ連の範囲での異論派を代表する人物である。その経歴を少し説明しておこう。

技師であったセーニャ（アルセーニーの愛称）の父は、三〇年代に一度ラーゲリに入り、刑期を終えて出てきて、

異論派アルセーニー（セーニャ）・ロギンスキー

四〇年代末の「コスモポリタニズム批判」のころに二度目にラーゲリに入れられて、そこで亡くなった。ロギンスキーは、その中間の時期、一九四六年に生まれている。このスターリンの囚人の子は、生粋の「六〇年代人」であった。第二次スターリン批判がなされた第二二回党大会の年、一九六一年に彼は一五歳であり、チェコ事件の年、一九六八年に二二歳であった。まさにこの間の革新の時代に、彼は大学生活を送ったのである。

彼が学んだのは、エストニアのタルトゥー大学であり、その師はタルトゥー学派の総師ユーリー・ロートマンである。日本でも世界でも、ロートマンは記号論・構造主義の旗手として六〇年代半ばから知られるようになり、その理論的な仕事にばかり興味が集まっているが、元来はラジーシチェフの思想史的研究から出発した人であり、デカブリストとその時代の研究に重要な貢献をしている思想＝文化史家でもある。ロートマンの弟子も、多くは文学理論や文学作品の研究に従事しているが、歴史への新しい目をこの師から受け取った者も少数ながら出ており、その代表的な存在がセーニャ・ロギンスキーであると考えられる。

セーニャは、ロートマンがデカブリスト運動とフリーメーソンとの関係について問題を提起しているのを発展させて、一九六七年、タルトゥー大学の学生たちの論集

に、この問題についての論文を発表した。さらに同年には、デカブリスト周辺の友、ヴャゼムスキーに関するロートマンの研究から示唆を受けて、そのヴャゼムスキーの友であり、デカブリスト運動の独特なシンパであり理解者であった詩人ガッベの伝記を初めて明らかにする論文を発表した。

これらはいずれも在学中の仕事であった。彼がタルトゥー大学を卒業したのは、あの運命的な一九六八年である。ロートマン自身がユダヤ人でもあり、ロギンスキーの才能を買っていたと思えるのに、彼が大学に残れなかったのには、大学院生の定員に空きがなかったためらしい。

彼はレニングラードに戻り、博物館の説明員、図書館員、夜学の教師などの職業に就いて働きながら、自分の歴史研究をつづけた。七〇年代の前半には、サラトフ大学の不定期論集『ロシアにおける解放運動』に、フリーメーソンのメンバーであったデカブリスト、ノヴィコーフの伝記、デカブリスト運動を密告したスパイ、グリボフスキーについての論文などを、ラヴジンという筆者と共同執筆で発表した。いずれも文書館の未公刊史料を深く広く読んで、新しい像を提示するものであり、歴史家としての並々ならぬ力量を示す論文であった。一九七五年にはナロードニキの一人で、獄中で保安部側と取り引きをしようとしたスチェファーノヴィチの未発表の書簡を、プレハーノフ記念館で発見し、リョーヴァ・ルリエとともに長い解題を付してタルトゥー大学の紀要に発表している。

ロギンスキーは、革命家であれ、革命運動のシンパであれ、スパイであれ、転向者であれ、その生きざまに関心を向けている。公式のイデオロギーによって意味づけられた生の部分ではなく、矛盾をはらんだ生の全体を見ようとしているのである。そのことは彼の歴史研究が、われらがいかに生きるべきか、という彼の世代の問題と深く結びついているからであろう。

私が対象とする人物のうち、プレハーノフとチホミーロフは一〇月革命後、長く生きなかったが、ヴェーラ・フィグネルは一九四二年まで生きた。私は生き残った老ナロードニキたちが、青春の夢の実現、ロシア革命をどのように迎えたかという問題を考えてきたが、次第に、彼らが一〇月革命後のソヴィエト社会でいかに生きたか、そしてスターリンの一九三〇年代をいかに迎えたか、というところまで捉えてみたいと望むようになっていた。モスクワの文書館ではじめた研究によって、私はその方向に少しずつ前進したところであった。

この自分の関心と研究について少々ヴェールをかけて話すと、ロギンスキーは叫ぶように言った。

「あなたは、われわれのテーマを奪うつもりか」。ナロードニキたちの晩年は、異論派である彼らのテーマであったのである。

「まあいい、私は何も書けないのだから。私にできることは、あなたが本を出したら書評を書くことぐらいだ。『ブルジョア学者による歴史の歪曲の新たな見本』というような題をつけて」。

冗談めかしていった彼の言葉に、他ならぬ自分の国の歴史について書くことのできない歴史家のいら立ち、嘆きがこもっていた。私は痛ましい気がして、若い彼の顔を見た。

彼は驚くほど広く史料を見ており、考えもまた深かった。私の研究に適切な助言をしてくれた。彼は驚くようなことを話してくれたが、フィグネルたち元「人民の意志」派のメンバーが、一九二五年と二七年に、ソヴィエト政府に死刑制度廃止を求める共同書簡を出した、という話がもっとも強い印象を与えた。フィグネルは、政治懲役流刑囚協会の会員には遅れてなったと指摘し、この会員に遅れてなった人、会員にならなかった人の違いが重要だ、と示唆してくれた。クロポトキン博物館については、一九三九年に閉鎖されたのだが、その資料も重要だと言った。

彼はゲフテルの知り合いで、「どうしてゲフテルが、あなたのことを私に話さなかったのだろう」と首をひねっていた。

私が会ったとき、彼は二度目の家宅捜索を受けた直後であった。数日後にサルトゥイコフ＝シチェドリーン図書館で会った。こういう人物が図書館へ来て本を読んでいるということに、私は驚いた。

彼は夜間学校で、ロシア文学の教師をしていた。文書館で仕事をするのは困難であったろう。しかし、原稿執筆のための調査や委託調査という形で出版所や研究機関から手紙をもらって文書館で仕事をつづけていたのだと思う。このように正規の研究機関からはみ出した自立的な歴史家が生まれていること、そして圧迫や障害はあるにしても、ソ連社会の中に生きぬいて研究をつづけているということに、私は明るいものを見た。

じつは、私はこの時点では知らなかったのだが、ロギンスキーは、新時代の代表的な異論派論集『パーミャチ（記憶）』の編集発行人であったのである。ロギンスキーは、歴史文書・回想・書簡の発掘と公刊をめざして、この名称の地下論集を刊行することを、一九七五年からタリンの大学の友人たちと計画していた。『パーミャチ』の第一号は、モスクワでは一九七六年に完成していたという。それがニューヨークのチャリッゼ出版社から出版されたのは、一九七八年のことであった。私が帰国後に入手した第一号には、ペシコーヴァの政治犯救援会のことが載っていた。第二号は、サミズダートのために完成したのが一九七七年八月であり、パリのＹＭＣＡ出版から出版されたのは七九年のことだった。サミズダートの第三号は一九七八年春には完成していたという。この号にシヴァルツの回想、ヴェーラ・フィグネルと政治懲役流刑囚協会、それに一九二五年のフィグネルらの死刑廃止要求書簡、政治赤十字についての回想が載っている。この第三号が西側で出版されるのは一九八〇年のことだった。したがって、私がセーニャ・ロギンスキーと話した一九七九年二月には、ロギンスキーは第三号の原稿を作成したところであったのである。

だがセーニャもリョーヴァも、サミズダート論集『パーミャチ』については、私にひと言も話さなかった。それでも私たちは、ソ連国家の地下深くで進められる批判的歴史研究の営みの中で出会って、共通の関心事について意見交換をしていたのである。シヴァルツに対する関心も、私とこの人々と共通に抱いていることがわかった。

だが、シヴァルツについては、私は幸運にもリョーヴァの父ヤコフ・ルリエ氏から決定的に重要な話を聞くことができた。ヤコフ氏は、まずレニングラードの児童文学者たちの受難について話してくれた。二〇年代の末に「おとぎ話はけしからん」ということを、レーニンの妻のクルプスカヤが言い出して、児童文学者は筆を折り、多くはモスクワに逃げたが、のちに何人も逮捕され、ラーゲリに送られた。

「その中でも、シヴァルツは書きつづけた人だった」。

「それは非常に勇気のいることであったでしょうね」。

「そうです。ただ彼は古典によった。『裸の王様』にしても『影』にしても、古典はよいものだということが隠れ蓑になったのだろう」。

それから、この老ルリエは、コメディ劇場の総監督アキーモフが、シヴァルツを大いに助けてくれたと話し、それ以上にレニングラードの観衆がシヴァルツを支えたということを指摘した。『影』が一九四〇年に上演されたとき、人食い鬼の宿屋の主人が「人を食うのは、病気のときか、休暇で出かけて留守のときにするのがやりやすい」と語る場面で、非常に大きな拍手が起こった。

「人を食うとは、人を密告するということだと、みんなが理解していたということですか?」。

「そうです」。

封鎖が解けたあと、アキーモフたちは中央アジアに撤退し、一九四四年にはモスクワで『ドラゴン』の上演を試みたが、失敗に終わった。老ルリエはこのときの話をしてくれた。それは驚くべきことであった。

「誰から聞いたのか忘れたが、ある責任者が試演を見て、劇場を出るとき、『*Eto germanskii li fasizm?*（このファシズムはドイツのか）』と呟いたそうだ。そのときも人々は理解していたのである」。

シヴァルツは一度も逮捕されることがなかった。老ルリエは「彼がなぜそうできたのかは、彼が先頭に立つ人でなかったことと関連しているように思う」と言った。「ナポレオンだったか、ビスマルクだったかが言った言葉があります。一番震えている兵士が、もっとも勇敢だと」。

「シヴァルツが無事だった理由はわからない。しかし、そういうこともあるということだ」。

老ルリエも『パーミャチ』にコミットしていたことを、後年、私は知った。しかしこの決定的な証言を、彼は『パーミャチ』に載せることなく、日本人の訪問者に託して伝えさせたのである。私は老ルリエの話を、出所を不明にしたまま、論文「ソ連における反ファシズムの論理」の結論部分に入れるつもりになっていた。

モスクワ、ミンスク、アルマ・アタ

ARS LONGA◆1

私は三月二六日、夢のようだったレニングラード滞在を終え、モスクワへ戻った。ふたたびモスクワの文書館に熱心に通い出した。モスクワでのいつもの生活がはじまった。

モスクワでの外国人の生活は、ベリョースカと呼ばれるドル・ショップによって支えられていた。そこでは、ビールとか、コニャックとか、外国人向けに普通の店にはない輸入品や国内の高級品が並べられている。そのうち、ホテル・ロシヤとか、ホテル・ウクライナのベリョースカには、ソ連の書籍も置かれているのに気付いた。そこで売っている本の中に、一九七八年に出たブルガーコフの作品集があった。「白衛軍」と「劇場のロマン」、それに「マステルとマルガリータ」が収録されている。私はさっそく買った。その後、クロポトキンスカヤ通りにある書籍専門のベリョースカを教えられて、そこにもしばしば行くようになったが、緑色の表紙のこのブルガーコフ選集が、ここにはいつもに平積みされてい

◆1　ラテン語「芸術は長く、人生は短し」の前半「芸術は長く」の部分。

て、私の滞在中切れることがなかった。

　ところで普通の書店では、こんな本はどこにもなく、絶対に買えないのである。一般のソ連市民にとって、五万部も刷られたこの本は、まったく幻の本となっていた。モスクワの異論派作家ヴォイノーヴィチは、一九七三年に刊行されたブルガーコフの最初の選集について、三万部印刷したうち、二万六〇〇〇部は西欧に売られたと、『同志イワニコの偉大な権力』の中で書いている。国民に読ませたくないこういう書籍は、出版したという形だけを作って外国へ売り、ドルを稼ぐのだというのであるが、真偽のほどはわからない。緑色の表紙の一九七八年版も、持っているソ連人は極度に少ないことは確かである。

　あるレニングラードの歴史家は、ロンドンから同学の仲間が訪ねてきたとき、土産にもらったと言っていた。別のモスクワの歴史家は、自分は持っていたがレニングラードで盗まれてしまったと語っていた。のちにタガンカ劇場のチケットを私に取ってくれたデリューシンでさえ、読むには読んだが、本は持っていないと私に打ち明けた。電車の中で知り合いになった日本語を勉強している女子大生のレーリャとその友だちのサーシャも、「いま、モスクワの学生の間で評判の作家はブルガーコフです」と言っていたが、のちに私たちのホテルに遊びに来て、その緑色の本を手に取ると「ああ、この貴重な本」とつぶやいて、うやうやしく眺めていたほどである。

　ソ連の人々が読みたい本は、外国人向けのドル・ショップにしかなく、普通の書店には、人々がほとんど見向きもしないブレジネフの著作がずらりと並んでいる。このシステムは、何ともやりきれないものだと思った。私はこれに反抗する気持ちで、ブルガーコフを買っては、それを喜びそうなソ連の知人にプレゼントすることにした。人々は、言うまでもなくその本を受け取って喜んだ。しかしながら、私がある種の思い上がりを厳しく打たれたように感じたときがあった。それは、いわば最後の一冊をプレゼントしたあるご婦人の反応からである。

　私は滞在の終わりに病院に入院することになるのだが、その入院にあたっても、退院してきてからも、私のホテルのデジュールナヤ（各階にいる鍵管理の女性）にお世話になった。自分も背骨の手術を受けたことがあるとのことで、親身になって私の身体のことを心配してくれた人であった。知的な顔立ちであったので、感謝の気持ちを表わすために、考えた末、ブルガーコフの選集を進呈することにしたのである。彼女は非常に喜んで、こう言った。

「この本には、『マステルとマルガリータ』は載っていますか。ああ、載っているのですね。本当にうれしいです。何しろ、私どもの家には、タイプで打ったものしかなかったのですもの」。

私は、ああ、と思った。娘は大学生だというのだから、娘が作成したのかもしれない。ともかくも、タイプで打ったテキスト、つまりサミズダートのテキストで、彼女はこの作品を読んでいるのである。最良の、最強の読者はソ連の国内にいるのである。

日本への手紙

ソ連に来てから私は、日本のことをほとんど考えていなかった。東京で日韓連帯委員会の旗を掲げつづけてくれている、青地・清水・倉塚・高崎氏らに申しわけないと思ったが、モスクワからではどうにもならない。私は、ブレティン『日韓連帯』のために「遠い北の国から」と題した通信を一回送っただけだった。それは一九七九年五月の第三号に載った。ブレティンは、私のモスクワ滞在中に二・三・四号が出た。

四月の末に日本から『世界』（五月号）が送られてきた。編集長の安江良介氏が「重き社会主義の現実」という特集を組んだこの号を、モスクワの私に送ってくれたのである。巻頭論文は日高六郎さんの「にもかかわらず……」という苦渋に満ちたタイトルの論文である。冒頭には、小田実・吉川勇一・福富節男氏らべ平連の人々を中心にして、三月一六日に出した中越戦争に関する声明が全文引用されている。

「カンボジアのポル・ポト政権は、独自な社会主義の建設を試みようとしたのであろう。しかし、社会主義の根本の一つをなすはずの民衆の自己権力、人民主権の理念が見失われ、それが抑圧の機構になって人間の基本的権利を犯す結果を生んだ。しかし、ベトナムがカンボジアに兵器を送り、軍隊を派遣し、自己に有利な政権を樹立したりすることは許されない。〔……〕また、中国が、ベトナムへの『懲罰』を名目として、ベトナム領土に軍隊を侵入させ、軍事攻撃を加えたことは、同じく許されることではない」。「社会主義を自認する国ぐによ。その国家、人びとよ。無用な対立、抗争に一刻も早く終止符を打て。〔……〕第三世界の国家、人びとよ。おろかしい対立、抗争にまきこまれることなく、自らの足で立って解放をかちとれ。私たちはそれを心から期待する」。「〔……〕私たちがそうしたことを訴えるならば、〔……〕私たち自身の国家に対して、自由と平等の原理に立って、人権を基本にした政治をかたちづくることが急務だというそう強く要求しなければならない」。

日高さんはこの声明に署名していたが、自分は社会主義体制が資本主義体制より進んだ体制だと考えることはできない、「社会主義国も自分から進んで侵略的軍事行動をとることがあるのだと認識すべきではないのか」と、苦しみながら書いていた。最後に吉川氏が中国訪問した際、率直に中国批判をしたことを紹介し、「こうした誠実さと率直さで、日中人民あるいは日越人民のほんとうの友好は、ほんの少しでも進むのではあるまいか」と書いている。そして、一九六八年のソ連軍のプラハ占領のニュースを聞いたソ連の画家ワシーリエフが、会議に同席していたチェコ人の画家の手を握って、「私は自分の国を恥じる」と述べたという話を、パリ在住の画家・田淵安一の著書から紹介している。

日高さんの論文の結びに出てきた画家ワシーリエフとは、デリューシンの家の壁をうずめていた前衛的な絵画の作者であることに、私はすぐ気が付いていた。私たちは一つの世界に生きているのである。

私はこの日高さんの論文を読み、次のような手紙を安江氏に送った（残っていた下書きから起こす）。

> 日高さんの文章で、どんな気持ちでおられるのかがよくわかりました。こちらで読んだ印象は、中国に対してなおきびしくなり切れていないというものです。小田さんの声明もカンボジャと中国に甘く、ベトナムにからくなっているように読めます。私たちはベトナムの勝利後、もうベトナムはこれでいいと考えたことを認めなければなりません。やはりこれほどすばらしく闘った人々はなんとかうまくやっていくだろうという素朴な進歩主義に立っていたのです。ロンノル政権をたおしたカンボジアの新政権は、よりましなものだろうと考えました。不幸にして人間の全面的な解放をめざすという努力がかつて知られなかった抑圧をつくり出した例を知っていたのにです。
>
> カンボジア－ベトナム－中国の関係では、私はブリューゲルの魚の絵を思い出していました。ヘルシンキの駅で『シュピーゲル』を買ったら、同じ構図のマンガが「マルクス主義者の野獣の生活」という題で載っていたので、ひどく嫌な気分になりました。しかし、どうあれ、それが現実です。
>
> 日高さんの言わんとするところには共感しますし、とくに結びは、当地で読むと、非常に印象的です。ただどうして北京の壁新聞に言及されなかったのかわかりません。ポーランド紀行もとても興味深く読みました。さて、ここは、となると、二重に絶句するような状況です。本当にいい人たちです。悲しいほどに。

私は最後に『ありふれたファシズム』という映画を観

たのですが、まだ観ていないなら、ぜひ観てくださいと結んでいる。

パルヴスの遺児とブハーリン夫人

四月の末に途方もない出会いがあった。かねてからゲフテルに「ソ連における反ファシズムの論理」という論文を書こうとしている、その中で官の論理、劇作家シヴァルツの論理の間に、ブハーリンの論理をおいて書くつもりだと話していた。それでゲフテルが気を利かせて、親交のあるブハーリン夫人アンナ・ミハイロヴナ・ラーリナに会わせてくれたのである。

その日、家に来るようにと言われたのでゲフテル宅を訪れると、客人がいた。老人だが、押し出しのいい、顔はエネルギッシュな人だった。ゲフテルは私に、この人はエヴゲーニー・グネージンだと紹介した。私がどういう人なのだろうという顔をしているので、「この人の父はパルヴスだ」と言ったので、私は本当に驚いてしまった。

パルヴスは、本名イズラエル・ラザレーヴィチ・ゲリファントというロシア出自のユダヤ人で、ゼーマンとシャルラウの書いた『革命の商人』という彼の伝記が一九七一年に翻訳されて出ていて、私も読んでいた。パルヴスは、一九〇五年革命当時はトロツキーと近く、彼の永続革命論の形成を助けたことはドイッチャーの『トロツキー伝』からも知られていたが、もう一つ名高いのは世界戦争のさなか、ドイツ帝国政府に、ロシアに勝つために「革命化政策」を取るように勧め、自らロシアで革命が起きるように工作したのであった。私は『ニコライ・ラッセル』下巻でそのことを詳しく書いていた。

そのパルヴスの息子さんだって？　私は本当に驚いて、何も言えず、ただその人の顔を見つめていた。その人は、私に自分の書いた本だとして、アムステルダムのゲルツェン・フォンドから出た『カタストロフと第二の再生——回想手記』（一九七七年）をくれた。あちこちに自分のペンで訂正が書き込んである本である。

これによると、この人はパルヴスと最初のロシア人の

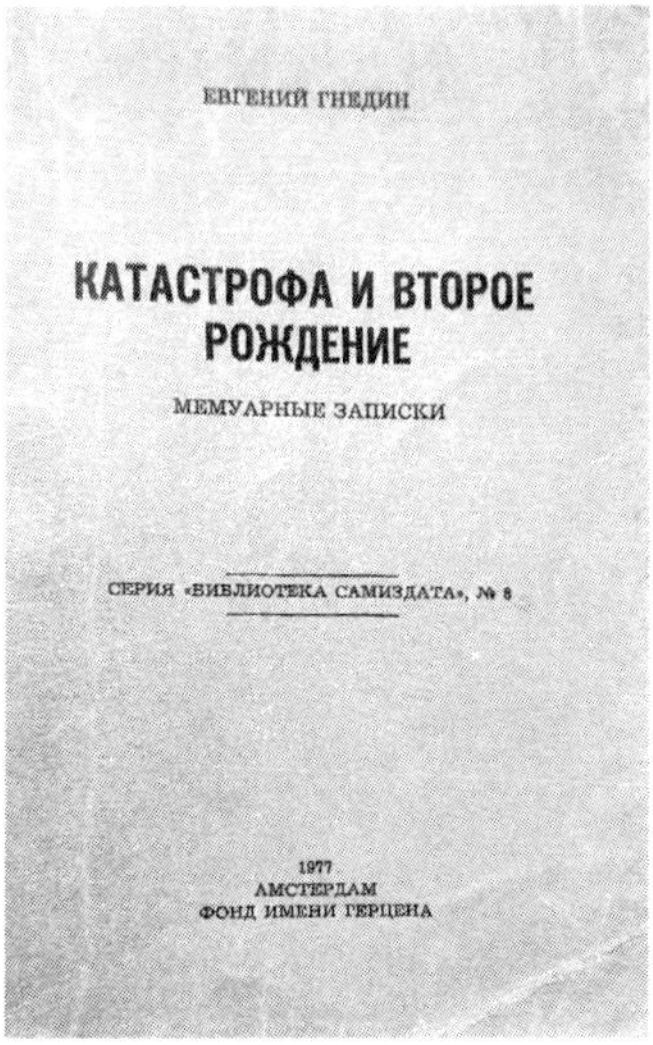

グネージンがくれた本『カタストロフと第二の再生』（アムステルダム：ゲルツェン・フォンド、1977年）

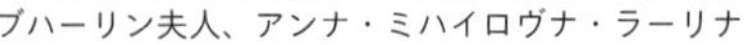
ブハーリン夫人、アンナ・ミハイロヴナ・ラーリナ

妻タチヤーナとの間に一八九八年に生まれた。数年後に母はパルヴスと離婚して、息子を連れてロシアに帰った。息子のエヴゲーニーは一九二〇年まではパルヴスの本姓ゲリファントを名乗っていたが、それからグネージンという姓を名乗るようになり、二二年にソヴィエト・ロシアの外務人民委員部に就職した。一九三五年には駐独大使館一等書記官となり、三七年からは外務人民委員部新聞課長となった。一九三九年、外務人民委員リトヴィノフの失脚とともに逮捕され、一〇年の刑を受けて、収容所に入れられた。四九年に刑期が終わると、カザフスタンへ流刑された。一九五五年に名誉回復され、モスクワに戻り、六〇年代には『ノーヴイ・ミール』誌に論文を発表するようになったのである。

驚きはそれにとどまらなかった。話している途中、奥から老年の女性が出てきて、グネージンの横に座った。微笑みを浮かべて、私たちの話している様子を見ていた。やがてゲフテルが、彼女を紹介して、「この人がアンナ・ミハイロヴナ、ブハーリン夫人だよ」と言ったのである。私はまたまた驚愕し、感激した。

彼女はユーリー・ラーリンの娘で、ユダヤ人である。一九三四年、四五歳のブハーリンは二〇歳の女性アンナと結婚した。ブハーリンは最初の妻を亡くして再婚したのである。ブハーリンは一九三六年初めのヨーロッパ旅行に新妻を連れていった。だが、その年末、ブハーリンはスターリンとエジョフに告発され、翌年二月に逮捕された。逮捕される直前の二日間の猶予期間の間に、ブハーリンは「党の指導者の未来の世代へ」と題する遺書を書き、それを妻に暗記させ、ちぎってトイレに流した。

妻アンナは、夫が処刑される前に逮捕され、永く収容所と流刑地で生きつづけ、この手紙を暗記しつづけ、一九六〇年代初めにそれをフルシチョフの党中央委員会に提出したのである。そのことは、ロイ・メドヴェージェフの本『歴史の審判を求めて』に記されており、私は手紙の全文を読んでいた。私の目の前に座っているやさしい感じの老齢の女性が、その伝説的な苦難のドラマの主人公なのであった。アンナ・ラーリナは、このとき六五歳であった。

私は自分が書こうとしている論文「ソ連における反ファシズムの論理」の構想を話し、いくつかの点についてお話をうかがえないかと頼んだ。アンナ・ミハイロヴナは「私のところへ訪ねてきなさい。お話しできることは話してあげますよ」と言われた。私は「五月末から旅行を計画しているので、帰ってきてから、うかがわせていただきます」と言った。

ミンスク訪問

私はイオシコとの約束を果たすべく、五月二五日、ベラルーシのミンスクに赴いた。そこで、私はイオシコの他に、二人の「ラッセル学者」に会った。一人は作家のヴラジーミル・メホフで、革命家を主人公にした歴史小説を書いていた。彼は一九六六年に『ハワイの神話』という ラジオ番組、一九六八年には『本当の名はニコライ・スジロフスキー』という映画のために台本を書いた。もう一人はクリチェフの博物館の館長ミハイル・メリニコフであった。メリニコフは、『歴史の諸問題』誌の一九七四年七月号に「地方史家のノートより」という回想を書いていた。

メホフは、ラッセルの最初の妻リュボーヒ・フョード

ベラルーシのラッセル研究家たち。（右から）メリニコフ、メホフ、筆者、イオシコ

ロヴナの旧姓はサーヴィチだと教えてくれ、彼女は一九一八年〜二〇年に死んだと言った。彼女が産んだラッセルの娘ヴェーラは、軍人ピョートル・スコベリーツィンと結婚した、彼らの娘イリーナはマースレンニコフと結婚して、ヴラジヴォストークに住んでいる、と彼女の住所を教えてくれた。

メリニコフは、クリチェフとクリモヴィチ地区にスジロフスキーという姓の人が多いことから、ラッセル＝スジロフスキーはベラルーシの人間だと考え、興味を持って調べて、『アガニョーク』一九六〇年七号（二月一四日）に「よき心をもったロシア人ドクター」という一文を載せた。すると、在中国ソ連代表部員の妻である女性から手紙が来た。ラッセルが自分の名付け親だとあり、めずらしい写真が送られてきた。メリニコフはそう話して、中国の天津でソ連の銀行ダリバンクの支店長らと一緒にとったラッセルの写真をくれた。

三人とも、私を歓待してくれた。私はラッセルの出自はポーランド系と考えてきて、本にはそう書いたのだが、彼らの郷土の英雄に対する熱意に触れて、ベラルーシ人だと考えるべきなのかと思い、当惑した。

私はこの出会いと新しく得た知識をラッセルの息子さんの高木・大原の両氏に手紙で知らせた。

アルマ・アタへの旅

私はつづけて、カザフスタンの中心都市アルマ・アタへの旅に出かけることになった。そのような計画をした理由については、半年前の出会いから説明をしなければならない。

七八年の冬の初めに、ゲフテルの家で、私はシベリア・イルクーツクからの客に会った。ゲフテルの家の居間に座っていた、やや陰気な顔をしたその人は、ボリス・チェルヌーハと名乗り、「われわれは、いまわれわれの入り込んでいるトゥピークについて話していたんです」と私に語った。「トゥピーク」とは、袋小路、行き止まりの鉄道線路、それから転じて出口のない状態をさすロシア語である。私はそのひと言で彼の立場を理解した。

ボリスは、ロシア人とブリャート・モンゴル人との混血である。「モスクワはバビロンだ。ここに来ると、頭がくらくらする」と言った。農民問題に対する関心が私と共通であることもわかった。

話は文学のことになり、われわれはひとしきり、ソルジェニーツィンをどう見るか、ということを議論した。「『イワン・デニーソヴィチの一日』は本当の詩だ」と彼は言った。私が、他にはどういう作家が注目すべき仕事をしているのか、と尋ねると、彼はドムブロフスキーの名を口にし、作品『フラニーチェリ・ドレーヴノスチ（古文化保管人）』を強く推薦した。ドムブロフスキーという作家の名前は、私はそのとき初めて聞いた。その作品のタイトルも、不思議な響きをもって私の耳の中で響いた。彼が語る口調も、その家の主人の反応も、この人々がこの作家を格別に愛していることを示していた。

ユーリー・ドムブロフスキーは、収容所帰りのユダヤ人作家で、この年、一九七八年五月に死去したという[◆2]。亡くなる前に、『ファクリチェート・ネヌージヌイフ・ヴェシチェーイ（不必要事を学ぶ学部）』という作品を発表したが、これが「傑作だ」という評価であった。

私は、来年の春が来たら、シベリアを訪ねるつもりだと話した。彼は再会を求め、私はイルクーツクの彼のところを訪問すると約束した。来る前に手紙は寄こすな、葉書でいつ着くとだけ知らせてくれ、と言われた。

「あなたはどんな花がすきか」。別れしなに彼から尋ねられて面食らった。彼は重ねて「菊は好きか」と訊き、自分は菊を栽培して暮らしている、お前に見せたいが四月ではダメだなと、つけ加えた。

私は歴史図書館で蔵書カードを調べ、ドムブロフスキーの小説『古文化保管人』を借り出した。一九六六年に一〇万部刷られた本である。小説は、中央アジア・カザフスタンの中心都市アルマ・アタを、主人公が訪れるところからはじまっている。

> 私が世界のどの都市とも似ていない、この変わった町を初めて見たのは、一九三三年のことであるが、そのとき私がこの町にどれほど驚きを感じたか、はっきりと記憶している。
>
> 私がモスクワを出発したのは、雪どけの、憂鬱な、生暖かい陽気の中であった。〔……〕だが、ここでは、私は一挙に南国の夏のただ中にいた。何もかに

◆2　ドムブロフスキーの作品『古文化保管人』は、帰国後に調べると、工藤幸雄訳で、一九六八年に勁草書房から翻訳が出ていた（邦題「古代保存官」）。本文中の引用は工藤訳を参考にした拙訳である。ドムブロフスキーがどうして亡くなったのか、ボリスもゲフテルも説明をしなかったが、のちになって知ったところでは、この作家は、モスクワの中央作家会館のレストランのロビーで見知らぬ男たちに殴られ重傷を負い、入院したが助からなかったようである。消化器静脈瘤の出血が死因だと言われているが、作家に強い敵意を抱く人々に殴り殺されたのではないかと思われる（Russian Wikipedia による）。

作家ドムブロフスキー、囚人時代の写真

もが花を咲かせていた。〔……〕

時間は早かったし、道はまだ遠かった。駅から市街までは車があったが、市内は歩いていかなければならなかった。しかし、アルマ・アタは眠っており、道を訊こうにも誰もいなかった〔……〕。

やがて主人公は、アルマ・アタの全体が展望できる地点まで歩き着く。

ここで、この町の緑が階段状に配置されているのがわかった。第一段は、このアカシアだ。アカシアの上には果樹園があり、果樹園の上にはポプラ、そしてポプラの上には山。〔……〕天山山脈の支脈である。まるで二つの力強い青い羽が町の上に広げられ、町を空中に支えて、落下させないかのようだ。

この書き出しのアルマ・アタの描写は魅力的であった。主人公はやがて町の中心にある木造の聖堂にぶつかる。ドムブロフスキーはその聖堂の設計者ゼンコーフについて詳しく記している。アルマ・アタは地震多発地域である。一八八七年に大地震があり、町は壊滅した。そのあとで町の再建を指導したのがゼンコーフであった。彼は天山の樅（もみ）の木を使って、聖堂を立てた。一九一〇年に震度一〇の大地震があったが、ゼンコーフの聖堂は倒れなかった。

閲覧室の壁に並ぶ百科事典を引いてみると、アルマ・アタの項目には、いまもゼンコーフの聖堂が残っていると書かれていた。地震に耐える木造の聖堂とは面白い。私は冬のモスクワで、南国の太陽、白い雪の山、緑のポプラ、木造の聖堂を思い浮かべた。アルマ・アタに行こうと思ったのは、そのときだった。

仕事の合間にドムブロフスキーの小説を読み進めた。主人公は数年後に、この聖堂の中に設置された共和国中央博物館で働くようになる。彼が文化財・出土品の保存に熱心なため、付けられたあだ名が「古文化保管人」だった。そして主人公は、党員や内務人民委員部と衝突するようになる。たとえば、博物館の大衆工作員の女性が、カスターニエというこの地方の考古学研究をしたフランス語教師の写真を展示からはずしたため、彼女と衝突する。発掘をはじめたコルホーズで大蛇が出たという騒ぎが発生した際、内務人民委員部がこのコルホーズの作業班長ポタポフに対する監視に協力するように求めてくる。ポタポフの兄は反革命派として処刑された人物で、大蛇などいないのに騒ぎを起こして、社会を攪乱しようとしているというのである。主人公は、ポタポフが蛇を捕まえたことを聞き、彼を匿い、彼のために弁護しようと決意する。それは、彼自身がこの社会にとって危険な存在になる道であった。この作品は真面目な、まっとうな人間が日常的な衝突の中で、ついに「人民の敵」に仕立てられていく悲劇を描いたものであった。

作者ドムブロフスキーは、一九三二年に逮捕され、翌年にアルマ・アタに追放されてきたのである。そして博物館員として働き、文学作品を発表するようになったが、一九三九年に再逮捕され、コルイマーへ送られるのである。スターリン批判後に釈放され、アルマ・アタに戻った。この作品は、一九六四年に『ノーヴイ・ミール』誌に発表されたものである。

文書館の仕事に追われて、さんざん迷ったあげく、とうとう初夏になって、私はアルマ・アタとイルクーツクへの旅を計画した。五月三〇日の夜遅く、ドモジェドヴォ空港を飛び立って、三時間の飛行でアルマ・アタに着いた。時差は三時間である。着いたのは朝の七時であった。アルマ・アタは雨だった。

飛行機の下で傘をさしたイントゥーリストの女性が迎えてくれ、自動車でホテルまで送ってくれたが、空港の事務所から帰るイントゥーリストの女性職員二人も乗り込んできて賑やかになった。私を迎えてくれた女性はロシア人、同乗したのはカザフ人と朝鮮人であった。

「サマルカンドからおいでになったのですか」とカザフ人の女性に尋ねられた。

「いやモスクワからまっすぐ来ました」。

「変ですね。みなさん、ここまで来るなら、中央アジアをおまわりになるのに」。

私は、タシケントにもヒヴァにも行ったことがある、今回は小説を読んで、アルマ・アタに来たくなったのだと答えた。

「ドムブロフスキーですか」。

なるほど、よく知られているな、と私は思ったが、他の二人は知らない様子で、どんな作家かと尋ねられた。

案内されたホテルは、町の目抜き通りのコムニスチーチェスキー大通りにあるホテル「ジェトゥイス」であった。カザフ語で「七つの川」という意味である。新しくはないが、しっかりした建物である。二階の部屋に入って、しばらく眠った。

雨はいっこうにやまない。起き出して食事をしてから、地図を見て、目にとまったカザフスタン共和国国立中央博物館に行ってみることにした。そこに行けば、ゼンコーフの聖堂のこともわかるに違いない。タクシーに乗り込んで、博物館に行ってくれと言った。公園の入口で車が停まり、運転手氏が「あれですよ」と指をさした。見ると聖堂がそびえていた。一目でゼンコーフの聖堂とわかった。博物館は三〇年代から変わらず、この聖堂の中に設置されていたのである。田舎風だが、がっしりとしている。ポプラのようにしなって、地震に耐えたというふうには見えなかったが、安定感のある建物である。

聖堂の入口を入ったところに、輪切りにした大きな木の幹が置かれている。「天山の樅　一九一二年採取　樹齢二七五年　直径一八七センチ」とある。すごい木だ。こういう木でゼンコーフはこの聖堂を建てたのだと思って、しばし見入った。

館内でゼンコーフと地震についての展示を探すと、ひどく小さかったが、この稀有の建築家の写真があり、地震の際の町の惨状の写真もあった。その他の展示は、カザフスタンの歴史をひと通り説明するものであった。アルマ・アタは、帝政ロシアが中央アジア征服のために最初に造った砦「ヴェールヌイ（忠誠）」にはじまる。その当初の様子や、一九一六年に発生した反乱のこと、一七年革命とその後の内戦のこと、社会主義建設のこと、フルシチョフ期の処女地開墾のこと、最近の達成のことなどである。集団化の際、遊牧民が抵抗したり、死んだり、逃亡したりしたのだが、そういうことは、もとより触れられていない。しかし公式の説明でも、何かが欠けている。何度見直しても、どうしてもあるべき展示がない。とうとう欠けているのは、カザフ・ソヴィエト社会主義共和国の民族構成の展示だということに気がついた。多民族が住むこの共和国では、もっとも重要なデータのはずである。それがないとは、おかしいではないか。

館内に立っているカザフ人の女性職員にそのことを尋ねると、首をかしげて、事務室で訊いてみてくれと言う。そこで事務室のドアを叩いて入ると、七、八人の男女の職員がいた。私が名乗り、この共和国の民族構成の展示はないのか、と尋ねると、一瞬、ひんやりした空気が流れ、応対した女性の目の中に当惑の色が見えた。

「民族の種類はとても多いです。もちろん統計はありますし、展示もしますが、今はちょっと……」。

どうやら私は訊いてはいけないことを訊いたようであ

った。カザフ共和国というからには、カザフ人の数がもっとも多くなければ具合が悪いのであろう。あとで確認したことだが、過去二回のセンサスで、この国では、つねにロシア人が人口の四割を占め、カザフ人は三割前後で第二の民族になっていたのである。これは隠されなければならない数字なのである。

博物館であれば、当然に展示せねばならないものは展示すべきだ、という意見の人はいつでもいるだろう。それが責任者の政治的な判断や方針によって抑えられる。三〇年代には、博物館の展示はくるくると変えられた。ドムブロフスキーの小説に出てくる、前述したカスターニエの写真を取り外させようとした大衆工作員の女性と主人公の衝突を描いた場面が思い出された。

「博物館のイデオロギー工作は、私が責任を負っているのです。〔……〕その私が、館内の目につく場所に、盛装した帝政時代の役人をのさばらせておくことが、どうしてできますか。反動的な学者、排外主義者、極右反動に決まっています。そんな人のことは誰も知りません」。

そういう声高な意見がまかり通った時代は、とうに去ったはずなのだが、真実が政治的配慮で国民の目から隠されることは、なお残っているのだ。

翌日、バザールに行った。朝鮮系の女性たちがキャベツのキムチを売っていた。モスクワの同宿人のためにこのキムチを購入した。バザールの売店で私がビールを飲んでいると、カザフ人の青年たちが声をかけてきて、日本のことを話した。格闘技に関心をもっている若者だった。強い酒を飲んでいて、勧められて私も一、二杯と飲んだ。だいぶ酔っぱらった状態で彼らと別れた。

私には、この日、もう一つしたいことがあった。アルマ・アタは、一九二〇年代から政治犯の流刑地であったが、一九二八年にここに追放されてきたのがトロツキーである。アルマ・アタに出発する前の晩、モスクワ駐在の日本人記者の家に招かれた際、トイレの前の書棚にドイッチャーの『トロツキー伝』があったので、見せてもらい、アルマ・アタのトロツキーの住居の住所が書かれているのを発見した。「クラーシン通り七五番地」とあった。私はそれを手帳に記していた。その住所を探訪しようと思ったのだ。

クラーシン通りはすぐわかった。ゴーリキー通りと交差している通りであった。それを見つけて入っていくと、通りは行き止まりになっていた。見ると、さして高い塀ではない。それを乗り越えて、先に進んでみようと考えたのは、酔いのせいであったのだろう。塀に登って、左手にカメラ、右手にキムチの包みを持って、飛び降りた。その瞬間、腰に激痛が走って、私は昏倒した。守衛が飛んできて、取り押さえられ、門から追い出された。酒に酔った変な外国人と思われて、犯罪者とは見られなかったのだろう。

イルクーツクにて

私は近くのベンチで動けずにいた。しばらく休んでから、タクシーでホテルに帰った。翌日は、ノヴォシビルスクを経て、イルクーツクへ行くことになっていたので、身体の痛みをこらえて、飛行機に乗った。イルクーツクまでは、つらかった。ホテルにたどりついて、私はベッドに倒れ込んだ。

イルクーツクのホテルはアンガラ川のほとりにあった。シベリアの六月の太陽が照りつけて、川面が光っていた。対岸で犬のなく声も聞こえた。のどかであった。私は、一日中動かずに寝ていた。

しかし私は、イルクーツクへ来た目的を果たさなければならなかった。それはゲフテルの家で会った人、私にドムブロフスキーの作品『古文化保管人』を教えてくれたボリス・チェルヌーハの家を訪ねることであった。あいかわらず腰は痛いが、手帳に書きとめた道順で郊外の団地（ミクロライオン）にタクシーで向かった。

アパートは簡単に見つかったが、入口のボタンを押したが、ベルは鳴らなかった。留守なのか、何か身の上によくないことが起こったのか。不安になったが、紙を切って、「ワダが訪ねてきた、明日の夕方また来る」と書いて、郵便受けに入れて帰った。

翌日も、私は食事以外は部屋を出ず寝ていた。背骨が痛く、明らかに熱もあった。しかし、夕方、今度はバスに乗って出かけた。乗客を見ると、ブリャート・モンゴル人が多い。この人々は日本人によく似ている。

めざすアパートの部屋には、この日は人がいた。彼よりは年上と見える女性と少女の二人である。女性は沈んだ調子であった。彼は病気で、入院している、だいぶよくないと言う。「そうですか。それならハラショーだ（けっこうだ）、来ると約束したから来たのです。そのことを伝えてください」と言うと、彼女は「どうしてハラショーなのだ」と切り返してきた。気分がすぐれないので、このまま帰ってくれと言う。ホテルは「イントゥーリスト」だと答えて、早々のうちに辞した。

翌日は、いくぶん身体が楽なようだったので、タクシーを頼んで、流刑されたデカブリストのヴォルコンスキー公爵の家を見に行った。質素な木造の家であった。それを見る間、タクシーを待たせておいたので、ついついその気になって、バイカル湖を見に行くことにしてしまった。走り出して、すぐに後悔したが、道はタイガー（森林）の中を起伏する。そこを超スピードで飛ばしていくのだから、腰にはひどく悪かった。往復三時間あまり、バイカル湖の水の美しさとタイガーの中のチェリョームハの白い花が印象的であった。

ホテルに戻ってしばらくすると、女性の声で電話があった。「ワダか」と訊く。昨日、彼の家で会った女性である。八時半ごろに行くから、ホテルの前で会ってほしいとのことだった。

その時間でもまだ日は暮れない。約束の時間にホテルの前に出ると、彼女が来た。昨日の非礼を詫びて、事態を説明にきたボリスの妻であった。じつは、彼は精神病院に入っている。そうなったのは、自分が悪いのだが、夫婦ケンカが原因だ。民警が来て、興奮している彼を連行して、精神病院に入れてしまった。これは政治的なことではない。今日、面会に行ったら、彼はあなたにひどく会いたがっていた。面会時間は四時から二時間なのだが。こう言って、彼女は、明日はどういう予定かと訊かれた。

明日はもうモスクワに戻らなければならない。一時にはホテルを出る。「だめですね」と私は答えた。彼女はしばらく話をしていった。昔、青年友好祭で日本に行ったことがある。彼とはコムソモールの新聞で働いていたときに、一緒になった。彼も自分も再婚で、昨日の娘は前夫との子だと言った。

「それでは、娘の勉強をみてやらなければいけませんので」と、彼女はリンゴの白い花のかげを去っていった。

夜の一〇時ごろに、また電話が鳴った。今度は男の声で、ボリスの友人だ、ホテルの前で会いたいという。妻から連絡を受けた彼が、新しい提案を友人に託したのだった。明日は一一時より屋外散歩の時間がある、そのときに会えるので、その時間に迎えに来るという話だった。

翌日、この友人に連れられて精神病院へ行った。ホテルからそれほど遠くないところにあった。門もなく、道からそのまま構内に入った。案内の男は、しきりに格子のはまった二階の窓を見上げて、彼の名を呼んでいた。反応がない。「おかしいな」と言って、建物の中に彼を探しに入っていった。

やがて、だいだい色の縞のパジャマをきたボリスが出入口から出てきた。「やあ、歴史的な会見だね」。

彼はまったくの正常人で、少しも変わっていなかった。彼は中庭の一角を金網で仕切った散歩用の囲いの中へ入っていく。私たちもあとからついて行った。狭いところに患者が思い思いの恰好で休んでいた。しっかりした顔の人もいれば、腑抜けのようになっている人もいる。

彼は自分の囲いにまでたどりつくと、隅のベンチに座っていた患者にタバコをやって、場所をあけてもらい、私たちを座らせた。私は腰が痛い理由を説明した。それを聞いた彼は言った。

「リョフ・ダヴイドヴィチ〔トロツキーのこと〕の家なんかより、この場の光景の方がはるかに興味深いのではないかな」。

私は、そうだと答え、ドムブロフスキーを読んだことを話した。

「そうか、読んだか。いいだろう」。

彼は、いろいろ話したいのに、こんな状態ではどうにもならない、と残念がった。精神病院にいったん入ると、出るためには正常であることを証明しなければならないので、たいへんなのだと言った。

帰りの道で、彼の友人は、彼の身の上について話してくれた。ボリスは大学を出ると、コムソモールの書記となった。それで長く活動していて、ブレジネフ時代になってから、何かの機会に、指導部の若返りと現実の困難に立ち向かう態度の確立が必要だ、とした手紙を党中央に送った。それでただちに党を除名になり、それ以後は職を転々と変えるようになった。最近は学校の教師をしているが、これも一か所に長くは勤められない、厳しい状況である。

ホテルの前で、私は礼を言って、このボリスの友人と別れた。この人のおかげで、彼と会うことができ、旅の目的を果たすことができたのである。

翌日、私はモスクワへ帰った。

この旅には、後日談がある。二か月後、一〇月初め、私はホテルの近くのバス停でレーニン図書館へ行く三三番のトロリー・バスを待っていた。到着したバスから最後に降りてきた女性が私の顔を見て、あっと表情を変え、「ワダか」と低く呼んだ。記憶がよみがえった。イルクーツクで会ったボリスの妻であった。

私も思いがけない出会いに驚いていると、仕事の要件で上京したのだと言う。「彼は退院したか」と尋ねると、「ずっと前に出た。いまは自分とは別居している」と答えた。私もモスクワに帰ってからの身の上〔五〇日の入院〕のことを話し、ようやく仕事ができるようになったと説明した。彼女は驚いていた。

彼の身の上には重大な変化が起こっていた。「数日前に、委員会〔ＫＧＢ〕から三人の係官が彼のところへ来ました」。彼はひどく脅えて、彼女のところへ来たとのことだった。もと勤めていた学校の生徒たちが彼のところへ訪ねてきていたのだが、その生徒たちも親も呼び出されて、彼のところを訪ねないように言われた。「それでも子供たちは来たがっているのです」。

「尋問されただけですか」。

「そうです。しかし、彼のまわりの多くの人が尋問されました。あるジャーナリストは、彼から借りた本を提出しました。それは読んではいけない本ですから、証拠になりました」。

状況はますます厳しくなったということである。彼女は、逮捕されることはないだろうが、生きにくくなっていることは確かだと言った。彼と一緒になって、十数年になるが、その間、彼はほとんど働いていない。自分がいつも食べさせてきた。そのことが彼には苦痛で、何度も独立して生きたいと言って、出ていったのだが、彼のような性分ではやっていけない。

「彼は社会活動家なのでしょう」。

「その道は閉ざされています」。

「教師の仕事は向いているように思えますけどね」。

「しかし、それもまったく無理です。彼は歴史の教師だけど、そこでは厳しい枠があって、教科書と違う解釈は許されないんです。ところが彼はそれができないのですよ。すぐに教科書と違うことを教える。それで解雇されてしまうんです」。

私は嘆息した。何も言いようがなかった。可能なら私がよろしくと言っていたと伝えて下さい、と頼んだ。彼女は「もちろん、モスクワでのこの驚くべき再会について話します」と答えた。オクチャーブリスカヤ広場のまん中で、私たちは握手して別れたのだった。

ボトキン病院五〇日

有無を言わさぬ入院

痛む腰をかばいながら、アルマ・アタ〜イルクーツクの旅から帰った私は、ホテルの部屋で寝て暮らしていた。次第に、痛みはうすらぐようであった。頼まれていた日本人学校のPTAの講演会にも出かけた。「ロシア民衆の夢」と題して、二時間ほど腰かけて話したが、話に夢中になって、痛みはさほど気にならなかった。

一週間ほどして、文書館通いを再開しようかと思ったが、どうも嫌な痛みが残っている。ブルジャーロフ夫人も、医者に見せなければだめだと強く言うし、同宿の藤本君も勧めるので、そうしようという気になった。

六月一一日、朝食のあと、デジュールナヤのZ女史に医師の往診を頼んだ。昼食にも出ずに待っていたところ、医者が午後三時になって来た。この女医は私の話を聞くと、外科医を呼ばなければだめだと言って、二か所に電話した。さらに待つこと二時間、外国人専門のポリクリニック（診療所）から、年輩の女医が看護婦を連れてやって来た。背のすらりとした、てきぱきした人だった。彼女は「大したことはなかろう。体操とマッサージをやればよいと思う」と言ったが、念のためにレントゲンを撮ろうと、私を車に乗せた。

連れて行かれたのは、白ロシア駅の近くのポリクリニックである。レントゲン写真を撮り、その部屋の前で待っていると、女医が下から上がってきて、部屋に入り、出てくるなり、「気の毒だが、スロマーン（骨折している）。入院だ」と言った。何が何だかわからない。よもや背骨が折れているわけではなかろう。外科の部屋へ降りると、レントゲン写真を見せて、椎骨（パズヴァノーチニク）が一つつぶれて変形していると説明し、座っていてはいけない、寝ていなさい、と言う。

「入院だとして、どれぐらいの期間ですか」と、恐る恐る尋ねると、「長いわよ、特別のベッドに寝て、一か月か、二か月か、傷の程度によるわね」という返事である。やれやれ、えらいことになった。

「傷は新しいものですか、古いものですか」。

私がそう尋ねたのは、以前にイコンを人から預かって、箪笥の上に載せた際に、倒れて背骨を打ったことがあったので、そのときの痛みを思い出して、古い傷なら入院しないでおいて、二か月後に日本に帰ってから治療するという手もあるのではないか、と考えたからである。しかし女医は首をひねり、いずれにしても入院させるつもりのようであった。

しばらく寝ていると、車が来た。これからボトキン病院へ送る、と宣告された。入院するつもりで来ていないので、一度はホテルに帰らせてもらわなければならないのだが、有無を言わさぬ勢いで、それは病院で相談せよと言われた。ほとんど逮捕と同じである。

それから救急車に乗せられて、モスクワ第一の病院、ボトキン病院の外科救急外来に運び込まれた。そこには、何人もの放心した人々が診察を待っていた。怪我をした酔っぱらいも寝ていて、医師が代わる代わる正気に返らせて、事情を訊こうとしていた。私の番はなかなか来ず、途方に暮れてしまった。

一時間は待ったであろう。ようやく医者が私に質問して、書類を作ってくれた。何がどうなるという説明はいっさいない。私も、一度ホテルに帰らせてくれと頼む気持ちをなくしていた。医者が行ってしまうと、初老の女性が青いパジャマの上下を持ってきて、これに着替えなさいと言う。私が脱いだ服と靴は一つの袋に入れて、病院が保管するということで、預り証をくれて、どこかへ持っていった。これで完全に籠の鳥である。

この国では、人間の身体も国有化されていて、各人は保有権しかもっていない。具合が悪くなると、真の所有者の国家が出てきて、権利を発動して修理するということなのか。そういう不謹慎な考えが頭に浮かんだ。

それから車に乗せられて、整形外科の建物に連れて行かれた。一九七九年六月一一日、こうして私はソ連の病院の入院患者となった。

ベッドを与えられて、横になったところで、まず猛然と沸き起こってきたのは空腹感であった。何しろ朝飯しか食べていないのである。看護婦に、念のために訊いてみたが、午後七時をまわっているのだから、病院の夕食は終わっている。「明日の朝まで待ちなさい」と言われてしまった。

しばらくすると、隣のベッドの青年が「食べますか」と言って、菓子パンとオレンジを差し出してくれた。ありがたい。さらに、向かいのベッドの住人であるアルメニア人らしき青年が部屋に戻ってくると、あいさつして、「腹が空いているか」と訊いてくれ、鶏の足を出してくれた。これですっかり空腹は満たされた。この人々の示してくれた親切が本当にうれしかった。

空腹感が去ると、今度は事態の深刻さがどうしようもなく、押し寄せてきた。ホテルに電話をかけたので、伊東君と藤本君が夜のうちに取りあえずの必要な物を届けてくれたのだが、これからホテルの同宿の日本人にも迷惑をかけると思うと、ますます気が重い。

部屋は四人部屋だった。隣のベッドの青年セルゲイはモスクワ大学文学部の四年生で、タクシーと衝突して足を折ったとのことだった。かなりのインテリ家庭の子供のようで、品のいいお婆さんが食事を持ってきていた。詩人ブロークが専門だとのことであったが、エセーニンの話をしても、クリューエフの話をしても、西欧で出た本のことまで、よく知っていた。クリューエフの二巻選集のことは聞いたことがあるが、見ていないと言ったが、ゴードン・マクヴェイのエセーニン伝は見ていた。マンデリシタムの新しい詩集はなかなか手に入らない本なのだが、ベッドに持ち込んで読んでいた。同級生らしい女子学生が見舞いに来ると、詩の一節をそらんじて、誰の詩か当てるというような優雅な遊びをしていた。

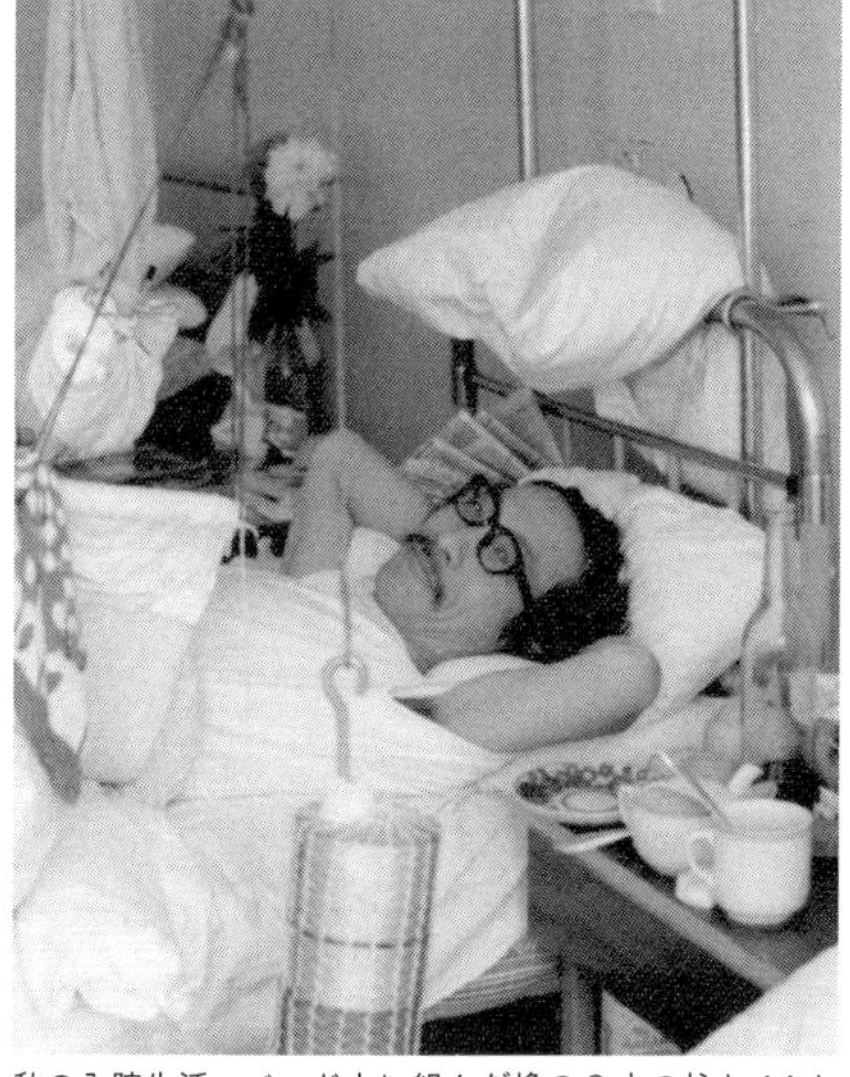

私の入院生活。ベッド上に組んだ櫓の2本の柱と14キロの重りが見える

翌日、レーマンという医師（おそらくユダヤ人だろう）から、治療の概要を説明された。伊東君と藤本君が辞書を差し入れてくれたので、私の病気は第三腰椎の圧迫骨折だということがわかった。レーマン医師は、この病院では、モスクワ空港での日航機墜落事故の際、大勢の乗客の腰椎骨折を立派に直してやったと胸を張った。

「治りたいか」。

「治りたいです」。

「それなら、言う通りにすることだ」。

その日のうちに治療が開始された。治療は、腰の下に丈夫な帯を入れ、この帯の両端のケーブルをベッドの上に組んだ櫓につけた滑車を通して、双方一四キログラムの重りに結ぶ、つまり、腰をつり上げて、背骨を弓なりにそらせ、腰椎と腰椎の間を空けて、痛んだ第三腰椎の回復をはかるというのである。ただでさえ超猫背の私にとって、これはまさに拷問に等しかった。痛み止めの注射を打ってもらい、夜は睡眠薬を飲んだ。何しろ仰向けに寝たまま、いっさいのことを処理しなければならないのだから、たいへんである。私は、悪代官に捕らえられた農民一揆の指導者のような感じであった。

病院の人々

何よりも、ものを飲むことができない。セルゲイ青年は「ポイーリニク（吸い飲み）」を手に入れなければダメだ、友人に薬局で買ってもらえと言って、自分のものを貸してくれた。吸い飲みと言っても、瀬戸物でできた原始的なものだ。しかし、これが便利であった。同宿の人々に買ってくれるように頼んだが、なかなか見つからない。そのうちに私は別の部屋に移されることになったので、セルゲイに返したのだが、一日か二日して、セルゲイのお婆さんが、孫に言われたからと言って、私のところに新品のポイーリニクを届けてくれた。これも本当にありがたかった。

アルメニア人の青年は、腕の整形手術を待っているということだったが、いつも廊下から私をのぞいては、額にぬれたタオルを載せているのを見て、さては夕べは飲み過ぎたのかと、からかう真似をして、通っていった。彼はどういうわけか、私が退院するまで病院にいた。

三人目の青年は、スポーツ選手のようであった。看護婦の一人と恋愛関係にあるのか、食事の時間には、一緒に食事をしていた。のちになると、彼はその看護婦を手伝って、パンを配ったりお茶をついでまわったりしていた。そういう自発的な協力者がいないと、看護婦が少ないため、とても患者の面倒は見きれないようであった。ともあれ、患者同士の助け合いということが、強い印象を与えることだった。

部屋替えになったのは、元の部屋を女性用に変えるためだと言われた。新しい二〇五号室に移ると、六人部屋で左隣が、四四歳の労働者ヴァレンチン、向かいが六五歳の退職技師グリゴーリー・イヴァーノヴィチで、移った夜に右隣りのベッドに少年アンドレイが入ってきた。ヴァレンチンは工場で手に怪我をし、グリゴーリー氏は雪道で転倒して足を折り入院していたものだが、もう全快して退院を待っているところであった。この二人が、動けない私を何かと世話をしてくれた。

入院した者は、病院から大さじスプーン一つと湯呑み一個、それに手ぬぐい一本が与えられる。あとで同室の患者に借りて読んだ戦争小説で、応召する者は自分のスプーンを持っていくという話が出てきた。スプーンはまさに命の綱ということである。食事はこのスプーンですべて食べる。食べ終わると、このスプーンと湯呑みを洗わなければならない。これは動ける人に頼むのである。ヴァレンチンとグリゴーリーがよく洗ってくれた。

ヴァレンチンは気のいい男で、もう息子は大学生だと言っていた。私がカセットでオクジャヴァの歌を聴いていると、どうも陰気で好みではないと言った。

グリゴーリー氏はひきしまった顔をした人であった。私はこういう人が共産党員ではないかと思った。というのは、人の上に立って、指図をし、かつ、よくみんなのことに心を配るのである。あとに入ってきた、手に入れ墨をしてヤクザ的なヴラジーミルは、彼の言いつけをよくきいていたが、あるとき、「あんたは軍隊にいたのかね」と尋ねていたほどだった。

私は仰向けで弓なりになっているので、便秘になった。数日間排便がない。医者がそのことを聞いて、浣腸するということになった。浣腸はロシア語では「クリズマ」という。私の訳したエセーニンの長詩「ならずものの国」の中にこの言葉が出てくるので、私は知っていた。エセーニンは、アメリカ帰りの政治コミッサールにロシアを変えるのは「街道と鉄道のネットワークだ」と言わせ、さらに「待っていたまえ　鋼鉄の浣腸器をこの国にかければ　匪徒活動は終わりになる」と言わせている。

自分の身の上のこととしても、浣腸はありがたくない。下半身に布をかけてもらっているが、大部屋の中で、なかなか出しにくいものである。途方に暮れているとき、グリゴーリー・イヴァーノヴィチが向こうのベットから、ひと声はっきりと言った。

「ワダよ、遠慮せずにやれ」。

その心遣いは本当にありがたいものだった。数日後、彼が退院するとき、ヴラジーミルに、ワダの面倒をみてやるように言って、別れのあいさつで私に手を伸ばした。その手を握って、私は思わず涙ぐんでしまった。みんな親切な人たちだったが、この人のことはとくに忘れがたい。

ヴァレンチンとアンドレイ少年が退院すると、左隣りには食料品店で働くセミョーン、右隣りにはユーゴ人の建設労働者が入ってきた。

セミョーンは肋骨を折ったとのことだった。孤独の身の上らしく、見舞いにくる人はいなかった。治療は、バンキというガラス製の小さなコップのようなものの中にアルコールの火を突っ込んで、酸素を燃やして、そのまま肌に吸い付かせることをしていた。一種の中世的な療法であるようだった。セミョーンは暗い表情の人だったが、それでも、私が一日一回重りを外してもらい体操をするようになって、上向きのまま足を上げ、空中で自転車をこぐような運動をすると、「ワダよ、そのまま東京まで戻れ」と声をかけてくれた。

ユーゴ人は陽気な男で、アメリカ人のような感じがした。黒海のほとりでホテルを建設し、二年をすごしたとのことで、いまはオリンピックに向けて、モスクワでホテルを建てているのであった。入ってきたとき、盛んに嘆いているので、私が先輩として「何ごとも運命（スジバー）だ。あきらめなければいけない」と言ってやった。すると、聞いていたヴラジーミルが、自分の読んでいた本を持ってきて、「この本には、人間の運命（スジバー）が書かれているよ」と貸してくれた。「スジバー」という言葉が彼の心に触れたらしい。

ユーゴ人は、モスクワで気楽な生活をしているようだった。ソ連の女性が寄ってくるようで、ガールフレンドの話を盛んにしていた。もちろん結婚していて、ベオグラードに妻子がいるのである。ヴラジーミルがついにたまりかねて、「いまごろは、お前の女房もよろしくやっているぞ」と牽制した。ユーゴ人は、そんなことはありえない、ユーゴ女性はロシア女性とは違う、というような都合のいい論理を返した。すると、ヴラジーミルがいかにもあきれたように、「お前はバカだなあ、女というものは我慢ができないものなんだよ」と言った。ユーゴ人は鼻白んで、話は終わりになった。見ていると、彼は向こうを向いて、カバンから手紙を取り出して読んでいる。奥さんのことが不安になったようだ。

ヴラジーミルは古傷の治療のために入院したとのことだったが、土曜日の夜に外泊したため、退院処分になってしまった。土曜日の夜、看護婦のジーマが「このベッドの男はどうしているか」と盛んに訊いていたので、まずいなと思っていたところ、日曜日の朝、晴れ晴れした顔で、ポータブル・ラジオを持って帰ってきた。見舞いに来た息子と酒を飲んで、一晩すごしたとのことだった。彼は看護婦のジーマを探して、何とか見逃してくれと口説いたが、すでに医者に報告してあったのだろう。月曜日に退院を命じられてしまった。

労働者は、病気で入院となると、身体は楽だし、病気手当が付くので喜んで入院する。当局としては、仮病の摘発にやっきとなり、全快すれば速やかに退院させようとする。だから、このような脱柵行為は仮病の証拠と考えられて、処分されてしまうのである。

ヴラジーミルは、さばさばした表情で、まっ先に私のベッドのところへ来て、別れのあいさつをして出ていった。

見舞客たち

私が入院したことは、同宿の日本人学者仲間にとって大事件であった。あとで数学者の清水さんが述懐したところでは、「われわれも、みんな和田さんと一緒に入院生活を体験した」という気持ちであったようだ。毎日スケジュールを立てて、交代でやって来ては、世話をしてくれた。申しわけないことであった。

同宿の仲間だけでなく、モスクワ在住の日本人も、入れ替わり立ち替わり、見舞いに来てくれた。日商岩井の吉田進氏、『日経新聞』の藤川氏、『朝日新聞』の白井久也氏、大使館の学術担当官氏などが、新聞から食べ物まで、いろいろと差し入れしてくれた。歴史研究所からも、イテンベルク先生、部長のラヴョールイチェフ氏、国際交流担当書記のブガイ氏から若い大学院生までやって来て、いろいろ差し入れてくれた。同室の患者の中で、私のところほど見舞客が多く、見舞い品が届くところはなかった。私もなるべく他の人に分けるようにしたが、看護婦も患者たちも、「ここはザタヴァリヴァーニエ（商品の過剰在庫）ね」と言うだけで、別にこだわる様子もない。科学アカデミーの国際局は、私の五〇日入院という事故に対して寛大な措置を取ることにして、滞在を二か月延長してくれることになった。これは本当にありがたい措置であった。

私は小さなラジカセを持ち込んでいた。これはみなの興味を惹いた。グリゴーリー老人はそのラジオで、外国放送は聞けるか、ウィーンでのＳＡＬＴⅡの調印について、西側ではどう言っているか知りたいと言って、私を驚かせた。一度は、病院の男性看護師が、当直だから夜中に音楽を聴きたいので貸してくれと言ってきて、持って行ったが、朝には返してきた。別の部屋の患者が日本円ではいくらか、売ってくれないかと、やや しつこく言ったことがある。全期間を通じて、もめごとはそれ一件であった。

看護婦とニャーニャ

看護婦は四人いた。最初に来たときに顔を合わせたジーマは、アルコールで身体をふいてくれるとき、「こんなに面倒見のいい女はいないよ。私と結婚しないか」と冗談を言った。「だめだよ。結婚しているんだから」と私が答えると、「別れればいいじゃないの」と落ち着いたものだった。

二人はともにスヴェータと呼ばれていた。「太ったスヴェータ」と「痩せたスヴェータ」である。スヴェータというのは、スヴェトラーナの愛称である。太ったスヴェータは、少々乱暴だが、若くて愛嬌があった。ある日、あわてて部屋に来て、サイドボードの上にいろいろな「プロドゥクトゥイ（食べ物）」を載せてはダメだ、共用の冷蔵庫に入れろと、えらい剣幕である。何事が起こったのかと思ったら、針と糸を持ってきて、カーテンを繕いはじめた。「グラーヴヌイ・ヴラーチ（総医長）」の巡回だというのである。やがて、いかめしい顔をした女性の総医長が大勢のお供を引き連れてやってきた。スヴェータは身をすくめて、ひかえている。このスヴェータも、私をレントゲン室に連れていくときに、日本の話をして、ヒロシマについての映画を観たと言った。

痩せたスヴェータは、対照的に物静かな人だった。彼女は注射や処置を担当していた。おしゃべりをすることもなかったが、一度、固定給は月六五ルーブリだというので、えらく安いものだと思った。

看護婦の他に「ニャーニャ」と呼ばれる人々がいる。この言葉は「婆や」という日本語の語感に近い。用便の世話、掃除などをしてくれる人々である。名前だけで呼ばず、名前と父称で呼ぶのは、敬意の表われである。最初からずっと世話をしてくれたマーリヤ・ヴァシリエヴナは、七四歳の大柄の人だった。娘の婿が戦争で頭を打って、ずっと精神病院にいる。娘を助けて、孫を育ててきた。孫は英語を専攻し、モスクワ大学の英文科を卒業したという。もうじき年金がつくので仕事を辞める、と言っていた。

もう一人アントニーナ・イヴァノヴナは、小柄な上品な人だった。彼女はダーチャ（郊外の別荘小屋）を持っていて、キノコ取りをする、ビン四〇個も漬けるのだと言っていた。

その他に「メトジスト（方法を教授する人）」と呼ばれる人がきた。若い女の先生で、私の重りを外して、体操をさせてくれた。彼女の来るのが楽しみになった。

入院患者

ヴラジーミルが去ったあとに入ってきたのは、交通事故に遭った老人と骨折したラグビー部の学生だった。

老人はとても話好きだった。オリョール県の村で、結婚したときにイズバー（農家）の中では、初夜はやりにくかったとか、「密造酒（サマゴンカ）」はライ麦一プード（一六・三キログラム）から一〇リットルできるとか、話のタネはつきなかった。妻は週末はダーチャに行っていて、そこには電話はないので、事故のことを知らせようがないのだと言っていた。

学生はスラーヴァと呼ばれていた。スヴャトスラフが本来の名である。モスクワ航空大学の最終学年だった。二か月前に退院して、ラグビーの練習をはじめた途端に、また左足のすねの骨を二本折ってしまった。それでユーゴ遠征には行けなくなったと言ったが、愚痴はこぼさなかった。さすがに女手一つで彼を育ててきたレストランのウェイトレスをしている母は、見舞いに来て泣いていた。

老人が出て行ったあと、今度はトラックの運転手アンドレイが腿の骨の骨折で入ってきた。これは重傷であった。郊外の村から彼の家族が見舞いにきた。娘は大学を出て、コムソモールの出版社「若き親衛隊」に勤めている。彼女が雑誌『若き親衛隊』を持ち込んだ。エラリー・クィーンの小説が連載されているというので、この雑誌は看護婦のジーマをはじめ、引っぱりだことなった。それまで部屋にあったのは、『世界めぐり（ヴァクルーク・スヴェータ）』という帝政期からつづいている外国事情誌であった。スラーヴァは熱心に読み、用便の際には、そのページを破って使っていた。

ヴラジーミルが貸してくれた小説は、アレクサンドル・ペルシンという無名の作家の『竜巻』という本で、一九七七年の出版である。田舎の少年少女がノモンハン事件で武勲を立てた戦闘機乗りに憧れを抱いているところに、独ソ戦がはじまり、少年は幼年学校へ、少女は女性看護婦養成学校へ入る。残酷な戦争の中での数奇な運命と出会い、友情を描いたものである。特別に戦意昂揚というわけではない。ヴラジーミルが言ったように、人間の運命を描いているのである。これがソ連の大衆小説というわけだ。

こういうことからすると、私の退院間際に入ってきたバスの運転手ヴィクトルが、H・G・ウェルズの作品集を持ってきたのは異色だった。当然ながら、この面白そうな本をみんなが読みたがった。酔ったケンカでの怪我で入ってきた男が、この本を借りたまま退院し、持ち逃げした。本を取られたヴィクトルの真剣な対応は誠に印象的であった。本は人々にとって宝物なのである。私が病院に入っている間、物がなくなった事件は、冷蔵庫に入れておいたタッパー一個と、ヴィクトルのH・G・ウェルズだけだった。

人々は政治については話さなかった。ただ一人、若い労働者の患者が、当時テレビで連続放映されていたロマン・カルメン監督の映画『大祖国戦争』を観て、結局、ドイツ軍と戦ったパルチザンは、武器を所持しつづけているという理由で、戦後に抹殺されたのだと、怒りを露わにして話していたことがあった。大胆な人だった。

退院へ

七月二四日、日本から妻のあき子と二人の子供がモスクワに来て、病院に見舞いにきた。それから一〇日ほどして、七月三一日、私は重りを外し、石膏のギブスを巻いてもらって、退院ということになった。入院費も治療費も無料であり、退院にあたって一ルーブリも要求されなかった。まさに私は、社会主義医療制度の恩恵にあずかったのであった。

だが、ボトキン病院の五〇日が与えてくれたものは、社会主義文明を経験したということだけでなかった。私はソ連の民衆の中で暮らし、民衆の心に触れたのであった。一九世紀のナロードニキは「ヴ・ナロード（民衆の中へ）」という運動をした。この入院は、私にとっての「ヴ・ナロード」であった。そして、私は、普通のロシア人に対する親しみと尊敬する気持ちを強く感じた。ブレジネフ国家の底辺で、私はロシア人に対する愛を感じたのである。

入院の際に取り上げられた服と靴を返してもらって、妻子とともに、藤川さんの自動車でアカデミー・ホテルに帰ってきた。ギブスの生活を一週間ほどつづけて、今度はロシア保健省に申請して、コルセットを作ってもらった。舞踏会に出る女性が付けるコルセットのようなもののレニングラード式であった。それもすべて無料であった。ボトキン病院で指示されて、ポリクリニックでの体操に通った。これが社会主義的医療制度なのであった。まったく違った文明を私は体験した。ありがたく快い経験であった。

私のソ連滞在は、一〇月二三日まで延長してもらったので、あと二か月と二〇日ほどが最後の仕事のための期間となった。コルセットを付けるようになった私は、文書館と図書館通いを再開した。子供たちにソ連を案内してやらなければならないのだが、それをしてはおれない。妻がかけあって、子供たちはモスクワ在住者の家族のための日本人学校に一時入学させてもらった。中学部に入れてもらった娘の真保は修学旅行でエストニアのタリンに行ってきた。一九七九年度組の学術振興会派遣研究者、大阪大学工学部の江南（えなみ）和幸氏とその夫人とお子さんたちに妻と子供たちは連れていってもらって、博物館に行ったり、プレオリンピックの競技大会に出かけたりした。

そうして八月をすごした。

九月初め、妻と子供たちを連れてレニングラードへ行った。カーチャの一家にも家族を紹介し、マリインスキー劇場のバレー『ジゼル』を観せた。九月一〇日にモスクワに戻り荷物を取って、妻と子供たちを空港へ連れていき、夕方の飛行機で日本に帰した。

異論派たち

ブハーリン夫人は語る

妻たちが帰って、滞在は残り四〇日程度となった。文書館での仕事は残っているが、私にはソ連滞在中に片付けなければならない仕事があった。

社会科学研究所の全体研究の成果本に出す論文「ソ連における反ファシズムの論理」を執筆するための資料調査を完成しなければならなかった。私は、レーニン図書館でソ連共産党中央委員会機関誌『ボリシェヴィーク』を読みはじめ、それからヒムキにあるレーニン図書館の別館に通って、『イズヴェスチヤ』に載ったブハーリンの論文を読んだ。

アンナ・ラーリナからは、九月三〇日に初めてゆっくり話を聞いた。

彼女は一九一四年の生まれだというから、このときは六四歳であった。その生きた歳月のうち一八年はラーゲリで暮らした。刑期を終えてモスクワに戻れたのは、一九五九年であったという。

ブハーリンの息子ユーリーはモスクワに戻っていて再会した。二歳で別れた息子は、二二歳になっていた。ラーリナはラーゲリの中で再婚し、生まれた娘とこのときは一緒に暮らしていた。

私は、自分が執筆している論文「ソ連における反ファシズムの論理」のために、一九三四年に復活したブハーリンの立ち位置について質問した。「作家同盟大会で報告するようになったのは、どうしてですか」。彼女は答えた。

ユーリー・ブハーリンと妻・インゲ

「あの報告は、初めは別の人がやることになっていたのだが、ゴーリキーとスターリンが話し合って、ブハーリンがやることになった。ゴーリキーの提案をスターリンが受け入れた、ということかもしれない。ゴーリキーは、個人的には期待した以上のすばらしい演説だったとほめていた。概して、ブハーリンとゴーリキーはよい関係であった。もちろん演説のテキストは、スターリンのもとに事前に提出されていた。しかし、大会でブハーリン演説があのような盛大な歓呼を浴びた、ということが彼の死刑判決につながったのだと回想の中で書いたベルゲルは正しい」。

　ベルゲルは、パレスチナ共産党書記だった人物で、一九三五年にモスクワで逮捕された。英語で書かれたその回想のロシア語訳が、一九七三年にイタリアで刊行されている。

　私は、「『イズヴェスチヤ』の編集長に戻されたのも、驚くべきことでしたね」と尋ねた。夫人はずばりと言った。「編集長にしたのはスターリンで、のちに彼を殺すためにそのポストに付けたのだ」。私が「スターリンは、ニコライ・イヴァーノヴィチを愛していて、そして憎んだのですね」と言うと、彼女は「そうだ」とうなずいた。

　一〇月一〇日、ふたたびブハーリン夫人に話を聞いた。私は、ブハーリンの一九三六年二月のヨーロッパ旅行について、亡命者ニコラエフスキーが書いていることをどう思うか、と尋ねた。この旅行中、ブハーリンがメンシェヴィキのダンと会い、スターリンを批判したとニコラエフスキーは書いており、物議をかもしたのである。ラーリナはニコラエフスキーに怒っていた。

「ブハーリンは、コペンハーゲン、アムステルダム、ウィーンをまわって、パリに入った。私は遅れてソ連を出発し、パリに直行した。彼がパリに一人でいた期間が何日ほどであったかはっきりしないが、長くはない。ブハーリンはダンにも会ったし、マルローには講演のテキストを見てもらっている。しかし、ニコラエフスキーにあのような話をするはずがない。パリでの彼の講演の内容を見てもらえば、彼の気持ちはわかるはずだ。キーロフ殺害の話は、ブハーリンは知らなかった。私が農業集団化を批判すると、通りすぎた階段だと言っていた」。

　ここで、私がブハーリン研究の大著を書いたスティーヴン・コーエンが、ブハーリンは「イソップの言葉」を使っていたと述べているのをどう思うか、と質問した。ラーリナは明解だった。

「イソップの言葉というのは、信じられない。それは彼の体質に反する。あの人はボリシェヴィキであり、その左翼にいた。一党制もプロ独裁も信じていたのよ」。

　問題になっているブハーリンの『イズヴェスチヤ』論

文を、私は読んだばかりであった。私の印象もコーエン説を退けるものであり、ラーリナのきっぱりした言葉は私の考えをより明確にしてくれた。

「一九三六年憲法のことはどうですか」と尋ねると、彼女は答えた。

ユーリー・ブハーリンの絵「カラカーンの山」。ラーゲリから母が見た風景を想像して描いた小品

「憲法全文をブハーリンが執筆したという人がいるが、それは嘘です。権利の章に関する小委員会の長をつとめ、その章を書いただけです」。

この人は、驚くようなことを言いよどむことなく話してくれた。

この日は、彼女の逮捕からの苦難の旅程をも知ることができた。彼女は、一九三七年九月にラデックの妻とともにアストラハンに流刑になっていた。九月二〇日、彼女は逮捕された。夫たちが「人民の敵」として処刑された妻たちの運命は悲惨だった。ラデックの妻はラーゲリで死んだ。ルイコフの妻は銃殺された。トゥハチェフスキーの妻も、ウボレーヴィチ、ガマルニクの妻も同じである。カーメネフは長男が銃殺された。ジノヴィエフの一人息子は経済学の講師だったが、銃殺された。トムスキーの息子も銃殺された。彼女は淡々と話していった。「カーメネフの三歳ぐらいだった末っ子は助かり、現在は姓名を変えて、ノヴォシビルスクで歴史家をしている」。

ブハーリン学派の中でただ一人名誉回復されたのは、ピョートル・ペトロフスキーだが、これには父のグリゴーリー・ペトロフスキーの存在が助けたのだろう。父ペトロフスキーは革命博物館の館長で、死んだも同然だったが、ともあれ粛清されなかったのだ。夫人は「ピョートル・ペトロフスキーの妻の葬式が、今年初めにあったのよ」と言った。

それから、スターリン後の指導部の話になり、フルシチョフは孤立していて支持がなく、自信もなかったという。「ミコヤンは非常によい態度を取った、ブハーリンを愛していた」。

そして、彼女が暗記してほぼ二五年間守りつづけたブハーリンの遺書のことに話が及んだ。

「自分は長文のその声明を中央委員会に出した。それ以外にはクルジジャノフスキーとスターソヴァ（古参ボリシェヴィキ）に見せている。それを、クルジジャノフスキーが重工業人民委員部時代の部下のフロローフに見せた。彼はコピーを取った。彼の死後、彼のアルヒーフはロイ・メドヴェージェフの手に入った。それでメドヴェージェフが、彼の本、『歴史の審判を求めて』にブハーリンの遺書を発表したのだ」。

最後に彼女は、私の研究テーマがナロードニキの生き残り組の生涯だと聞いて、「人民の意志」派のモロゾフについて印象的な話をしてくれた。

「私の両親、父のユーリー・ラーリンは、モロゾフをよく知っていた。あの人はすばらしい老人だった。彼は、獄中で壁を叩いて行なう通信の方法を教えてくれた。それがあとになって私の役に立ったのだ」。

アンナ・ミハイロヴナのこの話を聞けたことは、非常な幸せであった。当事者の回想を聞いた上で、その時代の資料を読み、歴史の真実に迫るという例のない作業を進めることができたのであった。「ソ連における反ファシズムの論理」という論文は、こうして完成されたのである。

ゲフテルは語る

ゲフテルの方は、一〇月四日に質問に答えて詳しく話してくれた。

「シードロフ学派と言われますが、ロシアの独占資本主義の研究をされるようになったのは、どういうきっかけからですか」。

「私は一九五〇年にレニングラードの文書館に資料を見にいった。外国借款の資料は、財務省文書のフォンドＫに保管されていたが、一九四一年にドイツ軍が接近してきたときに、焼却処分され失われた。それで私は、大臣会議の資料を調べ、経済政策がいかに重要な位置を占めていたかを知った。当時、議論になっていたヴァルガの問題提起からも影響を受けた。発見した燃料危機についての資料を『歴史アルヒーフ』誌に載せた。また元老院法官ネイドガルトの監査のフォンドにも重要な資料があった。これは大発見であった。

モスクワに戻って、シードロフ先生にこの話をすると、先生自身が興味を持つようになり、弟子たちにテーマを分担させて、共同研究をはじめるようになったのである。ヴォロブーエフは燃料危機をやれという具合に。一九五八年の『ロシアにおける国家独占資本主義』という問題提起においては、ギンジンの役割が大きかった。タルノフスキーはギンジンの考えを受け入れて、それを普及するために努力したのだ。私は、当初から二点の批判を出していた。第一は、レーニン理解に異論がある。レーニンはロシアが国家独占資本主義の水準に到達していたとは言っていない。第二に、ロシアには、国家独占資本主義のシステムはなかったのだ。ロシア資本主義の狭い存立基盤ということを考えるべきである」。

「一九六四年に出た『ソ連共産党史』第一巻の執筆陣に加わったのは、あなたの学者経歴にとって重要な出来事でしたか」。

「そうだ。この草稿版が討議されたとき、トヴァルドフスカヤの原稿に私が手を入れた、ナロードニキ運動に関する第一章が問題になった。ネチキナ、モチャーロフら大家たちが反対した。しかし、党を代表するイリイチョフが中間的な立場を取った。編集責任者のポノマリョフは最終段階で訂正させようとした。彼は、彼自身が書いた党史以上に進んではならないという意見だった。ポスペーロフが意外にも私の同盟者（soiuznik）になった。彼が語ったところでは、困り切った彼はフルシチョフに質問したとのことである。『ナロードニキをどのように叙述評価すべきでしょうか』。フルシチョフの返事は『あった通りに叙述評価すればいい』というものであった。フルシチョフは、スターリンに『ナロードニキ』だと言われたので、ナロードニキに好意を抱いていたのだ」。

「史学方法論部会は、めざましい活動をしましたね」。

「史学方法論部会は自由な討論を進めたので、多くの人人があちこちからやってきて参加した。もっとも重要なのは、マースロフが報告をした『全連邦共産党史小教程』批判の会だった」。

「一九七四年に、ソ連史研究所所長であったヴォロブーエフが解任されるのがなぜなのか、わかりにくいのですが」。

「ヴォロブーエフの解任は権力争いだった。彼は党中央委員会の学術部から来た人物だが、同じくそこから来たトラペズニコフとしては、自分が科学アカデミー準会員でしかないのに、ヴォロブーエフはすぐにアカデミー会員になったのを見て、妬んだのだ。論文集『ロシア・プロレタリアート』についての批判は『思いこみ（pridumka）』だ。ヴォロブーエフは出世主義者だが、このときは学問的にやろうとしていた。穏健路線だった。しかし、ネクリチの出国のときの態度はよくなかった」。

「タルノフスキーはどうなったのですか」。

「タルノフスキーは、ロシア帝国主義の研究史についての博士論文が承認されなかった。当時は研究所のスタッフの学問の自主性の主張と、党中央委員会学術部のこれを砕こうとする動きとが激しく対立した。それで、次々に自主派が見せしめにやられた。タルノフスキーはその一人だ」。

「あなたがソ連史研究所を辞めた経過は、どういうことでしたか」。

「党員証の書き換えの際に問題が起こったが、結局、党員証は与えられた。研究所でネクリチの出国を非難しようという提案が出たとき、私はただ一人反対した。その誤りを認めて、自己批判せよと求められたので、それはしないと拒絶した。それからフランス共産党の雑誌社から招待が来たが、出国は不許可となった。私は自分の考える通りに話し、書くために、年金生活に入った。さしあたり抑圧はない」。

私はT・K生の『韓国通信』の英訳本をゲフテルに渡した。毎月通信が書き送られて、もう七年になるのに、いまだに筆者は無事だと言うと、彼は感嘆の声をあげた。彼は自分の異論派としての活動についてはひと言も語らなかったが、すでにサミズダートの形式で流布させている多くの論文資料を私に与えてくれた。それを持ち出すことは危険であった。大使館で私たちの世話をしてくれる書記官にかねて、出国の際に慎重を期さねばならない資料を、外交行嚢で送り出してくれないかと頼んであった。私はゲフテルの資料をそのルートで持ち出すことにした。

別れのとき

一〇月五日の夜の急行でレニングラードへ行った。六日と七日にリョーヴァ・ルリエとセーニャ・ロギンスキー、それにカーチャ・ザレンスカヤの三人に会った。どうして三人に別れのあいさつに行ったのかわからない。ロギンスキーは、またもや家宅捜査を受けたところだった。彼は「ギンズブルクが、ラーゲリで日本語を習ったという話を知っていますか」と私に訊いた。私は初耳であった。「昔の日本の知識人は、牢屋の中でロシア語を習ったものですよ」と私は答えた。ギンズブルクとは、一九六六年のダニエル＝シニャフスキー裁判の記録を作成したかどで逮捕され、裁判で五年の刑を受けた人で、この年、一九七九年にアメリカに捕らえられたソ連のスパイとの交換で、アメリカへ出国したのであった。地下鉄の駅での別れしなに、セーニャは「私も、じきに日本語を習うようになるでしょう」と言った。遠からず逮捕されるだろうという意味である。私は何も言えず、別れた。

リヴォーヴァさんの真実

一〇月一六日、リヴォーヴァさんのところへ帰国のあいさつに行った。そこで突然、彼女は自分の身に起こった悲劇について語りはじめた。一九三八年三月、レニングラード大学を卒業する数か月前、彼女は逮捕されたというのである。私は驚いて、思わず「どうしてですか」と訊いてしまった。彼女は私をじっと見た。何のために、ロシア・ソ連のことを研究しているのかと思ったのだろう。彼女は、「もちろん日本のスパイという嫌疑をかけられたのよ」と言った。考えてみれば、その暗黒の数年間には、日本で研究したことがある者、日本を研究している者は日本のスパイになりうる、と考えられたのだった。

事実、一九三七年には、日本から帰って、レニングラードの東洋学研究所の所員になっていた西夏語研究の大学者ニコライ・ネフスキーが、日本人の妻とともに逮捕されたことは私も知っていた。のちの研究によれば、この研究所の学者たちは次々に逮捕され、ついには所長サモイロヴィチもこの年の一〇月に逮捕されたのだった。リヴォーヴァさんの学ぶレニングラード大学東洋学部にいたっては、一九三八年六月二八日に学部そのものが廃止されてしまい、学部長であった科学アカデミー準会員のニコライ・コンラッドが七月に逮捕されてしまうのである。[◆3] 革命前に日本に三年間滞在して研究したソ連の日本学の大家であった。その人の逮捕も日本のスパイということだった。

リヴォーヴァさんの逮捕は、コンラッドという大学者を逮捕する糸口作りだったのだろう。卒業後は参謀本部に通訳として入り、情報を得て、日本側に渡すつもりであったのだろうと決めつけられたとのことだった。裁判はモスクワで行われた。父親が必死で働きかけ、一〇年の刑期が五年に短縮され、彼女はコルイマーへ送られた。刑期は独ソ戦開戦の数週間前に終わったが、戦争が終わるまでは刑期が終わった者も出獄させるなという命令が

◆3 M. Iu. Sorokina, Nikolai Konrad: Zhizn' mezhdu zapadom i vostokom. *Tragicheskie sud'by: Repressirovannye uchenye Akademii nauk SSSR*, Moscow: Hauka, 1995. pp. 136–137.

中国学者デリューシン夫妻と私。背後の絵はすべてワシーリエフの作品

出た。そこでまたもや父親が動き、決定が変えられ、一九四二年春に釈放された。名誉回復がなされモスクワに戻り、モスクワ大学東洋学部に入り、一九四四年に卒業したのである。リヴォーヴァさんは、コルイマーで同囚だった、その後作家となる作家ドムブロフスキーと交渉があったことも話してくれた。

まことに驚くべき話で、私は圧倒されてしまった。彼女は、「叔父（父の兄弟）はアゾフスターリの幹部技師であったが、逮捕された。母方の叔父も南ロシアの製鉄所の工場支配人だったが、一九三二年に逮捕され、獄中で死んでいる。父は例外的に無事で、自分のために働いてくれた」と話した。

デリューシンのところへもあいさつに行った。娘ターニャに紹介された。このタチヤーナは日本文学研究者で、のちに源氏物語の完訳をなし遂げる。前回も知ったことであるが、デリューシンの住居の壁はすべて画家ワシーリエフの作品で埋められ、自宅が個人画家の展覧会場になっているのである。デリューシンはつくづくと不思議な人であった。リュビーモフの友人で、タガンカ劇場の庇護者であり、画家ワシーリエフの特別なパトロンである。そして作家ソルジェニーツィンとも親しく交わり、木村浩氏とのパイプ役を演じている。私はそのような立場に立てるのはどうしてか、と尋ねたことはなかった。

帰国後、木村氏の著作『ロシアの美的世界』（新潮社、一九七七年）を読んでわかったことだが、一九六五年に木村氏が日ソ文学シンポジウムで訪ソしたとき、作家トリーフォノフに、ワシーリエフのアトリエに連れていかれて、この画家と友人になったのだそうだ。その最初の出会いの場にいたのが、中国学者デリューシンと娘のターニャで、木村氏はそのままデリューシン親娘とも結びついたのである。ワシーリエフはタガンカ劇場の舞台装置も造っており、ソルジェニーツィンはこれらの人々の共通の話題の人、知人なのであった。

だが、東洋学研究所中国部長デリューシンが、これらの革新的・異端的な文化人のまん中にいて、この人々に庇護を与えることができるのはどうしてなのか。共産党中央委員会で何らかの重要な役割を果たしており、現在も果たしているのではないか。それで、国家権力との関係で特別な力を確保しているとしか考えられなかった。のちにデリューシンが党政治局員であったクーシネンの助言者の一人であり、そのスタッフを引き継いだアンドロポフの助言者グループの一人であったことを知ることになる。

だが、この滞在期間の間では、そのようなことは知りえなかった。

歴史家ナターリヤ・ピルーモヴァ

ピルーモヴァの語られざる秘密

ピルーモヴァのところへも、二一日に別れのあいさつに出向いた。彼女は、クロポトキンの新たな資料を見せてくれた。一九二〇年に、クロポトキンはレーニンに人質政策に抗議する手紙を出した。それをフィグネルに送り意見を求めた。その手紙に対するフィグネルの返事を読ませてくれたのである。フィグネルは「あなたの手紙はすばらしい。意見を求められたのには驚きました」と書いていた。私はクロポトキン文書を見ていなかったので、この手紙を見せられて、さらに研究しなければいけないとの思いを深くした。ピルーモヴァはまた、クロポトキン博物館が一九三九年に閉鎖になったときのことを教えてくれた。

彼女が私を本当によく指導してくれて、ありがたいと思った。あらためて彼女の毅然とした姿勢に感銘を受けた。だが、彼女はついに自分の父親のことを話すことはなかった。それは、あまりにつらい自分の運命を話すことになるからであろう。[4]

トヴァルドフスキーの歌を聴く

帰国が間近になったので、一〇月一七日、私はゲフテルのところにも別れのあいさつに行った。ブハーリンの息子ユーリーが来ていた。最後にゲフテルは、私に一枚のレコードを見せた。ソ連で出たもので、アレクセイ・ニコラーエフという作曲家の歌曲を、ボリショイ劇場のバス、ヴェジェールニコフが歌ったものである。その中にトヴァルドフスキーの詩「母を想う」三曲がある。ゲフテルはそれを聴かせてくれた。

トヴァルドフスキーはソ連の代表的な詩人で、一時は共産党の中央委員をも務めた人であったが、雑誌『ノーヴイ・ミール』の編集長として、ソルジェニーツィンを世に出すなど、六〇年代人の中心的存在として重きをなしたのである。一九七〇年には編集長職を辞任するところに追い込まれ、翌年に亡くなっている。彼の父は、集団化の際「クラーク（富農）」のレッテルを貼られ、故郷の村を追放になり、ウラルへ送られた。トヴァルドフスキーはそのことを「記憶の権利によって」という詩に書いたが、それをどこにも発表できなかったことは、よく知られている。私が尊敬する「人民の意志」派研究者ヴァレンチナ・トヴァルドフスカヤは、この人の娘である。

私は、トヴァルドフスキーが、父とともに北方に追放された母を想う詩を書いていることを知らなかった。それに曲が付けられ、レコードとして発売されているというのも、驚きであった。ゲフテルの話では、このレコードの発売は難航したが、歌っているヴェジェールニコフがきわめて地位の高い歌手であったため、ようやく認められたとのことであった。歌の内容はまぎれもない。

〽彼らが家畜の群のように運ばれていった地には
近くに村もなく町もなかった
タイガーに閉ざされた北のくに
そこにあるのは寒さと飢えだけだった

だが　きっと母さんは思い出したに違いない
話が出れば　すぎし日のすべてを
母さんはどんなにか　あそこでは死にたくなかったろう
墓地はとても嫌なものだった

まわりには　はてもない終わりもない森
目の届くところ　人の気配はない
だが墓地には　木一本とてなく
母さんのための小枝一つもなかった

古い切り株と木の根の間を
ふぞろいに掘り返された土
せめて住まいから少しは離れたところなら
だが　墓地はバラックのすぐうしろ

だから　母さんはよく夢にみた
家や庭をではなく
故郷のあの丘を　やわらかな
白樺の木々の下のあの十字架を
何という美しさとありがたさ
遠くの街道に砂ほこりが舞っている
夢だった　夢だった　と母さんは言う
壁の向こうはタイガーの墓地

いまでは　そこにも白樺がある
タイガーの向こうにはるか夢みたものではないけ

◆4　ピルーモヴァは、のちにペレストロイカがはじまると積極的になり、アナーキズムの復権のために働き、クロポトキン博物館の復活のための陳情をした。私は彼女の努力を励ました。ソ連終焉後の一九九二年には、彼女はクロポトキン生誕一五〇年記念の国際シンポジウムを主宰した。日本からは、私、左近毅・戸田三三冬・久保英雄氏らが参加した。そのころ私は、彼女がアルメニア人のエスエルの娘であったことを聞いた。しかし彼女は、自分ではそのことを私には一度も話したことはなかった。ピルーモヴァは一九九七年に七四歳でこの世を去った。死後九年の二〇一三年になって、彼女の詳細な追悼文が弟子のウリヤーノヴァによって、ロシア史研究所の出版物に掲載された。そこで、初めてわれわれは彼女の苦難の前半生を知ることができたのである。

　彼女の父ミハイル・ハチャトゥーロフ（ハチャトゥリヤン）は、アルメニア人の左派エスエルであった。この父は、彼女が生まれた一九二三年にソロフキ収容所に送られ、一〇年をすごし、戻ると再逮捕され、一九三八年に処刑されたのである。母も逮捕され、カザフスタンに流刑になった。一六歳のピルーモヴァは、母と離れ離れになり成長した。ピルーモフは母の最初の夫の姓であり、政治犯の娘である彼女に、母親が別れた夫の姓を名乗らせたのは、実の父との関係を隠すためだったのである。彼女はこの姓を終生守り通した。（G. N. Ul'ianova,Natal'ia Mikhailovna Pirumova (1923-1997): sud'ba istorika v zerkale epokhi. K 90-letiiu so rozhdeniia//*Istoriia i istoriki 2011-2012*, Moscow, 2013, pp. 273–276）

れど
その狭い永遠の共同住宅に母さんは
登録することになったのだ

べつに腹を立てはしない
永遠を上から刻むのは何でもよい
だが　あの柔らかな白樺はとうにない
もう夢にみるものは何もなくなった

「『もう夢にみるものは何もなくなった』。この最後の一行がすばらしい」とゲフテルが言った。私にはトヴァルドフスキーの著作集が渡されていた。歌が変わるたびに、ページをくって、詩を教えてくれたのは、ユーリー・ラーリンである。父ブハーリンを殺され、母アンナをラーゲリに奪われた人であった。

〜「渡し守よ　渡し守よ　若い兄さん
私を向こう岸に渡しておくれ
家に帰るんだから」

母さんは　どこでこの歌を習い
年老いるまで　胸にしまっていたの
よそで習うはずもない　みなあそこ
生まれ育った土地でだよ

〔……〕
あそこでは　こんな言いならわしがあった
もしも娘が向こう岸へ
嫁にいったら　生みの母とは
二度と会えないと

〔……〕
遠い昔の若い日の涙
その娘の涙どころではない
別の川を人生でわたることになろうとは
故郷から　はるか遠くへ
時代が追い立てた
そこには　別の川が流れていた
くにのドニエプルより　もっと広い川が

その地では　森はもっと暗く
冬は　もっと長くて　厳しく
雪さえ　橇の滑り木の下で
もっと痛そうに　音を立てた

だが　歌われなくとも
その歌は　記憶の中に生きていた
この地の果てにまで
運ばれた言葉があった

「渡し守よ　渡し守よ　若い兄さん
私を向こう岸に渡しておくれ

ゲフテルがくれたレコード『ニコラーエフ歌曲集』のジャケット。ヴェジェルニコフがドヴァルドフスキーの母の歌３曲を歌っている

家に帰るんだから」
すんだことはすぎたこと
誰が何を求めているのか
それにもう遠くはない
最後の川を渡るのも

渡し守よ　渡し守よ　白髪の爺さん
私を向こう岸に渡しておくれ
家に帰るんだから

私たち三人は、黙ってこの歌を聴いていた。ラーリンの母、アンナは、いくつもの川をわたって家に帰ってきたのである。彼女はブハーリンの遺言を記憶の中にしまっていた。

ゲフテルは、そのレコードのジャケットにサインして、私にくれた。私が彼の家を辞するとき、彼は私を長椅子に並んで座らせた。一分ほどの無言の時が過ぎた。それが旅出つ人の無事を祈る儀式であるようだった。

帰国

一〇月一八日には、ソ連史研究所へも別れのあいさつに行った。イテンベルク先生はチホミーロフの小さな本をくれた。『プレハーノフとその友人たち――個人的な回想より』で、一九二五年に刊行された本である。彼がソヴィエト時代に書いた連作「過去の影」の一章を本にした、めずらしいものであった。この本は、私のチホミーロフ研究に大きな助けとなった。イテンベルク先生は穏健な人であり、大胆な歴史家ではなかったが、私に好意を持って、私の研究を助けてくれた。そのことは、これ以後三五年変わらずつづいていくのである。最後に、フィグネルの友人であったボリス・コジミーンの写真の前で、イテンベルク先生と記念写真を撮った。

一九七九年一〇月二二日、私は夢のような一年間のソ連滞在を終えて、帰国の途についた。日本に帰ったときには一〇月二三日になっていた。

帰国後の三か月

朴大統領の死

帰国して三日後、一〇月二六日、テレビの臨時ニュースで、朴正熙大統領がＫＣＩＡ部長・金載圭（キムジェギュ）に射殺されたことを知った。まさに驚天動地の事件である。帰国のあいさつを兼ねて、日韓連帯委員会の仲間、青地晨先生、清水知久・倉塚平・高崎宗司氏らに急いで連絡を取った。

しかし私は、すぐには運動に戻れなかった。腰椎圧迫骨折のリハビリが必要であった。私は、東大病院の整形外科に行って相談した。しかし、モスクワの医者が望んだような組織的なリハビリの体制などは、日本にはなかった。東大病院の医者は「腰椎はもう直っていますよ。自分で水泳でもしなさい」と言うだけであった。結局、私は何もしなかった。

差し迫った仕事は、研究所の共同研究「ファシズム期の国家と社会」のために出す論文「ソ連におけるファシズムの論理」を書き上げることであった。私は必死になって努力して年末に提出した。この論文は「ファシズム期の国家と社会」８、『運動と抵抗』下（東大出版会、一九八〇年三月）に掲載された。

私は、また日韓連帯運動に復帰した。日韓連帯委員会の人々は変わらず、私をあたたかく迎えてくれた。私は、私たちの委員会のブレティン『日韓連帯』第五号のために「遠い北の国から(2)」を書いた。ソ連の知識人に韓国の状況を話すと、すぐに北朝鮮はどうなのかと尋ねてくるということを書いたのである。

日韓連を支えてくれていた若者たちはどうなったか、気がかりであったが、誰とも連絡をとらなかった。

私はすぐに、ソ連出発前にやり残していた仕事を片付けることに着手した。それは、韓国のクリスチャン・アカデミーが一九七六年一一月に創刊し、翌年一〇月廃刊処分を受けた雑誌『月刊対話』の論文選の出版である。

私は高崎宗司氏と相談して、この仕事を進めた。今度は、京都大学の大学院生・宮嶋博史氏にも翻訳に加わってもらうように依頼した。私自身は、法頂「出家」、成来運（ソンネウン）「人類とともに同胞が生きのこる道」、鄭錫海（チョンソクヘ）「私が経験した教授団デモ」、李泳禧（イヨンヒ）「光復三二周年の反省」の四本を翻訳し、解題を書いた。法頂の文章を引用してみよう。

「お前は、なぜ出家したのか。仏陀がいまこの場でたずねるとしても、私は次のように答えるだろう。私らしく生きるために、私のやり方で生きるために、家を出たのだと」。

「悟ったならば、即（すなわち）その場で捨てるのである。捨てるためには、結びを断ち切ることができる固い意思が必要なだけだ。一つずつ捨てようとすれば、きりがないが、すらりと捨てれば、すべてを捨てられる。もっと持っていようとして不自由を感じる人もいるが、すべてを捨てて出て行くことによって、むしろ身軽な自由を享受しようというのである。私の人生を私が生きるために」。

よい言葉であった。

ゲフテルに迫る危険

一二月上旬、帰国して一か月半ほどしたころ、私のところに、モスクワのゲフテルに危険が迫っているという知らせがあった。パリにいるゲフテルの崇拝者で、アルゼンティン人のクラウディオ・インゲルホルムを経由して、一一月から一二月にかけて歴史家ゲフテルを含め地下雑誌『探求（ポーイスキ）』編集者八人の自宅が家宅捜査され、ゲフテルは精神病院入りを当局から勧められていると知らせてきたのである。一二月四日には編集者アブラームキン他一名が逮捕された。当局は六号を刊行すれば、編集者全員を逮捕すると通告した。しかし、『探求』誌側は六・七・八号を引きつづき刊行するとの声明を流した。

モスクワの動きはただならぬものであった。一二月二七日にはソ連軍がアフガニスタンに侵攻した。一年前、私がモスクワに着いた直後、モスクワを一緒に訪問してソ連と協力条約を結んだタラキーとアミンが対立し、アミンがタラキーを殺して、アフガニスタンの支配者になったのが一九七九年九月のことだった。このとき米国留学帰りのアミンの対米傾斜を危険視したブレジネフ政権が、ついに軍事介入に乗り出したのである。アミンは、ソ連KGBの特殊部隊に殺害された。アフガン戦争の開始である。

年が明けて、一九八〇年一月二二日、サハロフがゴーリキー市に流刑になった。翌日、『探求』誌の編集者二名が逮捕されたと外電が報じた。私は行動を開始せざる

文化

耐えるソ連の知識人たち

もう一つの抑圧『探求』誌
逮捕よそに続刊声明

和田　春樹

『朝日新聞』（1980 年 1 月 30 日付）

を得なかった。

私はプリンストン大学のスターリン研究者タッカー教授に連絡し、客員研究員として招聘したいという手紙をゲフテルに送ってくれるように頼んだ。モスクワで一緒だった北海道大学スラブ研究センターの伊東孝之氏にも同じことを頼んだ。自分では一月三〇日、『朝日新聞』学芸欄に「耐えるソ連の知識人たち」という文章を寄稿した。ソ連の人々にとても言葉では言い表わせないほどの世話になって、一年の滞在生活を終えたばかりで、お礼の言葉をひと言も述べないうちに、ソ連の国家社会に対して批判の文章を出すのは心苦しいものがあったが、いたしかたない。私は書いた。

「『あれは、一種の敷居のようなもので、人はそれをふみ越えるとき、第二のフルシチョフの登場がありうるとの幻想をすべて捨てなければならなかった』。一九六八年のチェコ侵攻について、あるモスクワの批判的知識人は、私にそう語った」。

「アカデミー会員サハロフへの抑圧は、開け行く八〇年代の十分なる予告とみえる。〔……〕だが、注意を向けるべき、いま一つの重要な抑圧が昨年秋より進行していた。非公認雑誌『探求（ポーイスキ）』への抑圧である」。

「この雑誌の同人たちにとって、彼らが直面する状況は『トゥピーク』ととらえられる。『私たちはいま私たちが入り込んでいるトゥピークについて語りあっているのです』。そんなふうに私もモスクワの冬の中でこのロシア語の言葉をきいた。この意味は、〈袋小路、行きどまりの鉄道線路、転じて出口のない状態〉である」。

「モスクワでゲフテルと話していて、魏京生のことが話題になったとき、彼が『五年とは過酷な刑だ』と頭をふっていたのを思い出す。それは郊外に白樺の林を見に行ったかえりであった。自然は美しく、民衆は素朴で愛すべく、堪えている知識人の姿はわれわれの胸を打つ。八〇年代のロシアはその苦しみの中から自らに何を獲得し、世界に何を与えるのだろうか」。

　これらのことも何らかの貢献をしたものか、ゲフテルは精神病院に入れられずにすんだ。しかし、『探求』誌への弾圧は明らかなソ連社会変化の長い陣痛の始まりであった。

　二月になると、韓国では、金大中氏を含め多くの人々が復権した。三月二六日、金大中氏は政治活動を再開した。金泳三（キムヨンサム）氏も、金鍾泌氏も、すでに動き出していた。三金氏が等しく政治活動を再開することになった。私たちは、テレビで金鍾泌氏が、韓国に「行政の時代」に代わって「政治の時代」が到来したと語るのを聞いて、喜んだ。

　一九八〇年四月には、金大中氏は数万人の群衆集会で早くも演説していた。だが、私たちには見えないところで、残酷な五月、光州事件の五月が近づいていた。

［編集者による付記］

本書に登場する高橋武智氏の著書『私たちは、脱走アメリカ兵を越境させた』は、本書の担当編集者である私が編集をしたものです。本書九七頁の「ジャテック最後の作戦」には、こんな後日談がありますので、紹介します。

高橋さんが偽造パスポートで脱走兵をパリに送り出した後、彼らの身柄を引き受けて、スイス経由でソ連へと亡命させる役割を担ったのはフランス側の市民団体でした。パリの空港に出迎えにきたのは女性二人で、責任者の活動家の女性と、彼女のアシストをしていた若いアメリカ人の女性だったという話を、高橋さんはあとになって聞いたそうです。その若い女性の名前は、スーザン・ジョージでした。後に『なぜ世界の半分が飢えるのか』などの世界的なベストセラーを執筆した世界的な市民活動家の、あのスーザン・ジョージの若き日のことだったのです。

30年の年月を経て出会った高橋武智とスーザン・ジョージ。手に持っているのは『私たちは、脱走アメリカ兵を越境させた』の本

私は、スーザン・ジョージの本の日本語版を何冊も編集しているものですから、彼女を日本に招くプロジェクトに協力したことがあります。その際、二〇〇八年七月二日、二人が会う機会をセッティングしました。

高橋さんが、スーザン・ジョージに日本からの脱走兵のことを話し、「あなたが空港に迎えにきたと聞いているが、憶えていますか?」と尋ねると、「もちろん憶えている、忘れることはできない行動だった」と答えたので、「あの脱走兵を日本の空港から送り出したのは私で、あの越境計画の責任者は私です」と高橋さんが言うと、スーザン・ジョージはびっくりして口を手で覆って、しばらく物も言えず黙っていたあと、あの脱走兵を送り出した人間と、出迎えた人間が、このようにして三〇年の年月を経て出会えるなんて……、といった主旨のことを言って、高橋さんの手を握りました。

作戦当時はまったく知らないまま、お互いの善意だけで協力した二人が、三〇年の時を経た後に、このようなめぐりあわせでふたたび相まみえた機会に立ち会って、私もとても感動を覚えました。

（内田眞人）

人名索引

※本索引に必要と思われる人物名は、ファーストネームの調べがつかなかったものもそのまま項目として立てた。
※中国人名は日本語読み、朝鮮人名・韓国人名は原則として原音表記に従ったが、日本語読みが慣用な場合はそのままとした。

装幀　小川惟久

【著者紹介】

和田春樹（わだ・はるき）

1938年、大阪生まれ。東京大学文学部卒業。東京大学社会科学研究所教授、所長を経て、現在、東京大学名誉教授、東北大学東北アジア研究センター・フェロー。専攻は、ロシア・ソ連史、現代朝鮮研究。主な著書に以下がある。

『ニコライ・ラッセル――国境を越えるナロードニキ（上・下）』（中央公論社、1973年）

『マルクス・エンゲルスと革命ロシア』（勁草書房、1975年）

『農民革命の世界――エセーニンとマフノ』（東京大学出版会、1978年）

『韓国民衆をみつめること』（創樹社、1981年）

『私の見たペレストロイカ』（岩波新書、1987年）

『北方領土問題を考える』（岩波書店、1990年）

『開国――日露国境交渉』（NHKブックス、1991年）

『歴史としての社会主義』（岩波新書、1992年）

『金日成と満州抗日戦争』（平凡社、1992年）

『北朝鮮――遊撃隊国家の現在』（岩波書店、1998年）

『北方領土問題――歴史と未来』（朝日選書、1999年）

『ロシア――ヒストリカル・ガイド』（山川出版社、2001年）

『朝鮮戦争全史』（岩波書店、2002年）

『東北アジア共同の家――新地域主義宣言』（平凡社、2003年）

『テロルと改革――アレクサンドル二世暗殺前後』（山川出版社、2005年）

『ある戦後精神の形成　1938-1965』（岩波書店、2006年）

『日露戦争　起源と開戦』上下（岩波書店、2009-10年）

『これだけは知っておきたい 日本と朝鮮の一〇〇年史』（平凡社新書、2010年）

『北朝鮮現代史』（岩波新書、2012年）

『「平和国家」の誕生――戦後日本の原点と変容』（岩波書店、2015年）

『アジア女性基金と慰安婦問題――回想と検証』（明石書店、2016年）

『スターリン批判　1953~56年』（作品社、2016年）

『米朝戦争をふせぐ――平和国家日本の責任』（青灯社、2017年）

『ロシア革命――ペトログラード1917年2月』（作品社、2018年）

『韓国併合　110年後の真実』（岩波書店、2019年）

『日朝交渉30年史』（ちくま新書、2022年）

『ウクライナ戦争　即時停戦論』（平凡社新書、2023年）

回想　市民運動の時代と歴史家 1967–1980

2023年12月15日 初版第1刷印刷
2023年12月20日 初版第1刷発行

著者——和田春樹

発行者——福田隆雄
発行所——株式会社作品社
102-0072 東京都千代田区飯田橋2-7-4
Tel 03-3262-9753　Fax 03-3262-9757
振替口座 00160-3-27183
https://www.sakuhinsha.com

本文組版——ことふね企画
印刷・製本—中央精版印刷株式会社

ISBN978-4-86182-958-1 C0023 Printed in Japan